Waltraud Langer/Susanne Spreitzer

Österreichs Wirtschaft von A–Z

Das Basis-Wissen für jeden Österreicher
Begriffe kennen, Zusammenhänge verstehen

LINDE
POPULÄR

Für unsere Söhne Max und Michael

Bibliografische Information Der Deutschen Bibliothek

Die Deutsche Bibliothek verzeichnet diese Publikation in der Deutschen Nationalbibliografie; detaillierte bibliografische Daten sind im Internet über http://dnb.ddb.de abrufbar.

ISBN 3-7093-0001-0

Satz und Grafiken: Peter Sachartschenko
Umschlag: AG MEDIA GmbH
© LINDE VERLAG WIEN Ges.m.b.H., Wien 2003
1210 Wien, Scheydgasse 24, Tel.: 01 / 278 05 26
www.lindeverlag.at

Druck: Hans Jentzsch & Co. GmbH., 1210 Wien, Scheydgasse 31

Inhalt

Vorwort

Tapetenwechsel in Österreich. Das System der Wirtschaft ändert sich radikal. Weg vom Staat als Versorger und weg von geschützten Arbeitsplätzen hin zur Verantwortung des Einzelnen. Eigene Entscheidungen von großer Bedeutung statt schützender Hände. Egal, ob uns diese neuen Tapeten gefallen oder nicht – wir werden damit leben müssen. In allen europäischen Staaten vollzieht sich dieselbe Entwicklung.

„Da kenne ich mich nicht aus" – so reagieren viele, wenn sie das Wort Wirtschaft hören. Dabei war es noch nie so wichtig, zumindest ein Basiswissen der Wirtschaft zu haben. Noch nie konnte der Einzelne so viele Entscheidungen fällen. Noch nie wurde dadurch aber auch so viel von jedem Einzelnen gefordert – und viele fühlen sich überfordert.

Ob Arbeitszeitmodell, Geldanlage, Gesundheits- oder Pensionsvorsorge – die Auswahl wird immer größer, immer mehr eigene Treffsicherheit wird verlangt. Chancen, Kosten und Risiken sind oft nur schwer durchschaubar. Selbstbestimmtes Leben hat in Österreich wenig Tradition: Staat und Kirche spielten historisch eine große Rolle. Von oben kam der geistige Segen, von der Partei der materielle, der bei Arbeit und Wohnung mithalf. Vieles war vom Staat reguliert, ob Preise oder Zahl der Anbieter. Das ist großteils vorbei.

Jeder Haushalt ähnelt zunehmend einer kleinen Firma, in der perfektes Management zählt. Den einen Partner fürs ganze Leben gibt es inzwischen genauso selten wie den einen Arbeitsplatz. Beruf, Arbeitszeit, private Verhältnisse – in immer kürzeren Phasen erfolgen Veränderungen. Finanziell wird gleichzeitig immer längerfristiges Denken verlangt. Spätestens mit 30 an das eigene Leben mit 80 zu denken, während es bis dahin kaum mehr eine Konstante gibt, verlangt dem Einzelnen viel ab. Dieses Buch kann nur in einem Bereich Hilfe geben: Wissen über Wirtschaft, denn das ist unumgänglich für viele Entscheidungen.

Flexibilisierung, Liberalisierung, Globalisierung – das ist das System der neuen Wirtschaft. Wer hier nicht nur lernendes und zahlendes oder sogar draufzahlendes Mitglied sein will, muss Bescheid wissen. Ein Mitglied dieser Gesellschaft sein, das die neuen Freiheiten zu schätzen und zu nützen weiß.

„Österreichs Wirtschaft von A–Z" soll Ihnen dabei helfen, einen Einblick in die und Überblick über die neue Welt der Wirtschaft aus österreichischer Sicht zu gewinnen. Wir hoffen, dass uns dies in Ihrem Sinne und zu Ihrem Nutzen gelungen ist.

Waltraud Langer und Susanne Spreitzer

Einleitung

Was macht Österreichs Wirtschaft aus, was unterscheidet Österreich von anderen Staaten? Wer diese Frage beantwortet, erkennt rasch, was sich seit 1945 verändert hat: Österreich ist zu einem ziemlich normalen Land innerhalb der Europäischen Union geworden. Im Vergleich zu anderen Ländern hat es weniger Konzerne, aber auch – noch immer – weniger Streiks und Konflikte. Die Sozialpartnerschaft ist längst nicht mehr so bedeutend, wie sie einmal war. Aber es gibt sie noch, weil sie sich in vielen Fragen als praktisches System bewährt hat: Miteinander reden, verhandeln – dann kommt für beide Seiten etwas halbwegs Vernünftiges heraus. Gleichzeitig kämpfen die Österreicher genauso mit den Anforderungen einer sich unglaublich rasch verändernden Welt wie die Bürger aller anderen Staaten – Stichwort Liberalisierung oder auch Privatisierung und nicht zuletzt eines der wichtigsten Schlagwörter im vergangenen Jahrzehnt: Globalisierung. Es gilt, sich hier zurechtzufinden.

Österreich ist eine Insel der Seligen, hieß es 1971 von Papst Paul VI. Dieser Satz ist inzwischen völlig falsch, gleichzeitig aber noch immer richtig. Richtig, weil Österreich noch immer ein überdurchschnittlich reiches und friedliches Land ist. Vom Inseldasein fehlt aber jede Spur. Gerade der Osten Österreichs war jahrzehntelang aufgrund des Stacheldrahts in Richtung Tschechoslowakei – wie es damals noch hieß – und Ungarn ziemlich abgeschnitten. Während Westösterreich mit Deutschland, Italien und der Schweiz in regem Austausch stand – bei Handel oder Tourismus –, war Ostösterreich ein relativ abgeschottetes Gebiet. Die Nachbarn interessierten kaum, und zu ihnen zu fahren war mit den aufwändigen Grenzkontrollen den meisten zu mühsam.

Ein erster Luftstrom erfolgte 1989 mit dem Fall der Mauer und dem Durchschneiden des Stacheldrahts. Der Handel, der bis dahin etwa mit Polen oder Russen betrieben worden war, basierte vor allem auf politischen Kontakten und Vereinbarungen. Nicht vergleichbar mit den Tausenden privatwirtschaftlichen Handelsbeziehungen, die es inzwischen Richtung Osteuropa gibt.

Als nächste Stufe der Öffnung Österreichs der fast schon vergessene EWR, der Europäische Wirtschaftsraum, der 1994 in Kraft trat. Alle EU-

und EFTA-Staaten, ohne die Schweiz, zählten dazu. Also neben den EU-Staaten auch Island, Liechtenstein und Norwegen. Bereits mit dem EWR wurden die so genannten vier Freiheiten – freier Verkehr für Waren, Personen, Dienstleistungen und Kapital – umgesetzt. Für Österreich bedeutete das die Übernahme von 60 Prozent des Gemeinschaftsrechts schon vor dem EU-Beitritt.

Ein Jahr später, 1995, war Österreich EU-Mitglied. Von den Befürchtungen, die es im Vorfeld gab, sind einige eingetroffen, andere stellten sich als bloße Schauermärchen heraus. Blutschokolade und Läusejoghurts blieben den Österreichern erspart. Die Gruselpropaganda war viel zu schön, um sich die schlichte Frage zu stellen: Warum sollte irgendjemand auf dieser Welt derartige Dinge freiwillig essen wollen? Aber allein dass das Thema Blutschokolade tatsächlich diskutiert wurde, zeigt, dass die Österreicher damals tatsächlich noch ziemlich abgeschotteten Insulanern glichen.

Andere Bedenken erwiesen sich als wahr und haben zu einer tief greifenden Umgestaltung des Landes geführt: das Ende der geschützten Werkstätten, der scharfe Wind des Wettbewerbs. Weniger Schutz von Institutionen, dafür mehr Chancen für den Einzelnen. Dass ein Unternehmen wie die Handelskette Konsum, die in Österreich ein dicht gespanntes Netz von Filialen hielt, einfach zugesperrt wird, das wäre in den 70er- oder 80er-Jahren wohl unvorstellbar gewesen. Undenkbar wohl auch, dass die größte Bank des Landes, noch dazu mit gehörigem politischen Einfluss ausgestattet, die Bank Austria, ans Ausland verkauft wird. Die Frage ist bloß: Was wäre die Alternative gewesen? Und hätten sich die Veränderungen nicht auch ohne EU-Beitritt abgespielt? Heute wird die Sinnhaftigkeit des EU-Beitritts in Österreich längst nicht mehr diskutiert, er ist zu einer Selbstverständlichkeit geworden.

Der nächste Riesenschritt steht vor der Tür: die EU-Osterweiterung, die Aufnahme von Staaten wie Tschechien, Polen oder Slowenien in die EU. Es ist kaum vorstellbar, was es für Österreich bedeutet hätte, wäre es der EU nicht beigetreten – aber alle Nachbarstaaten wären dabeigewesen. Hätte Österreich dann seine Chancen im Osten und Süden genauso gut nützen können? Eher nein.

Im Nachhinein ist es eine fast überraschend logische Entwicklung, die Österreich gemacht hat: von der Verstaatlichten-Krise in den 80er-Jahren zum Rückzug des Staates aus vielen Bereichen. Weg von der führenden Hand des Staates entstand mehr unternehmerische Initiative, eigenständiges Denken – und das erwies sich als Glücksfall in Vorbereitung auf die EU-Erweiterung.

Die Veränderungen der letzten Jahre haben Österreich gutgetan. Es ist zu einem internationaleren, offeneren Land geworden. Da alle Staaten nach Wettbewerbsvorteilen suchen und sie auch brauchen, wird es aber gleichzeitig für die Zukunft von entscheidender Bedeutung sein, dass sich Österreich in seiner Rolle gegenüber den anderen Staaten definiert. Will Österreich erfolgreich sein, und davon ist wohl auszugehen, dann muss es ein moderner, dialogbereiter und wettbewerbsfähiger Staat sein – mit hoher Ausbildung der Beschäftigten und hohen Investitionen in die Zukunft. Ein lebens- und liebenswerter Staat wird es sein, wenn eine möglichst breite Schicht der Bevölkerung am Erfolg des Landes teilhaben kann und auf die Umwelt nicht vergessen wird.

Da der Einzelne sein Leben immer mehr selber in die Hand nehmen muss, wird die Summe aus Hunderttausenden Entscheidungen den Erfolg Österreichs ausmachen. Um gute Entscheidungen zu treffen, ist Wissen über die Wirtschaft eine Grundvoraussetzung.

Dieses Buch soll ein kleiner Beitrag dazu sein, die Wirtschaft Österreichs übersichtlich vor Augen zu haben. Das Buch möge Ihnen eine Hilfe sein, Ihre persönlichen Entscheidungen leichter zu treffen.

Hinweise zur Handhabung dieses Buches:

- Teil I gibt einen kurzen Überblick über den aktuellen Stand Österreichs und bietet eine kurze Zusammenfassung der wichtigsten Etappen, die Österreich im Laufe der vergangenen 100 Jahre auf seinem Weg vom Agrarland zum Industriestaat zurückgelegt hat.

- Teil II blickt hinter die Kulissen von Familie Österreicher und bietet einen kurzen Spaziergang durch die Unternehmens- und Branchenlandschaft: Wer oder was ist ein privater Haushalt, wie viel Kaufkraft haben die Österreicher, wie groß sind die heimischen Unternehmen und welche Rolle spielen sie im internationalen Handel, und welche Branchen dominieren?

- Teil III geht detailliert auf einige Begriffe ein, die derzeit oder in der jüngsten Vergangenheit in politischen und wirtschaftlichen Diskussionen immer wieder eine wichtige Rolle gespielt haben. Die rot markierten Begriffe innerhalb des Texts verweisen darauf, dass dieser Begriff als eigenes Stichwort angeführt und eingehender beschrieben ist.

Teil I
Wo steht Österreich?

1. Österreichs Wirtschaft im internationalen Vergleich

Österreich ist nicht gerade zum Reichsein verdammt. Mit 83.845 Quadratkilometern findet es sich rein flächenmäßig erst an 113. Stelle der 194 Staaten weltweit. Dazu ist fast die Hälfte des Landes mit Wald bedeckt, garniert mit wenig bewirtschaftbaren Hügeln und Bergen. Große landwirtschaftliche Produktionsflächen, wie sie etwa in den USA, in China oder auch in Deutschland oder Frankreich bestehen, sind somit allein schon aufgrund des begrenzten Raumes nicht möglich.

Auch die Bodenschätze fallen im Vergleich mit anderen Staaten bescheiden aus: So liefert zwar der steirische Erzberg noch immer Vorrat für die heimische Eisenproduktion und der Kärntner Boden beherbergt Magnesit-, Zink-, Blei- und Wolfram-Vorkommen. In Ober- und Niederösterreich sprudeln sogar ein paar Ölquellen. Die natürlichen Ressourcen reichen aber nicht einmal zur Eigenversorgung des Landes, geschweige denn für reichlich fließende Exporterlöse.

Bleiben als Mitgift von Mutter Natur die „schöne Landschaft", der üppige Vorrat an Holz und nicht zuletzt Wasser in so großen Mengen, dass der damit erzeugte Strom sogar exportiert werden kann. Doch auch damit lässt sich noch kein Staat machen – schon gar nicht einer, der mit den größten Industrienationen der Welt mithalten will.

Trotzdem gilt Österreich als eines der wirtschaftlich reichsten, stabilsten und sichersten Länder der Welt. Der wirtschaftliche Erfolg lässt sich auch aus einer der wichtigsten Kennzahlen der Volkswirtschaft herauslesen: So liegt das österreichische Bruttoinlandsprodukt (BIP) pro Kopf deutlich über dem EU-Durchschnitt und noch vor den G7-Staaten Deutschland, Frankreich, Italien und Großbritannien.

BIP je Einwohner zu Kaufkraftparitäten 2001

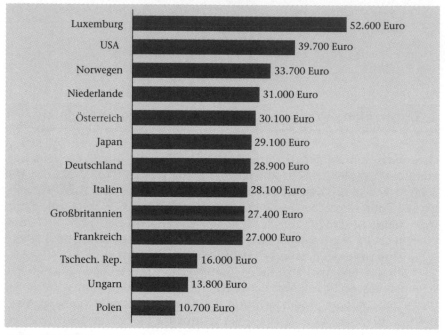

Luxemburg — 52.600 Euro
USA — 39.700 Euro
Norwegen — 33.700 Euro
Niederlande — 31.000 Euro
Österreich — 30.100 Euro
Japan — 29.100 Euro
Deutschland — 28.900 Euro
Italien — 28.100 Euro
Großbritannien — 27.400 Euro
Frankreich — 27.000 Euro
Tschech. Rep. — 16.000 Euro
Ungarn — 13.800 Euro
Polen — 10.700 Euro

Quelle: OECD 2002

Der österreichische Weg

Tatsächlich gibt es seit 1945 einen spezifischen „österreichischen Weg", der Österreich von einem zerstörten, verarmten Land zu einem der reichsten der Welt gemacht hat. Herrschte nach dem Zusammenbruch der Monarchie lange Zeit das Gefühl vor, dieses Land sei nicht lebensfähig, kehrte das Selbstbewusstsein mit wachsendem Wohlstand langsam wieder zurück. Nicht zu unterschätzen ist dabei die Rolle der Sozialpartnerschaft: Verhandeln statt Klassenkampf, sich zusammensetzen, statt sich zu bekämpfen – so kamen für alle berechenbare Verhältnisse, die Österreich zu Stabilität und Ansehen mitverhalfen.

So gesehen befindet sich Österreich derzeit an einem Wendepunkt: Die Rolle der Sozialpartner wird kleiner, der Einfluss von außen durch die EU-Mitgliedschaft größer. Österreich muss erst wieder definieren, wie der spezifisch eigene Weg aussieht – hier einen guten Weg einzuschlagen, wird für den Wohlstand der Zukunft eine nicht zu unterschätzende Aufgabe sein.

Auf den vorderen Plätzen im weltweiten Vergleich

In weltweiten Rankings hält sich die kleine Alpenrepublik meist auf den vorderen Plätzen oder zumindest nicht oder nur in Ausnahmefällen unter dem Durchschnitt.

- Im *Global Competitiveness Report 2002–2003* des Schweizer World Economic Forum, das in Zusammenarbeit mit der renommierten Harvard-Universität jährlich die Attraktivität der Nationen als Wirtschaftsstandort testet, rangiert Österreich unter 80 Staaten auf Platz 18. In den Bereichen „Lebensqualität", „Energieinfrastruktur" und „Rechtssicherheit von Personen und Eigentum" ging sogar jeweils der erste Platz an Österreich. Unter Beachtung von zusätzlichen Kriterien wie „nachhaltige Produktion" und „Chancen der Wohlstandsmehrung" verbessert sich Österreichs Gesamtreihung sogar vom 18. auf den 12. Platz.
- Im viel beachteten *World Competitiveness Yearbook*, das alljährlich vom Lausanner Managementinstitut IMD herausgegeben wird und 59 Staaten und Regionen hinsichtlich ihrer wirtschaftlichen Leistung, der staatlichen Vewaltungseffizienz und ihrer Infrastruktur untersucht, nimmt Österreich im Jahr 2003 unter den 29 Wirtschaftsregionen mit weniger als 20 Millionen Einwohnern Platz 10 ein.
- Auch im *Globalization Index* des US-amerikanischen Beratungsunternehmens A.T. Kearney und des *Foreign Policy Magazine*, der 62 Länder und 85 Prozent der Weltbevölkerung umfasst, schneidet Österreich ausgezeichnet ab: Neben Irland, der Schweiz und Schweden, die die Rangliste anführen, liegen nur noch Singapur, die Niederlande, Dänemark und Kanada vor Österreich (mehr zu diesen Ergebnissen finden Sie im Teil III unter dem Stichwort „Globalisierung").
- Und die vom Fraser Institute in Kanada jährlich herausgegebene Studie *Economic Freedom of the World* analysiert die Gesellschafts- und Wirtschaftssysteme danach, wo der Einzelne die größtmögliche freie Entfaltung findet. In diesem Vergleich nimmt Österreich für das Jahr 2002 unter 123 Ländern Platz 15 ein.

Wirtschaftlicher Erfolg allein zählt nicht mehr

Doch wirtschaftliche Kennzahlen allein sind heute nicht mehr aussagekräftig genug. Immer mehr werden in internationalen Vergleichen auch Sozial-, Bildungs- und Umweltkriterien mit einbezogen. Denn selbst wenn ein Land ein hohes Bruttoinlandsprodukt oder ein hohes Wachstum aufweist, bedeutet das noch lange nicht, dass davon alle Einwohner profitieren und ein allgemein hoher Lebensstandard vorherrscht. Dieser Überlegung trägt unter anderem der Human Development Index Rechnung. Der von den Vereinten Nationen erstellte Report kombiniert drei Faktoren zu gleichen Teilen: das Bruttoinlandsprodukt eines Landes pro Kopf, die Lebenserwartung bei der Geburt als Indikator für Gesundheit und den Bildungsstand als Zusammensetzung von Alphabetisierung und Gesamteinschulungsrate. In den Test einbezogen sind 173 Länder. Der Idealwert liegt bei 1,0. Die folgende Tabelle zeigt die 20 Länder mit der höchsten und die 20 Länder mit der geringsten menschlichen Entwicklung. Hier belegte Österreich 2002 immerhin Platz 15.

Platz	Land	HDI	Platz	Land	HDI
1	Norwegen	0,942	...		
2	Schweden	0,941	154	Senegal	0,431
3	Kanada	0,940	155	Kongo	0,431
4	Belgien	0,939	156	Elfenbeinküste	0,428
5	Australien	0,939	157	Eritrea	0,421
6	USA	0,939	158	Benin	0,420
7	Island	0,936	159	Guinea	0,414
8	Niederlande	0,935	160	Gambia	0,405
9	Japan	0,933	161	Angola	0,403
10	Finnland	0,930	162	Ruanda	0,403
11	Schweiz	0,928	163	Malawi	0,400
12	Frankreich	0,928	164	Mali	0,386
13	Großbritannien	0,928	165	Zentralafrik. Rep.	0,375
14	Dänemark	0,926	166	Tschad	0,365
15	Österreich	0,926	167	Guinea-Bissau	0,349
16	Luxemburg	0,925	168	Äthiopien	0,327
17	Deutschland	0,925	169	Burkina Faso	0,325
18	Irland	0,925	170	Mozambique	0,322
19	Neuseeland	0,917	171	Burundi	0,313
20	Italien	0,913	172	Niger	0,277
...			173	Sierra Leone	0,275

* HDI = Human Development Index (Index menschlicher Entwicklung)
  Quelle: United Nations Development Programme, Human Development Report 2002

Durchschnittsschüler im EU-Vergleich

Auch die Europäische Union analysiert die Entwicklung in ihren Mitgliedstaaten regelmäßig. Vor allem zu Jahresbeginn steht den EU-Ländern regelmäßig das ins Haus, was den heimischen Schülern Anfang Februar droht: eine umfassende Zwischenbenotung ihrer Leistungen. Seit sich die Staats- und Regierungschefs im Europäischen Rat von Lissabon im März 2000 darauf festgelegt haben, die EU bis 2010 zum wettbewerbsfähigsten, wissensbasierten Wirtschaftsraum der Welt zu machen, wird alljährlich der so genannte Synthesebericht veröffentlicht. Er dient als Vorbereitung und Arbeitsunterlage für den jeweils im Frühjahr stattfindenden EU-Gipfel. Anhand von 88 Strukturindikatoren wurde zuletzt für das Jahr 2002 festgestellt, wo die Stärken und Schwächen der jeweiligen Länder liegen. Österreich schnitt dabei dank seiner Spitzenposition im Umweltbereich, der vergleichsweise niedrigen Arbeitslosenrate und des guten sozialen Zusammenhalts insgesamt zufrieden stellend ab. Schwächen wurden jedoch bei den Zukunftsthemen Innovation, Forschung, Wirtschaftswachstum, Beschäftigung und Wirtschaftsreformen konstatiert. Insgesamt liegt Österreich unter den 15 Staaten genau im Mittelfeld.

Für die einzelnen Bewertungen wurde nach sechs Themenfeldern gereiht. Jedes dieser Felder setzte sich wiederum aus mehreren Bewertungsmaßstäben (den so genannten Indikatoren) zusammen, wobei oft noch nach Frauen und Männern unterschieden wurde:

- **Allgemeiner wirtschaftlicher Hintergrund:** Bruttoinlandsprodukt (BIP) pro Kopf und reale Wachstumsrate des BIP, Arbeitsproduktivität, Beschäftigungswachstum, Inflationsrate, Wachstum der Lohnstückkosten, öffentlicher Finanzierungssaldo und Schuldenstand
- **Beschäftigung:** Beschäftigungsquoten, durchschnittliches Pensionsantrittsalter, Lohngefälle, Aus- und Weiterbildung Erwachsener, Arbeitsunfälle, Arbeitslosenquote
- **Innovation und Forschung & Entwicklung:** öffentliche Bildungsausgaben, F&E-Ausgaben (Industrie/Staat), Internet-Zugangsdichte (Unternehmen/Haushalte), Hochschulabschlüsse in Naturwissenschaft und Technologie, Patente, Risikokapital, Ausgaben für Informations- und Kommunikationstechnologie
- **Wirtschaftsreform:** relative Preisniveaus, Preise für Orts-, Fern- und Auslandstelefonate, Strom- und Gaspreise (Industrie/Haushalte), Marktanteile des größten Stromerzeugers und Telekomanbieters, öffentliches Beschaffungswesen, Staatsbeihilfen, Konvergenz der Kreditzinssätze, Handelsintegration, Unternehmensinvestitionen
- **Sozialer Zusammenhalt:** Einkommensverteilung, Armutsgefährdung, regionale Verteilung der Arbeitslosenquoten, frühzeitige Schulabgänger, Langzeitarbeitslosenquote, Bevölkerung in erwerbslosen Haushalten
- **Umwelt:** Treibhausgasemissionen, Energienutzungsgrad der Wirtschaft, Verkehrsvolumen im Frachttransport, Anteil der Pkw, Luftqua-

lität in Städten, Müllsammlung, -deponierung, -verbrennung, Anteil an erneuerbaren Energiequellen, Schutz natürlicher Ressourcen (Fischbestand, geschützte Flächen)

Gesamtreihung	Allgemeiner wirtschaftl. Hintergrund	Innovation und F&E	Wirtschaftsreform	Beschäftigung	Sozialer Zusammenhalt	Umwelt
1 Dänemark (DK)	L	S	S	DK	NL	Österr.
2 Schweden (S)	IRL	FIN	NL	IRL	DK	FIN
3 Niederl. (NL)	F	DK	DK	S	Österr.	S
4 Finnland (FIN)	B	NL	B	GB	FIN	L
5 Irland (IRL)	FIN	GB	GR	P	S	D
6 Luxemburg (L)	DK	D	IRL	NL	D	DK
7 Österreich	SP	IRL	SP	FIN	L	NL
8 Deutschland (D)	S	F	L	Österr.	B	I
9 Großbrit. (GB)	NL	B	Österr.	D	F	P
10 Belgien (B)	I	L	GB	GR	GR	GR
11 Frankreich (F)	Österr.	Österr.	F	L	I	SP
12 Portugal (P)	GB	SP	FIN	B	GB	IRL
13 Spanien (SP)	D	I	P	SP	SP	B
14 Griechenl. (GR)	P	P	D	I	IRL	F
15 Italien (I)	GR	GR	I	F	P	GB

Quelle: Europäische Kommission, Jänner 2003

Info-Tipp: Der Synthesebericht der Europäischen Union und das Abschneiden in den einzelnen Bereichen Beschäftigung, Innovation und F&E, Wirtschaftsreform, sozialer Zusammenhalt und Umwelt sowie gesamtwirtschaftlicher Hintergrund kann im Internet unter der Adresse http://europa.eu.int/comm/eurostat/ nachgelesen werden.

2. Österreichs Entwicklung vom Agrarland zum Industriestaat

Österreich muss „dranbleiben" und vor allem im technologischen Bereich noch gehörig zulegen, um den Anschluss an die Spitzengruppe in der EU nicht zu verlieren. Bedenkt man allerdings, von welcher Ausgangsbasis die kleine Republik vor rund 100 Jahren in die Eigenständigkeit startete und welche Rahmenbedingungen ihr von der Donaumonarchie vorgegeben waren, so hat das Land zweifelsohne einen beachtlichen Aufstieg hinter sich.

Auslaufmodell „Österreich-Ungarn"

Blickt man um mittlerweile mehr als 100 Jahre zurück, so zeigt sich anhand nachträglicher Berechnungen, dass das Gebiet des heutigen Österreich in der Zeit der österreichisch-ungarischen Monarchie wirtschaftlich gesehen noch ziemlich im Hintertreffen lag. Das Wirtschaftswachstum in der ersten Hälfte des 19. Jahrhunderts war lange Zeit nur halb so groß wie das vieler anderer europäischer Regionen. Ein Grund dafür war, dass Österreich damals noch überwiegend ein Agrarstaat mit geringer internationaler Verflechtung und niedrigem Industrialisierungsgrad war, während sich – vor allem in England – die Industrie rasant ausbreitete.

Österreich zog hier erst allmählich nach und musste die für den Aufbau von Fabriken notwendigen Maschinen zunächst aus England importieren. Das Eisen des steirischen Erzberges sollte bald der wichtigste Rohstoff für die österreichische Industrie werden. In Niederösterreich und Vorarlberg wurden mechanische Webstühle installiert, in Wien verarbeiteten Seidenfabriken italienischen Rohstoff, Bau- und Industriegesellschaften entstanden.

Entwicklung des Welthandelsvolumens

	1870	1880	1890	1900
Großbritannien	4.694 Mio. €	6.198 Mio. €	7.147 Mio. €	8.505 Mio. €
Frankreich	2.321 Mio. €	3.790 Mio. €	3.392 Mio. €	3.647 Mio. €
Deutschland	2.168 Mio. €	3.790 Mio. €	3.392 Mio. €	3.647 Mio. €
USA	1.748 Mio. €	3.160 Mio. €	3.585 Mio. €	4.380 Mio. €
Russland	1.022 Mio. €	1.237 Mio. €	973 Mio. €	1.392 Mio. €
Österreich-Ungarn	849 Mio. €	1.374 Mio. €	1.201 Mio. €	1.580 Mio. €

Quelle: Nach Sombart, Die deutsche Volkswirtschaft im 19. Jahrhundert

Trotz der zunehmenden Industrialisierung lag Österreich im Außenhandel auch zur Wende zum 20. Jahrhundert deutlich hinter den anderen Großmächten zurück. Neben Russland wies Österreich-Ungarn die geringsten Exportraten pro Kopf der Bevölkerung auf.

Tatsächlich war der Großteil der österreichischen Warenausfuhren zu jener Zeit eigentlich kein Außenhandel: Mit den wichtigsten Handelspartnern – vor allem Ungarn, aber auch Böhmen, Mähren und Schlesien – gab es in der Monarchie keine Grenzen. So wurden beispielsweise 60 Prozent der Erzeugnisse aus der Textil-, Konfektions- und Lederindustrie in die ungarische Reichshälfte geliefert, in der Eisen- und Maschinenindustrie waren es 57 Prozent, und im Gegenzug importierte Österreich bis zu 85 Prozent des benötigten Getreides und Viehs von dort. Eine verhängnisvolle Abhängigkeit, wie sich für die österreichische Bevölkerung bald darauf leidvoll zeigen sollte.

Hunger und Arbeitslosigkeit als Ausgangsbasis (1918 bis 1929)

Als das Habsburgerreich mit dem Ende des Ersten Weltkrieges im Jahr 1918 zerfiel, wurde die österreichisch-ungarische Monarchie von den Siegermächten auf sieben (Nachfolge-)Staaten aufgeteilt: Österreich, Italien, Jugoslawien, Tschechoslowakei, Rumänien, Ungarn und Polen. Das ehemals 52 Millionen Menschen umfassende Reich schrumpfte auf knapp 6,5 Millionen Einwohner zusammen – und selbst die konnten kaum ernährt werden. Die Auflösung des nahezu autarken Wirtschaftsraumes der alten Monarchie hatte für die neu erschaffene, kleine Republik Österreich dramatische Folgen: Die über Jahrhunderte gewachsene regionale Arbeitsteilung brach auseinander, und damit war der kleine Reststaat von wichtigen Produktionszentren wie den ehemals böhmisch-mährischen Industriebetrieben oder der Lebensmittelversorgung aus Ungarn abgeschnitten. Ein Beispiel unter vielen war die Textilbranche: Die Spinnereien befanden sich in Vorarlberg und Niederösterreich, die Webereien in Böhmen. Auch der damals so wichtige Brenn- und Rohstoff Kohle wurde in Böhmen, Mähren und Schlesien abgebaut und musste nun teuer importiert werden, denn die Nachfolgestaaten der Monarchie, die von Österreich unabhängig werden wollten, setzten zum Teil hohe Zölle fest.

Finanzielle Nachwehen des Krieges

Dazu kamen hohe staatliche Ausgaben für die Rückzahlung der Kriegsanleihen sowie für pensionierte Soldaten, Beamte und Offiziere, die aus allen Teilen der ehemaligen Monarchie nach Österreich strömten. Sie alle mussten versorgt und ernährt werden, und das in einer Situation, wo es der österreichischen Landwirtschaft bei weitem noch nicht möglich war, die gesamte Bevölkerung zu versorgen: Die Agrarproduktion des Staatsgebiets war gegenüber der Vorkriegszeit auf die Hälfte, die Industrieproduktion fast auf ein Drittel gesunken. Dazu kam die Wirtschaftsblockade der Siegermächte, die bis 1919 aufrechterhalten wurde.

Um die ärgste Not zu überbrücken, wurden die Staatsausgaben erhöht und das wachsende Budgetdefizit mit Hilfe der Notenpresse auszugleichen versucht. Hohe Inflation und Massenarbeitslosigkeit waren die Folgen:

- So betrug 1919 der Gegenwert für 100 Schweizer Franken 567 Kronen. Drei Jahre später waren es schon 360.000 Kronen.
- Die Arbeitslosenzahl explodierte von 64.000 im Jahr 1920 auf 244.000 im Jahr 1926.

Kein Wunder, dass in dieser Situation kaum jemand – einschließlich der Regierenden – den deutschsprachigen Rest der österreichisch-ungarischen Monarchie für lebensfähig hielt. Während die einen von einem Wiederauferstehen der Monarchie träumten, sahen die anderen im Anschluss an das Deutsche Reich die einzige Überlebenschance des neuen Staates. Der Anschluss sollte später tatsächlich erfolgen, wenn auch mit ganz anderen Folgen, als es sich viele erhofft hatten.

Hilfslieferungen und Währungsreform

Um zunächst wenigstens die Hungersnot zu lindern, kam Lebensmittelhilfe aus der Schweiz, aus Schweden und den USA; Großbritannien, Italien und Frankreich räumten dem Land einen Kreditrahmen bis zur nächsten Ernte ein. Damit konnte eine Hungerkatastrophe vermieden werden. Die wirtschaftliche Notlage der Bevölkerung wuchs aber ständig an, vor allem durch die fortschreitende Geldentwertung, die als Folge der Kriegsanleihen und Entschädigungszahlungen ganz Europa, aber vor allem Österreich und Deutschland erfasst hatte. Im Jahr 1922 erreichte sie ihren Höhepunkt. Die Goldkrone der Vorkriegszeit war auf ein 15.000stel ihres Werts gesunken. Ein Ei kostete 2.000 Kronen, ein Kilo Butter 80.000 Kronen.

Um die Wirtschaft zu sanieren, bemühte sich Österreich beim Völkerbund (der Vorgängerorganisation der Vereinten Nationen) um eine Finanzhilfe. Das Sanierungskonzept, das den heutigen Programmen des Internationalen Währungsfonds ähnelte, aber noch deutlich rigoroser war, sah einen Kredit in Höhe von 650 Millionen Goldkronen vor. Als Sicherstellung für die Rückzahlung und Verzinsung der Anleihe musste Österreich seine Zolleinnahmen und die Erträge aus dem Tabakmonopol verpfänden. Von den 650 Millionen wurden 130 Millionen zur Bezahlung alter Schulden und der Rest zur Abdeckung des Defizits im Staatshaushalt verwendet. Um das Budget nach den Vorgaben des Völkerbundes spürbar zu entlasten, wurden der Bevölkerung erneut erhebliche Opfer abverlangt. So mussten etwa Lohn- und Rentenkürzungen hingenommen werden, die sozialen Rechte wurden zum Teil erheblich eingeschränkt, und zu dem bereits riesigen Heer an Arbeitslosen kamen rund 100.000 Staatsangestellte hinzu, die aufgrund des Sparprogramms entlassen wurden.

Während viele Österreicher echte Not litten, konnte zumindest die Geldentwertung gestoppt werden. Als äußeres Zeichen für die nunmehr stabilisierte Währung wurde Ende 1924 die Krone durch den Schilling ersetzt. Der Umtausch erfolgte im Verhältnis 10.000 : 1 und brachte die wenigen, die bis dahin etwas zurücklegen hatten können, um einen Großteil ihres Ersparten.

Langsame Erholung, zunehmende Industrialisierung

Obwohl das Reformwerk sein Ziel – die Voraussetzung für die wirtschaftliche Lebensfähigkeit Österreichs – erreicht hatte, kämpfte die Erste Republik weiterhin mit schweren wirtschaftlichen Problemen. Die Arbeitslosenrate lag bei 10 Prozent, und von den noch immer niedrigen Masseneinkommen ging keine Nachfrage aus, die die Produktion angekurbelt hätte. Auch der Staat selbst hatte viel zu wenig Geld, um der Wirtschaft kräftige Wachstumsimpulse zu geben. Erst allmählich gelang es, ausländische Kapitalgesellschaften für die Neugründung und Erweiterung von Betrieben zu gewinnen. Der Aufkauf billiger österreichischer Aktien durch ausländische Finanziers barg aber Gefahren für die staatliche Unabhängigkeit, wie sich später noch zeigen sollte. Schließlich gingen dadurch wichtige Bestandteile der nationalen Wirtschaft, wie etwa die Alpine-Montan-Gesellschaft, in ausländischen (vor allem deutschen) Besitz über.

Zunächst wirkten sich die Finanzspritzen aber förderlich auf Österreichs Wirtschaft aus. Wasserkraftwerke wurden errichtet, um bei der Energieerzeugung nicht mehr so stark von der Steinkohle abhängig zu sein. Das Straßennetz wurde ausgebaut und die Industrie legte zwischen 1923 und 1929 um 40 Prozent zu. Vor allem in den westlichen Bundesländern entwickelte sich der Fremdenverkehr zu einem ertragreichen Wirtschaftszweig. Auch die Landwirtschaft konnte ihre Produktion deutlich erhöhen und lag 1929 bereits um 10 Prozent über dem Produktionsvolumen, das vor dem Ersten Weltkrieg erzielt worden war. Der Staatshaushalt konnte bereits 1925 ein Plus von 76 Millionen Schilling verzeichnen, und 1927 war die österreichische Währung schon zum Großteil durch den Gold- und Devisenbestand der Nationalbank gedeckt.

Rückschlag durch die Weltwirtschaftskrise (1929 bis 1933)

Während in den ersten Jahren nach dem Krieg ein drückender Mangel an Lebensmitteln, Rohstoffen und Waren geherrscht hatte, begann sich das Verhältnis nun allmählich umzukehren. Die Fabriken hatten ihre Produktion von Kriegsmaterial auf Güter des täglichen Bedarfs umgestellt und die Landwirtschaft ihren Ertrag kräftig gesteigert. 1928 war das Angebot bereits größer als die Nachfrage – aber trotz Preissenkungen konnte der Absatz nicht gesteigert werden. Es mangelte einfach an der nötigen Kaufkraft. Die Lager blieben voll, und die Fabriken mussten geschlossen werden, weil die Unternehmer nicht mehr imstande waren, die aufgenommenen Kredite an die Banken zurückzuzahlen. Die Banken konnten ihrerseits die Spareinlagen nicht mehr auszahlen. Die Zahl der Arbeitslosen wuchs von Tag zu Tag und schränkte die Kaufkraft der Bevölkerung noch weiter ein.

Der „Schwarze Freitag" in den USA

Als Erstes zeigte sich diese unheilvolle Entwicklung in den USA. Dort waren Wirtschaft und Industrie als Einzige nicht durch den Krieg beeinträchtigt worden und erlebten nach 1918 eine Hochkonjunktur. Betriebsgründungen boomten, und wer nicht selbst gründete, beteiligte sich mittels Aktien an Fabriken und Farmen. Die Produktion in allen Wirtschaftszweigen nahm sprunghaft zu, und die Spekulation an der Börse blähte die Wirtschaft zusätzlich auf: Wer auch immer Aktien anbot, konnte sicher sein, Abnehmer dafür zu finden. Aber weder die US-amerikanische Bevölkerung selbst noch die durch den Krieg verarmten Europäer konnten so viel kaufen, wie angeboten wurde, und so zeigte der Markt bald Sättigungserscheinungen.

Am 24. Oktober 1929 platzte die Blase. Ein dramatischer Kurseinbruch an der New Yorker Börse läutete die Wirtschaftskrise ein, die sich bald auf die ganze Welt ausdehnen sollte. (Der darauf folgende Tag ging als „Schwarzer Freitag" in die Geschichte ein.) Panikartige Verkäufe setzten ein, und während viele Anleger niemanden fanden, der ihre auf Pump gekauften Aktien übernehmen wollte, verlangten die Banken ihrerseits ihr Geld zurück. Weil viele Anleger ihre Schulden nicht mehr bezahlen konnten, kam es zu einer Serie von Bankpleiten. Die Pleiten und Bankzusammenbrüche in den USA lösten wiederum einen starken Abzug amerikanischer Gelder in Europa aus.

Weltweite Rezession – Österreich und Deutschland mittendrin

Als erstes Kreditinstitut in Europa war davon Österreichs bedeutendste Großbank, die Creditanstalt, betroffen. Nachdem ausländische Finanzkreise ihre Gelder aus Österreich abgezogen hatten, musste sie 1931 ihre Schalter schließen. Aufgrund der wirtschaftlichen Verflechtungen mit den Nachbarstaaten riss sie dabei Banken und Unternehmen in Deutschland und anderen europäischen Ländern mit ins Verderben. Auch in Österreich waren viele Sparkassen, Industriebetriebe, kleine und mittlere Unternehmen von der Creditanstalt abhängig. Deshalb entschloss sich die Regierung, ihr eine Bundeshilfe zu gewähren, um so vielen Menschen Arbeitsplatz und Einkommen zu erhalten. 500 Millionen Schilling wurden dafür aufgewendet, ein Viertel des gesamten Staatsbudgets. Dadurch wurde allerdings die Finanzkraft des Staates so stark geschwächt, dass Österreich erneut den Völkerbund um Hilfe bitten musste. Diesmal wurde eine Anleihe von 300 Millionen Schilling zugesichert.

Doch trotz der Finanzspritze kam die Wirtschaft nicht auf die Beine. Der Kurs des Schilling wurde zwar stabil gehalten, die Industrieproduktion stagnierte aber weiterhin, und auch die Zahl der Arbeitslosen blieb extrem hoch. Rund ein Drittel aller Unselbstständigen war nun ohne Arbeit, in Zahlen war das ein Heer von geschätzten 600.000 Menschen. Not, Verarmung, Hunger, ein um ein Drittel zusammengeschrumpftes Volkseinkommen und ein für die heutige Zeit unvorstellbar niedriger Lebensstandard waren die Folge. Österreich sollte sich von dem Rückschlag durch die Weltwirtschaftskrise bis 1938 nicht mehr erholen und verlor in der ersten Hälfte des Jahrhunderts den Anschluss an die ungleich günstigere Wirtschaftsentwicklung der westlichen Welt.

Österreichische Wirtschaftsindikatoren 1920 bis 1937

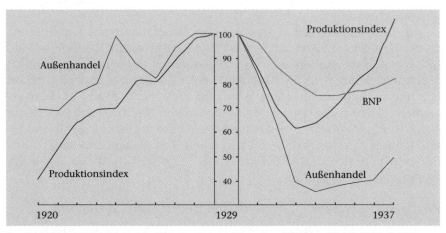

Quelle: Dieter Stiefel, Die große Krise in einem kleinen Land, Böhlau Verlag 1988, S. 387

Die Wirtschaft der Nationalsozialisten in Deutschland und Österreich (1934 bis 1945)

Neben den wirtschaftlichen Folgen barg die Weltwirtschaftskrise auch enorme politische Sprengkraft. Die zuerst vom Weltkrieg und dann von der Weltwirtschaftskrise stark in Mitleidenschaft gezogene Bevölkerung war zum Großteil mutlos und verzweifelt. Viele von ihnen glaubten daher nur zu gern an die Worte radikaler Parteiführer, die den verbitterten Menschen neue Arbeitsmöglichkeiten versprachen, allen voran die Nationalsozialisten.

Deutscher Wirtschaftsboom auf Kosten des Staatshaushalts

Als die Nationalsozialisten im Jahr 1933 in Deutschland an die Macht kamen, griffen sie sofort massiv in das dortige Wirtschaftsgeschehen ein, indem sie öffentliche Investitionen tätigten, Steuernachlässe und Ehestandsdarlehen gewährten, die Umsatzsteuer senkten, Zuschüsse zu Wohnbauten und Ähnliches leisteten. Bereits im selben Jahr verzeichnete Deutschland ein reales Wirtschaftswachstum von 6,3 Prozent. Finanziert wurde diese Politik allerdings ohne Rücksicht auf das rasch wachsende Defizit der öffentlichen Hand. Das heißt, die Steuereinnahmen wurden auf Jahre im Voraus verbraucht. Die Reichsmark verlor dadurch immer mehr an Außenwert. Der Handel mit dem Ausland gestaltete sich zunehmend schwieriger, und das nicht zuletzt durch eine rigorose Außenhandels- und Devisenbewirtschaftung: So wurde der Transfer von in Deutschland angelegten ausländischen Guthaben verboten. Ausländische Gläubiger hatten also nur dann noch Zugriff auf ihr Geld, wenn sie deutsche Ware ankauften oder es für ihren Aufenthalt in Deutschland einsetzten. Und auch Importe sollten weit gehend durch den Export wertmäßig gleicher Waren ausgeglichen werden.

Die deutsche Wirtschaft versuchte zunehmend auf Selbstversorgung zu setzen. Um die dafür notwendige Wirtschaft aufzubauen (und gleichzeitig die Aufrüstung zu finanzieren), wurde der Staatshaushalt durch (nicht gedeckte) Wechsel belastet. De facto war Deutschland bereits 1938 bankrott. Dafür aber – und das war den Nationalsozialisten aus Propagandagründen wichtig – sank die Zahl der Arbeitslosen rasant. Neben den umfangreichen Investitionen in den Straßenbau sowie in die Produktion von Waffen und Kriegsgeräten war dafür vor allem Adolf Hitlers Arbeitsbeschaffungsprogramm Ausschlag gebend: Durch den Pflichtarbeitsdienst und die allgemeine Wehrpflicht erreichte Deutschland im Jahr 1938 Vollbeschäftigung. Gleichzeitig war die Wirtschaft seit 1932 um 52,3 Prozent gewachsen – ein wesentlicher Anteil davon entfiel auf die Rüstungsbetriebe, die damals bereits 74 Prozent der gesamten öffentlichen Investitionen lukrierten.

Österreich wird zur „Ostmark"

Die österreichische Wirtschaft hatte währenddessen nur einen mäßigen Aufschwung erlebt. Erste größere Investitionen und Beschäftigungsprogramme, wie etwa der Bau der Großglockner-Hochalpenstraße oder der Wiener Höhenstraße, kamen zu spät und konnten der Wirtschaft keine nachhaltigen Impulse verleihen. Sie stagnierte weiterhin und die Zahl der Arbeitslosen sank nur geringfügig.

Trotzdem spielte das Land eine wichtige Rolle in den Überlegungen der deutschen Nationalsozialisten, und zwar vor allem

- wegen des Gold- und Devisenbestands der Österreichischen Nationalbank (der fast doppelt so hoch war wie jener der Deutschen Reichsbank),
- wegen seiner Arbeitskräfte (und potenziellen Soldaten) und
- wegen der heimischen Rohstoffe (darunter das steirische Eisenerz, das erst vor kurzem entdeckte Erdöl im Wiener Becken und die großen Holzvorräte).

Für den Fall, dass ein direkter Anschluss Österreichs an Deutschland nicht zu verwirklichen war, existierte ein Plan für eine Wirtschaftsunion zwischen den beiden Ländern, die eine wirtschaftliche Integration als Ziel hatte. Tatsächlich wurde die Verflechtung der österreichischen Wirtschaft mit der deutschen stärker: Bis 1938 verdreifachten sich die Exporte, während der Außenhandel mit anderen Ländern stark zurückging. Gleichzeitig wurde versucht, das südliche Nachbarland wirtschaftlich unter Druck zu setzen, etwa durch die so genannte 1.000-Mark-Sperre: Deutsche, die nach Österreich reisen wollten, mussten 1.000 Mark zahlen. Dadurch wurde der gerade erst aufblühende österreichische Fremdenverkehr schwer beeinträchtigt, weil die Deutschen – so wie heute noch – den größten Teil der ausländischen Gäste ausmachten.

Kurze Zeit später waren derartige Drohgebärden nicht mehr notwendig: Im März 1938 marschierten die deutschen Truppen in Österreich ein – zum Teil stürmisch bejubelt von Österreichern, die sich vom Anschluss einen wirtschaftlichen Aufschwung erhofften – und bald war die „Ostmark", wie Österreich nun hieß, wirtschaftlich und verwaltungsmäßig in das Deutsche Reich eingegliedert.

Die österreichische Währung wurde an die deutsche angeglichen. Für eine Reichsmark wurden nicht 2,17 Schilling getauscht, wie es dem eigentlichen Wert entsprochen hätte, sondern 1,5 Schilling. Der Schilling wurde also aufgewertet, um so das österreichische Lohnniveau auf das deutsche anzuheben. Und so wie zuvor in Deutschland investierte die öffentliche Hand bald große Summen in den Straßen- und Bergbau, in Wasserkraftwerke, in die Erdölgewinnung und Eisenerzeugung sowie in die Landwirtschaft. Familienbeihilfen, Ehestandsdarlehen und Arbeitslosenunterstützungen steigerten die Kaufkraft und sorgten für eine vermehrte Nachfrage nach Konsumgütern. 1939 war auch in Österreich die Arbeitslosigkeit ausgemerzt. Verantwortlich dafür war einerseits der Wirtschaftsaufschwung und andererseits die Tatsache, dass die österreichische Bevölkerung in großem Stil für militärische und wehrwirtschaftliche Aufgaben eingesetzt wurde.

Zwangswirtschaft im Zweiten Weltkrieg

Der mit der Aufrüstung einhergehende Wirtschaftsboom sollte allerdings nicht lange währen: Bald stellte sich ein fühlbarer Warenmangel ein, weil die Industrieproduktion hauptsächlich auf Kriegsgüter ausgerichtet war, und schon eineinhalb Jahre nach dem Einmarsch der Deutschen brachte der Zweite Weltkrieg mit seiner Zwangswirtschaft schwere Einschränkungen in der Güterversorgung. Konsumgüter wurden rationiert, Reisen waren nur noch eingeschränkt möglich. Mit zunehmender Kriegsdauer wurden auch die Arbeitskräfte knapp: Immer häufiger wurden Zivilarbeiter aus den besetzten Gebieten und Kriegsgefangene für die Rüstungsproduktion eingesetzt, aber auch bei Bauern und Gewerbetreibenden zur Arbeit zwangsverpflichtet.

Wirtschaftlich gesehen war Österreich in den Jahren 1938 bis 1945 so etwas wie das Ersatzteillager des deutschen „Altreichs": Einerseits wurden die vorhandenen Rohstoffe nach Bedarf ausgebeutet, zum anderen wurden die industriellen Kapazitäten in jenen Bereichen ausgebaut und in Anspruch genommen, wo in Deutschland Engpässe herrschten. Die nach wie vor relativ bescheidene Industrie wurde binnen kurzer Zeit zwangsmodernisiert und völlig auf Kriegsproduktion ausgerichtet: Panzer, Lokomotiven, Flugzeuge stammten aus heimischer Produktion, hergestellt in für damalige Begriffe riesigen Rüstungsbetrieben wie den Hermann-Göring-Werken in Linz (später VÖEST), dem Aluminiumwerk in Ranshofen oder der Flugzeugproduktion in Wiener Neustadt.

Die österreichische Wirtschaft geht in deutsches Eigentum über

Der Großteil der österreichischen Bevölkerung hatte davon wenig; denn wer nicht unmittelbar an den Fronten eingesetzt war, musste Arbeitsdienst leisten – und konnte sich für den geringen Lohn kaum etwas kaufen, weil Knappheit an allen Konsumgütern herrschte. Die meisten Österreicher waren also ärmer als zuvor. Auch das Land selbst hatte durch den Anschluss an Deutschland wesentliche Teile seines Besitzes und seiner Industrie eingebüßt. Neben den Bundesforsten, der Tabakregie und anderen Einrichtungen im Eigentum der Republik war nun auch eine große Zahl österreichischer Privatunternehmen in deutschem Besitz. Zum Teil passierte das unter starkem politischen Druck, zum Teil durch Enteignung jüdischen Eigentums oder durch Beschlagnahme und Auflösung kirchlicher oder nicht anerkannter Vereine und Stiftungen. Bis zu Kriegsende gingen auf diese Weise nach amerikanischen Berechnungen

- mehr als 80 Prozent des österreichischen Bankkapitals,
- rund 60 Prozent des Maschinenbaus,
- 57 Prozent der Textilindustrie,
- 56 Prozent der Brauereien und
- 50 Prozent der Erdölindustrie

in deutsche Hände über.

Der deutsche Anteil am gesamten Kapital der österreichischen Aktiengesellschaften war von 9 Prozent im Jahr 1938 auf 57 Prozent im Jahr 1945 gestiegen. Dieses nunmehr „deutsche Eigentum" sollte nach Beendigung des Zweiten Weltkrieges eine wichtige innen- und außenpolitische Rolle spielen, denn nach den Potsdamer Beschlüssen, in denen die Grenzen der Besatzungszonen festgelegt wurden, hatten die Siegermächte Anspruch auf jene Betriebe in ihrer Zone, die ehemals deutsches Eigentum gewesen waren.

Die Nachkriegsjahre (1945 bis 1950)

In dem politischen und wirtschaftlichen Chaos, das nach dem Ende des Krieges im Mai 1945 herrschte, ging es zunächst einmal darum, die Ordnung wiederherzustellen und die drückende Lebensmittel- und Wohnungsnot zu lindern. Rund 290.000 Wohnungen waren vorübergehend oder gar nicht mehr benutzbar, ein Viertel der Industrieanlagen war zerstört, und die Tagesration an Lebensmitteln lag vor allem in den besonders stark betroffenen östlichen Bundesländern zeitweise nur bei 300 Kalorien. Eine erste Hilfe waren die von den Besatzungsmächten zur Verfügung gestellten Lebensmittel und Brennstoffe. Einige Monate später liefen auch die kostenlosen Nahrungsmittelleistungen durch die United Nations Relief and Rehabilitation Administration (UNRRA) an. Parallel dazu erhielten die Österreicher Lebensmittel und Kleiderspenden über die so genannte CARE-Aktion.

Galoppierende Inflation durch Reichsmark und Besatzungsschilling

Aus finanzpolitischer Sicht mussten vor allem die Instrumente des Geld- und Kapitalmarktes rasch wieder funktionsfähig gemacht werden. Die vorhandene Geldmenge war um ein Vielfaches höher als die verfügbaren Güter, und das hatte ein ständiges Absinken des Geldwerts zur Folge. Als erster Schritt erfolgte bereits 1945 die Rückkehr von der Reichsmark zum Schilling. Damit wurde einerseits der unkontrollierbare Zu- und Abfluss von Reichsmark aus und in die Nachbarländer unterbunden; zum anderen wurden damit die Besatzungsschillinge aus dem Verkehr gezogen, die von den Besatzungsmächten in unüberschaubaren Mengen hergestellt wurden und so wesentlich zum Geldverfall beitrugen.

Aber auch die neue „alte" Währung verlor bald wieder rasch an Wert. Schließlich kamen allein durch die Besatzungskosten in Höhe von 15 Prozent des Budgets große Geldmengen in Umlauf, und der Wiederaufbau erforderte, dass die Nationalbank immer wieder größere Mengen als beabsichtigt freigeben musste. Zwei Jahre später erfolgte daher eine Währungsreform, die den Geldumlauf drastisch verringerte und damit die Inflation für eine Zeit stoppte. Durch dieses so genannte Währungsschutzgesetz wurde der Umtausch von Schillingnoten im Verhältnis 3:1 festgesetzt.

Als weitere Maßnahme gegen die galoppierende Inflation einigten sich Gewerkschafter und Politiker auf das erste von fünf Lohn- und Preisabkommen. Damit sollte die Lohn-Preis-Spirale, die sich nach dem Ersten Weltkrieg bis zur Hyperinflation hinaufgedreht hatte, unterbunden werden. Konkret wurden dadurch zwischen 1947 und 1951 rund 70 Prozent aller konsumierten Güter und Dienstleistungen preisgeregelt, während die Löhne und Gehälter deutlich hinter der jeweils festgesetzten Preisentwicklung zurückblieben.

Wirtschaftlicher Anstoß durch den Marshall-Plan

Aber selbst diese finanzpolitische Radikalkur brachte die Wirtschaft nicht in Gang. Es mangelte an allen Ecken und Enden: Rohmaterial, Investitionskapital, selbst Arbeitskräfte fehlten, weil viele Männer entweder noch in Kriegsgefangenschaft, verletzt oder gefallen waren. Die Industrieproduktion stieg daher auch 1947 nur geringfügig an, die strategisch wichtige Baustoffindustrie produzierte wegen des Kohlemangels weniger als im Vorjahr und die Lebensmittelversorgung war noch immer unzureichend.

Die vor allem von den USA bereitgestellten Hilfsleistungen waren bis dahin vor allem auf Lebensmittel beschränkt gewesen und konnten somit keinen Beitrag zur längerfristigen Lösung der dringenden wirtschaftlichen Probleme leisten. Erst mit dem amerikanischen European Recovery Program (ERP – Programm zum Wiederaufbau Europas) kam die entscheidende Wende: Neben anderen europäischen Staaten erhielt Österreich zwischen 1948 und 1951 eine Milliarde Dollar in langfristigen Krediten – die so genannte Marshall-Plan-Hilfe, benannt nach dem amerikanischen Außenminister George Marshall, der diesen Plan zur Unterstützung des wirtschaftlichen Wiederaufbaus Europas entworfen hatte. Damit wurden in erster Linie Infrastrukturprojekte, wie etwa Verkehrsanlagen und Wasserkraftwerke, aber auch Industrieunternehmen und landwirtschaftliche Betriebe errichtet und modernisiert. Nach Norwegen erhielt Österreich damit in den unmittelbaren Nachkriegsjahren den zweitgrößten Anteil an Auslandshilfe pro Kopf der Bevölkerung.

Für die USA war das umfangreiche Hilfsprogramm nicht zuletzt aus strategischen Gründen von Vorteil: Einerseits sollten die nach dem Krieg instabilen Länder Europas nicht unter kommunistischen Einfluss kommen, andererseits wurden damit wichtige Handelspartner und Absatzmärkte für die kommenden Jahre geschaffen.

Verstaatlichung des „deutschen Eigentums"

Bereits 1946 und 1947 beschloss die österreichische Regierung außerdem jeweils ein Verstaatlichungsgesetz, durch das Schlüsselindustrien der österreichischen Wirtschaft in das Eigentum der Republik übergingen. Einerseits sollten sie damit vor dem Zugriff der Besatzungsmächte bewahrt werden, andererseits fehlte es an privaten Investoren für den Auf- und Ausbau dieser Unternehmen.

Die drei westlichen Besatzer stimmten den von der Regierung verabschiedeten Verstaatlichungsgesetzen zu. Sie verzichteten damit zum Großteil auf den Wiedergutmachungsanteil, der ihnen nach dem Potsdamer Abkommen zustand. Die sowjetische Besatzungsmacht, die durch die Angriffe der deutschen Wehrmacht selbst enorme Schäden auf ihrem Staatsgebiet erlitten hatte, erhob allerdings Einspruch und behielt das in ihrer Zone liegende „deutsche Eigentum", darunter einige Unternehmen der elektrotechnischen Industrie und des Maschinen- und Lokomotivbaus. Außerdem fielen die Erdöllager im nördlichen Niederösterreich in ihren Verfügungsbereich. Dabei sollte es bis zum Staatsvertrag im Jahr 1955 bleiben, in dem sich Österreich noch für weitere zehn Jahre zu Erdöllieferungen in die UdSSR verpflichten musste. Für die österreichische Wirtschaft bestand der Schaden durch die Sowjet-Verwertung der Betriebe vor allem darin, dass ihr die dringend benötigten Exporterlöse entfielen. 1954 beispielsweise machten die so entgangenen Ausfuhrerlöse rund ein Drittel der österreichischen Exporte aus.

Allmähliche Erholung in den 50er-Jahren

Nach 1945 waren nicht nur die wichtigsten Banken verstaatlicht worden, sondern auch eine Vielzahl von Österreichs wichtigsten Industriebetrieben. Und weil gerade die verstaatlichte Industrie von den Marshall-Plan-Geldern stark profitiert hatte, ergab sich nach dem Auslaufen der Dollarzuteilungen aus dem ERP-Programm Anfang der 50er-Jahre ein besonderes Problem: Die für Investitionen notwendigen, langfristig zur Verfügung stehenden Gelder mussten auf andere Art aufgebracht werden. Deshalb waren nun auch die Gelder der privaten Sparer wieder gefragt. Steuerbegünstigungen beim Sparen hoben die Sparrate deutlich, und mit der „Energieanleihe" konnte 1953 auch ein erster Anlageerfolg erzielt werden. Deutliche Zeichen dafür, dass ein bescheidener Wohlstand die Periode des Hungers und der Not abgelöst hatte: Es gab nicht nur endlich wieder einmal genug zu essen und ausreichend Kleidung, sondern es blieb sogar etwas zum Weglegen aufs Sparbuch übrig. Die positive Entwicklung zeigte sich auch in der sozialen Gesetzgebung: 1955 wurde das Allgemeine Sozialversicherungsgesetz (ASVG) beschlossen, das nicht nur Verbesserungen in der Kranken- und Unfallversicherung vorsah, sondern den Arbeitern und Angestellten auch eine staatliche Pension garantierte.

Der Außenhandel entwickelt sich

Ab 1954 nahmen auch die Außenhandelsverflechtungen stark zu und gewannen eine immer größere Bedeutung für die österreichische Volkswirtschaft. Das Volumen des Güteraustauschs mit anderen Ländern hat sich seit damals praktisch verdoppelt.

Export- und Importquoten 1955 bis 2002

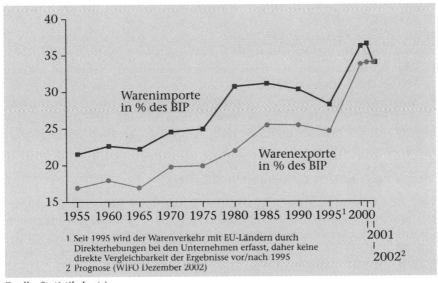

1 Seit 1995 wird der Warenverkehr mit EU-Ländern durch Direkterhebungen bei den Unternehmen erfasst, daher keine direkte Vergleichbarkeit der Ergebnisse vor/nach 1995
2 Prognose (WIFO Dezember 2002)

Quelle: Statistik Austria

Mit einem durchschnittlichen jährlichen Wachstum von rund 10 Prozent wies das Exportvolumen im Langzeitvergleich von Mitte der 50er-Jahre bis heute eine wesentlich stärkere Entwicklung als das Bruttoinlandsprodukt auf. Zu den wichtigsten Außenhandelspartnern zählten damals die unmittelbaren Nachbarländer Deutschland, Italien und die Schweiz und vor allem einfuhrseitig auch die USA.

Erfolgreicher Wiederaufbau

Gegen Ende der 50er-Jahre zeigte sich deutlich, dass der Wiederaufbau gelungen und die österreichische Wirtschaft gesundet war:

- Das Bruttosozialprodukt – die Summe aller in einer Volkswirtschaft geschaffenen Sachgüter und anfallenden Dienstleistungen –, das im Jahr 1945 auf ein Drittel des Vorkriegsstandes zurückgegangen war, hatte 1949 bereits wieder den Vorkriegsstand erreicht und stieg in den 50er-Jahren um rund 40 Prozent. Rückblickend lässt sich auch sagen, dass Österreich in diesem Jahrzehnt mit einem Wirtschaftswachstum von durchschnittlich mehr als 6 Prozent jährlich das höchste Bruttoinlandsprodukt (BIP) aller Zeiten erwirtschaftete.

- Die Verbraucherpreise, die von 1950 auf 1951 noch um 27,5 Prozent angestiegen waren, blieben nun stabil und verteuerten sich in den Folgejahren nur noch sehr moderat: von 1959 auf 1960 zum Beispiel um 1,7 Prozent.

- Die Reallöhne der Arbeiter erhöhten sich von 1937 bis 1959 um 45 Prozent.

- Die Arbeitslosenquote lag bis 1953 noch bei mehr als 8 Prozent und sank bis Ende dieses Jahrzehnts auf knapp über 3 Prozent (österreichische Bemessungsweise) – nach heutigen Maßstäben war damit nahezu Vollbeschäftigung erreicht.

- Auch Konsumgüter wurden für immer mehr Menschen erschwinglich: Im Jahre 1947 kam auf 57 Personen 1 Elektrogerät, 1959 waren es bereits nur noch 6 Personen, die sich – statistisch gesehen – 1 Elektrogerät teilen mussten.

Europa beginnt sich zusammenzuschließen

Nach den Erfahrungen der vergangenen Jahrzehnte, die zu zwei Weltkriegen und der Weltwirtschaftskrise geführt hatten, gewann die Idee wirtschaftlicher und politischer Zusammenschlüsse zunehmend an Gewicht – einerseits aus politischen Interessen, andererseits aus dem gewachsenen Wissen um (welt-)wirtschaftliche Zusammenhänge.

- Der erste Zusammenschluss dieser Art wurde von den USA initiiert: 1948 wurde in Paris die *Organisation für europäische wirtschaftliche Zusammenarbeit* (OEEC) – als Vorgängerin der OECD – gegründet. Sie war zum einen damit beauftragt, die im Rahmen des Marshall-Planes zur Verfügung gestellten Gelder zu verteilen. Zum anderen hatte sie die Aufgabe, die Wirtschaftspolitik der (west-)europäischen Staaten zu koordinieren und eine schrittweise Liberalisierung der Märkte einzuführen. Damit waren auch für Österreich als Gründungsmitglied die Weichen in Richtung Marktwirtschaft gestellt und die Kontakte für den Außenhandel geknüpft.

- Als Gegengewicht dazu schlossen sich die Staaten des Ostblocks unter der Führung der Sowjetunion im Jahr 1949 zum *Rat für gegenseitige Wirtschaftshilfe* (RGW bzw. COMECON) zusammen. Ziel war die Förderung der wirtschaftlichen Zusammenarbeit und die Koordinierung der einzelnen Jahrespläne.

- Eine weitaus engere Wirtschaftskooperation als die der OEEC beschlossen 1948 Belgien, die Niederlande und Luxemburg, die ein gemeinsames Zollgebiet gründeten (so genannte *Benelux-Staaten*).

- Ein Jahr später vereinten sich Frankreich, die Bundesrepublik Deutschland, Italien und die Benelux-Länder zu einem gemeinsamen Markt für Kohle und Stahl (*Montanunion*).

- Daraus entwickelte sich im Jahr 1957 die *Europäische Wirtschaftsgemeinschaft* (EWG). Ihr Ziel bestand darin, die Zölle innerhalb dieses Wirtschaftsraums zu senken und letztlich ganz abzuschaffen, um so einen gemeinsamen Markt zu bilden.

- Eine ähnliche Zielsetzung hatte die 1960 gegründete *Europäische Freihandelszone* (EFTA), zu der sich jene europäischen Staaten zusammenfanden, die ihre Souveränität nicht aufgeben wollten (wie etwa Großbritannien) oder konnten (neutrale Staaten wie Österreich und die Schweiz). Auch dieser Zusammenschluss hatte das Ziel, die Zölle innerhalb dieses Wirtschaftsraums abzuschaffen. In den folgenden Jahrzehnten gingen etliche EFTA-Staaten (darunter Österreich) in der Nachfolgeorganisation der EWG, der Europäischen Gemeinschaft bzw. Europäischen Union, auf bzw. kam es zu immer engeren Zusammenschlüssen zwischen den beiden Wirtschaftsblöcken.

Wirtschaftswunder und Ölkrisen (60er- und 70er-Jahre)

Österreicher und Deutsche erlebten mittlerweile bis in die 60er-Jahre hinein das, was als „Wirtschaftswunder" in die Geschichte eingehen sollte: Vollbeschäftigung, steigendes Volkseinkommen, kräftiges Wirtschaftswachstum – blendende Aussichten an allen Wirtschaftsfronten. Österreich war auf dem Weg zum modernen Industriestaat und näherte sich mit großen Schritten dem Produktions- und Lebensstandard der westeuropäischen Länder. Es sollte allerdings noch bis in die 70er hinein dauern, bis das Land die Wirtschaftsleistungen der meisten anderen Industriestaaten sogar noch überflügeln konnte.

Vor allem im industriellen Sektor bestand nach wie vor Aufholbedarf. Viele der österreichischen Wirtschaftsbetriebe hatten Jahre hindurch ihren Reinertrag zur Beseitigung der Kriegsfolgen verwendet, während er in anderen Ländern zur laufenden Verbesserung der Betriebseinrichtung (Anlagekapital) und zur Vergrößerung der Geldreserven (Barkapital) eingesetzt werden konnte. Österreichs Unternehmen mussten also in ihre Betriebsausstattung investieren, und vor allem durfte das Land bei der technologischen Entwicklung nicht hinter den anderen Industriestaaten zurückbleiben. Das Gebot der Stunde (heute aktueller denn je) lautete daher: möglichst hohe Investitionen in Forschung, Ausbildung und technisches Know-how. Da Österreich vor allem bei der Massenproduktion (etwa auch in der Landwirtschaft) nicht mit den günstigen Erzeugerpreisen großer ausländischer Anbieter mithalten konnte, setzte man auf Spezialisierung und Sonderanfertigungen. Das Schwergewicht in der Industrie und im Export sollte allmählich von Rohstoffen und immer günstigeren Massenerzeugnissen auf möglichst hochwertige Fertigwaren verlagert werden.

Von der Hochkonjunktur volle Kraft voraus in den Ölpreisschock

In den Jahren 1968 bis 1974 erlebte Österreich die bislang längste wirtschaftliche Hochkonjunktur seit 1945: Das durchschnittliche Wachstum lag in diesem Zeitraum sogar um 0,9 Prozentpunkte über dem der anderen OECD-Staaten. Dieser Vorsprung wurde allerdings in den nachfolgenden Jahren wieder eingebüßt.

Während sich viele westliche Staaten in der trügerischen Sicherheit wiegten, dass die Wirtschaft nun – wenn auch nicht mehr so kräftig wie zuvor, so doch kontinuierlich – weiterwachsen würde, setzte 1973/74 ein kräftiger Rückschlag ein. Damals begannen die Rohmaterial- und Energiepreise als Folge der angespannten weltweiten Hochkonjunktur kräftig zu steigen. Nach einer Absprache der Erdöl exportierenden OPEC-Staaten, die die günstige Situation für sich nutzen wollten, stieg der Ölpreis bis auf das Zehnfache an. Die Konsequenzen der Verteuerung waren praktisch in allen Industriestaaten gleichermaßen zu spüren: Die Nachfrage der Konsumenten und Unternehmer ging schlagartig zurück, die Inflation beschleunigte sich und die Leistungsbilanzen wiesen alle ein deutliches Defizit auf.

Der österreichische Weg aus der Krise: Austrokeynesianismus

Österreichs Reaktion auf den ersten Ölpreisschock war die Herausbildung des so genannten „Austrokeynesianismus", eine Kombination von Nachfragemanagement, sozialpartnerschaftlich geregelter Lohn- und Preispolitik und Hartwährungskurs. Die Theorie basierte auf den Erkenntnissen des Ökonomen John Maynard Keynes, der seine Überlegungen unter dem Eindruck der katastrophalen Zustände und der Massenarbeitslosigkeit nach der Weltwirtschaftskrise in den 30er-Jahren angestellt hatte. Keynes' Ideen wurden um einige österreichische Eigenheiten bereichert, daher der Zusatz „Austro". Wichtigster Grundsatz des hausgemachten Wirtschaftsdogmas war der Erhalt der Vollbeschäftigung, um so Arbeitslosigkeit und eine damit einhergehende Gefährdung der Demokratie hintanzuhalten. Ein Mittel zu diesem Zweck waren Hilfsmaßnahmen in Form von Subventionen für bedrohte Großbetriebe und Regionen.

Parallel dazu wurde aufgrund anhaltender Zahlungsbilanz- und Inflationsprobleme eine Hartwährungsstrategie entwickelt, die 1976 zur fixen Bindung an die Deutsche Mark führte. Damit sollte über die Außenwirtschaft (Deutschland war nach wie vor der bei weitem stärkste Handelspartner) die Stabilität der deutschen Preisentwicklung „importiert" werden. Auf diese Weise sollte die Inflation im Zaum gehalten werden, Preise und Löhne sollten mit Hilfe kooperativer Sozialpartner nur moderat steigen.

Das „Experiment" gelang zunächst: Obwohl in den folgenden Jahren auch das österreichische Bruttoinlandsprodukt sank und die Inflation zunahm, wuchs die österreichische Wirtschaft stärker als in vergleichbaren europäischen Staaten und die Arbeitslosigkeit war um etwa 2 Prozent niedriger als in anderen Industrieländern. Eine wichtige Rolle dabei spielte der hohe Anteil der verstaatlichten Industrie, die als „Lückenfüller" für andernorts abgebaute Arbeitsplätze diente: Während die Arbeitsstellen in der Industrie insgesamt um 7 Prozent zurückgingen, nahmen sie in den Staatsbetrieben um 2 Prozent zu. Das blieb natürlich nicht ohne Auswirkungen auf den Staatshaushalt. Das Budgetdefizit stieg kräftig, konnte aber bis 1981 noch einmal auf 2,6 Prozent des Bruttoinlandsprodukts gesenkt werden. Nur ein Jahr später war allerdings „Feuer am Dach" der österreichischen Regierung: Die Schulden hatten dramatisch zugenommen.

Nettodefizit des Bundes (1955–1993)
in Prozent des Bruttoinlandsprodukts

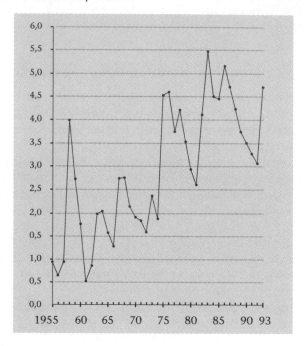

Quelle: ÖSTAT

Der Fall des Eisernen Vorhangs und der Weg in die EU (80er- und 90er-Jahre)

Österreich war allerdings nicht das einzige Land, das plötzlich mit massiven wirtschaftlichen Problemen zu kämpfen hatte. In nahezu allen OECD-Staaten war das Wirtschaftswachstum fast zum Erliegen gekommen. Grund dafür war die zweite Ölpreiskrise im Jahr 1979, die viele Staaten zu einem Zeitpunkt traf, als sie sich gerade erst vom ersten Ölschock erholten. Eine internationale Wirtschaftskrise war die Folge, die auch etliche österreichische Unternehmen in die Pleite trieb. Doch diesmal griffen die bewährten Mittel „Made in Austria" nicht mehr. Mit dem wirtschaftlichen Alleingang war es ein für allemal vorbei, denn Österreich konnte sich nicht mehr länger von der zunehmend verflochtenen Weltwirtschaft abkoppeln, wenn es weiterhin auf dem Wachstumspfad bleiben wollte. Konkret bedeutete das: Abschied von der Vollbeschäftigung, Umstrukturierung der Wirtschaft und Sanierung des Staatshaushalts.

Das Ende der Vollbeschäftigung

Vollbeschäftigung um jeden Preis und Kreditsubventionen von maroden Betrieben, um damit Arbeitsplätze zu erhalten, waren nicht mehr länger möglich, wenn das Staatsdefizit nicht noch weiter hinaufgeschraubt werden sollte. Vor allem die verstaatlichte Industrie konnte nicht mehr länger als Auffangbecken für den Arbeitsmarkt dienen, da die Grundstoffindustrie besonders stark von der internationalen Krise betroffen war („Stahlkrise"). Die Verluste stiegen in Rekordhöhen, die Zahl der Arbeitslosen verdoppelte sich in nur zwei Jahren von 53.000 Personen im Jahr 1980 auf 105.000 im Jahr 1982. Die 1980 noch unglaublich niedrige Arbeitslosenquote von 1,9 Prozent (nach österreichischer Berechnung) sollte in den Folgejahren nie mehr erreicht werden. Im Gegenteil: Bis heute hat sich die Quote nahezu kontinuierlich erhöht und pendelt um die 7 Prozent (nach EU-Berechnung etwas mehr als 4 Prozent) herum. Besonders dramatisch entwickelte sich die Jugendarbeitslosigkeit, was auch damit zusammenhing, dass die geburtenstarken Jahrgänge (als Folge des „Baby-Booms" Ende der 50er-, Anfang der 60er-Jahre) auf den Arbeitsmarkt drängten.

Auch wenn das „Schuldenmachen" in den 70er-Jahren später oft verurteilt wurde, hatte es dennoch für den Arbeitsmarkt (nicht nur damals) positive Folgen: So wird die Tatsache, dass Österreich im Vergleich zu anderen Staaten bis heute eine vergleichsweise niedrigere Arbeitslosenquote aufweist, auf die strikte Vollbeschäftigungspolitik aus dieser Zeit zurückgeführt. Dadurch bildete sich nicht ein derart großer „Sockel" an Arbeitslosen wie andernorts, der dann in den Folgejahren beständig mitgeschleppt wurde.

Industrielle Umstrukturierung und beginnende Privatisierung

Um die Beschäftigtenzahlen zu halten, hatte man jahrelang auf die vorhandene Industriestruktur gesetzt. So waren etwa bedrohte Arbeitsplätze ein weitaus zugkräftigeres Argument für die Vergabe von subventionierten Krediten der öffentlichen Hand als Starthilfen für innovative, riskante Neugründungen – mit der Folge, dass in Österreich nach wie vor die ressourcenverschlingende Grundstoffindustrie dominierte, während es an innovativen Hightech-Betrieben mangelte. Schuld daran war auch, dass trotz erheblicher Anstrengungen in Forschung und Entwicklung seit Mitte der 60er-Jahre die Ausgaben dafür im internationalen Vergleich noch immer zu bescheiden ausfielen. Von 1975 bis 1984 waren sie zwar von 1,2 Prozent auf 1,6 Prozent des Industrieumsatzes gestiegen, der „Soll-Wert" lag aber bei 2 Prozent.

Die Konsequenzen daraus: Die Exportquote der österreichischen Wirtschaft war mit 24,5 Prozent im Jahr 1984 geringer als die vergleichbarer kleiner europäischer Staaten (Schweiz: 28,4 Prozent, Belgien: 58,5 Prozent, Niederlande: 53,5 Prozent). Gleichzeitig mangelte es in Österreich an Waren, die mittels höherer und mittlerer Technologie hergestellt wurden, während es einen Überschuss an Waren gab, die nur durch hohen Rohstoffeinsatz erzeugt werden konnten.

Um das Problem der defizitären Staatsbetriebe in den Griff zu bekommen, wurde beschlossen, Teile der verstaatlichten Industrie an die Börse zu bringen, einzelne Firmen zu privatisieren und andere neu zu gruppieren. Als erstes staatliches Unternehmen ging die OMV 1987 an die Börse, 1995 erfolgte der Börsegang der VOEST-ALPINE Stahl AG.

Budgetsanierung mittels Sparpaketen

Das Haushaltsdefizit musste drastisch verringert werden, nicht zuletzt wegen der zunehmenden Internationalisierung der Kapitalmärkte. Denn obwohl das heimische Defizit noch immer geringer war als das anderer europäischer Staaten, schadete das große Minus der Kreditwürdigkeit Österreichs. Die Folge waren höhere Zinssätze bei internationalen Krediten. Um das Defizit nicht noch weiter anwachsen zu lassen, wurde 1982 das erste von mehreren nachfolgenden Sparpaketen entworfen (das so genannte Mallorca-Paket – so benannt, weil es vom damaligen Bundeskanzler Bruno Kreisky in seiner Villa auf Mallorca entworfen worden war). Auch wenn dieses Paket damals wegen der Abwahl der Regierung nicht in dieser Form kam, markierte es dennoch einen sozialpolitischen Einschnitt: Die Zeit der konstant steigenden staatlichen Leistungen und Zuschüsse war vorbei. Der Gürtel musste ab nun wieder deutlich enger geschnallt werden.

Die Öffnung der Ostgrenzen

Eines der aus Sicht der österreichischen Wirtschaft wichtigsten Ereignisse in dieser Zeit stellte Ende der 80er-Jahre die Demontage des Eisernen Vorhangs zwischen dem ehemaligen Ostblock und dem Westen Europas dar. Für Österreich, das direkt an die Oststaaten angrenzt, bedeutete das, dass das Land nun nicht mehr länger eine Randlage in Westeuropa einnahm, sondern plötzlich wieder mittendrin, „im Herzen Europas", lag. Nun waren auch wieder alle Möglichkeiten offen, mit den östlichen Nachbarländern so wie schon vor rund 100 Jahren enge Wirtschafts- und Handelsbeziehungen aufzubauen.

Zunächst waren aber die Ängste noch größer als die Hoffnungen: „Flüchtlingsströme" wurden befürchtet, vor allem Wirtschaftsflüchtlinge und nach Ausbruch des Krieges in Jugoslawien auch Kriegsflüchtlinge, die nicht nur heimische Arbeitskräfte verdrängen, sondern auch die Leistungen des österreichischen Sozialsystems beanspruchen und überstrapazieren könnten. Die in manchen Medien angekündigten „5 Millionen Russen" kamen nicht, und auch der Zustrom aus anderen ost- und südosteuropäischen Ländern wurde mit Hilfe einer restriktiven Einwanderungs- und Aufenthaltspolitik in relativ engen Grenzen gehalten. Dafür begannen sich ab 1995 allmählich die positiven Aspekte des zwischenstaatlichen Handels mit den osteuropäischen Staaten in der Statistik niederzuschlagen.

Beitritt zur Europäischen Union

Als 1989 der Eiserne Vorhang fiel, verlor Österreich seine besondere Zwischenlage und damit gleichzeitig die bereits gewohnte Sicherheit. Auch wenn die Diskussionen um einen Beitritt zur EU schon davor einsetzten, spielte die neue, exponierte Lage mitten in Europa eine gewisse Rolle bei der Annäherung an den immer größeren europäischen Wirtschaftsblock. Trotz zunächst großer Vorbehalte von Seiten der Bevölkerung erfolgte 1994 der Abschluss der Beitrittsverhandlungen und schlussendlich die positive Volksabstimmung. Am 1. Jänner 1995 trat Österreich als Vollmitglied der EU bei, und das – trotz etlicher Schwierigkeiten und Krisen in den 15 Jahren davor – als potenter Wirtschaftspartner der anderen 14 Teilnehmerstaaten.

Wirtschaftsleistung 1900 bis 2000

	1900	1938	1950	1960	1970	1980	1990	2000
USA	155	152	202	172	152	146	142	145
Schweiz	139	168	168	170	156	139	133	121
Österreich	95	78	69	90	92	104	104	107
Japan	43	65	36	57	87	96	113	106
Deutschland	99	104	68	97	98	101	101	100
OECD (26)	100	100	100	100	100	100	100	100
EU-15	96	93	82	91	94	96	97	95

Quelle: Nach Anton Kausel, Ein halbes Jahrhundert des Erfolges, Finanznachrichten

Die österreichische Bilanz am Ausgang des Jahrhunderts ließ sich durchaus sehen: Österreich lag unter den 20 Ländern mit dem höchsten Pro-Kopf-Einkommen und übertraf sogar den Durchschnitt der EU. Die „Insel der Seligen", wie Österreich in den 70er-Jahren vom Papst einmal genannt wurde, hatte sich von ihrem Inseldasein verabschiedet und ihre Wirtschaft stark internationalisiert. Bis Ende der 80er-Jahre hatten zwar immer mehr multinationale Firmen ihre Produktionsstätten in Österreich errichtet, österreichische Direktinvestitionen im Ausland waren aber bis dahin spärlich erfolgt. Nun begann sich das Blatt zu wenden: Die Investitionen der österreichischen Firmen im Ausland übertrafen zunehmend die ausländischen Direktinvestitionen in Österreich. Auch die Produktivität der österreichischen Industrie und die gesamte Wirtschaftsleistung des Landes hatte internationale Maßstäbe erreicht – bei vergleichsweise guten Umwelt- und Sozialstandards. Der Aufholprozess über die letzten 100 Jahre war geglückt.

Dramatik zum Jahrtausendwechsel

Das letzte Jahr des alten Jahrtausends begann viel versprechend: Mitte 1999 hatte ein Konjunkturaufschwung eingesetzt, der im Jahr 2000 andauerte. Die Außenhandelsaktivitäten nahmen zu, auch die Inlandsnachfrage erhöhte sich; die Zahl der Beschäftigten stieg und jene der Arbeitslosen ging zurück. Auch der Kapitalmarkt boomte, vor allem dank New Economy – einer Kombination aus beschleunigtem Wirtschaftswachstum und geldpolitischer Stabilität, als deren Triebkraft die Entwicklung und Ausbreitung neuer Technologien vor allem im Informations- und Telekommunikationsbereich galt. Die Zukunftsbranche der 90er-Jahre schlechthin hatte nicht nur für zahlreiche Unternehmensgründungen und neue Arbeitsplätze gesorgt, sondern auch die Börsenindizes beflügelt. Die Perspektiven für das neue Jahrtausend waren also aussichtsreich. Doch diese Erwartungen blieben unerfüllt.

Die New Economy stürzt ab

Im Jahr 2000 erlitten die Technologie-Aktien nach ungeahnten Höhenflügen eine veritable Bruchlandung. Vor allem die speziell auf den Bereich der neuen Technologien ausgerichteten Börsen, wie die Nasdaq in New York oder der Neue Markt in Frankfurt, mussten dramatische Kursverluste verbuchen. Nicht einmal ein Jahr später schrieben die Technologie-Börsen erneut Rekordverluste. Und diesmal war es ernst: Zahlreiche Unternehmen dieser schnell gewachsenen Branche verschwanden so schnell von der Bildfläche, wie sie aufgetaucht waren, und selbst große Technologie-Konzerne wie Microsoft verloren kurzfristig dramatisch an Wert. Der New-Economy-Crash beunruhigte Börsenmakler und Anleger weltweit und erfasste in der Folge auch die anderen Wertpapier- und Aktienmärkte. In der Folge brach in vielen Industriestaaten die Konjunktur ein; die überzogenen Erwartungen auf ein beständiges weltweites Anwachsen der Wirtschaft hatten einen deutlichen Dämpfer erfahren.

Der Euro kommt, der Schilling geht

Mit weitaus weniger Dramatik, aber mindestens so viel Bedeutung vollzog sich indessen der Übergang von zwölf europäischen Ländern zu einer vollständigen Währungsunion mit gemeinsamer Währung: Am 1.1.2002 löste der Euro, der als Buchgeld bereits 1999 eingeführt worden war, die jeweiligen nationalen Währungen ab. Es handelte sich um eine Währungsumstellung und nicht um eine Währungsreform mit entsprechender Geldentwertung, wie etwa nach dem Zweiten Weltkrieg. In Österreich wurde damit die Ära des Schilling beendet. Die Währungsumstellung ging nahezu in allen beteiligten Ländern reibungslos (und schneller als erwartet) über die Bühne.

Drei von den 15 EU-Staaten wollten oder konnten bis heute nicht mitmachen: Schweden, Dänemark und Großbritannien. Und die Briten stehen der EU-Währung nach wie vor sehr skeptisch gegenüber. Erst im Sommer 2003 wurde eine mehrere hundert Seiten umfassende Studie des britischen Finanzministeriums veröffentlicht, die alle Nachteile, die für Großbritannien mit der Einführung des Euro verbunden wären, aufzählte. Auch die Schweden sprachen sich im September 2003 in einer Abstimmung erneut gegen die Einführung des Euro aus. Als Gründe dafür gelten unter anderem Skepsis und Misstrauen gegenüber dem Euro-Projekt – nicht zuletzt deshalb, weil große Euroländer wie Deutschland oder Frankreich mit Rezession und hohen Budgetdefiziten zu kämpfen haben.

In den Euroländern selbst haben sich die Bevölkerungen hingegen bereits zum überwiegenden Teil mit der neuen Währung angefreundet oder zumindest abgefunden. Befürchtungen, dass der Euro ein richtiger „Teuro" würde und die Preise durch die Währungsumstellung klammheimlich angehoben würden, haben sich zumindest auf dem Papier nicht bewahrheitet. Wie das Wirtschaftsforschungsinstitut, aber auch die Konsumentenschützer zuletzt im Frühjahr 2003 erhoben, hat die Euro-Bargeldeinführung – trotz subjektiv anderer Einschätzung – in Österreich nicht zu einem Preisauftrieb geführt. Am ehesten wurden kleine Beträge aufgerundet, und die haben auf die Inflationsrate nur wenig Einfluss. Und trotz aller Ängste vor dem komplizierten Umrechnen und Übers-Ohr-Gehautwerden sind die „Euro"päer in der Mehrzahl zufrieden mit der neuen Währung: Nach einer Eurobarometer-Umfrage, anhand derer die EU regelmäßig die Stimmung in Euroland erhebt, wurde das neue Geld im Frühjahr 2003 in allen Euroländern von mehr als zwei Drittel der Bevölkerung gut geheißen. In Österreich befürworten 72 Prozent der Bevölkerung die Einheitswährung, die höchste Zustimmung gibt es in Luxemburg mit 88 Prozent.

Nach Angaben der Nationalbank waren Mitte 2003 noch Schilling-Münzen in Höhe von 12 Mrd. Schilling im Umlauf. Doch eigentlich wüsste niemand, wo die seien, und es werde auch nicht erwartet, dass noch nennenswerte Beträge zurückfließen würden.

Österreich im Sog des weltweiten Wirtschaftsabschwungs

Nicht ganz so konfliktfrei wie die Währungsumstellung präsentierte sich die österreichische Wirtschaftspolitik in den ersten Jahren des neuen Jahrtausends: Das Budget 2001 sah Steuer- und Gebührenerhöhungen sowie Sozialstaatkürzungen (Ambulanzgebühr, Besteuerung der Unfallrenten) vor; für 2002 peilte Finanzminister Karl-Heinz Grasser sogar ein Nulldefizit an. Doch in Zeiten zunehmender Globalisierung helfen die besten Vorsätze nichts, wenn die Weltwirtschaft nicht mitspielt: Denn circa ab Mitte 2000 hat sich das Wachstum in nahezu allen Industriestaaten der Welt merklich abgekühlt. Auslöser dafür waren unter anderem Überinvestitionen im Hightech-Sektor und nachfolgende Zurückhaltung bei Neuinvestitionen sowie das Platzen der Aktienspekulationsblase. Für weltweite Verunsicherung in der ohnehin schon gedämpften Wirtschaftslage sorgten 2001 die Terroranschläge in den USA und in der Folge der Krieg im Irak.

Aufgrund der Handelsverflechtungen zwischen den USA und der EU machte sich der Abschwung auch in den meisten europäischen Ländern bemerkbar. In Österreich nahm die Investitionsbereitschaft der Unternehmen deutlich ab: Die Nachfrage nach Maschinen, Elektrogeräten und Fahrzeugen wurde spürbar schwächer. Die Ausrüstungsinvestitionen gingen um 1,2 Prozent zurück, die Bauinvestitionen um 2,2 Prozent. Lediglich zwei Säulen der österreichischen Wirtschaft verhinderten Schlimmeres: Die Exporte blieben überraschend hoch und der private Konsum stützte die Konjunktur mit einem Zuwachs von 1,3 Prozent. Mittlerweile sind die Österreicher aber zurückhaltender geworden: Zur internationalen Flaute kam eine einschneidende Pensionsreform.

Besondere Bedeutung für eine Erholung wird nun der Konjunkturlokomotive USA mit ihren üblicherweise konsumfreudigen Bürgern und Investoren zugeschrieben. Doch die wollte zumindest bis Herbst 2003 nicht so recht in Fahrt kommen: Das ausufernde Haushaltsdefizit, das große Minus in der Leistungsbilanz und die hohe Verschuldung der US-Haushalte lassen auch nach Ansicht des Internationalen Währungsfonds für die nächste Zeit nur wenig Erholung erwarten. Die europäische Konjunktur wird zusätzlich durch hohe Arbeitslosigkeit, strukturelle Schwächen und Sparbemühungen in den einzelnen Ländern gebremst. Eine Besserung der Situation wird von den Wirtschaftsforschern erst ab 2004 erwartet.

Die internationale Wirtschaft als Wohlstandsgarant

„Was immer in der Welt passiert: Wir sind davon betroffen!", stellte der österreichische Bundeskanzler Wolfgang Schüssel in seiner Antrittsrede vor dem Parlament im Frühjahr 2003 fest. Denn der österreichische Wirtschaftsstandort basiere auf einer internationalen und daher auch von außen abhängigen Volkswirtschaft.

Die Zahlen beweisen es: Rund 50 Prozent unseres Wohlstands beruhen mittlerweile auf Export und Tourismus, während diese Bereiche vor rund zehn Jahren nur 37 Prozent ausmachten. Österreich hat also aus der zunehmenden Integration und Globalisierung bisher überwiegend Vorteile gezogen: EU-Beitritt, Ost-Öffnung und internationale Liberalisierung haben zwar den Konkurrenzdruck für die heimische Wirtschaft erhöht. Andererseits hat aber gerade der Abbau von Zöllen und Handelsschranken den Aufbau und die Absicherung des Wohlstands ermöglicht. Die Augen vor dem zu verschließen, was sich außerhalb unserer Grenzen abspielt, funktioniert also nicht mehr. Bleibt nur die Möglichkeit der Vorwärtsstrategie. Teil II geht darauf auf ein, wie gut Österreichs Unternehmen und Branchen darauf vorbereitet sind.

Teil II
Österreichs Wirtschaft im Überblick

1. Die privaten Haushalte

Das Um und Auf der Wirtschaft sind die Konsumenten. Für sie wird letzten Endes die unüberschaubare Menge an Gütern weltweit entworfen, produziert, beworben, transportiert und einladend präsentiert. Konsumenten sind wir alle, denn ein völlig von der Umwelt abgekoppeltes Leben ist heute praktisch nicht mehr möglich. Selbst ein Aussteiger, der irgendwo in den Wäldern oder Bergen ein Fleckchen Erde für sich in Anspruch nehmen will, bleibt davon nicht ausgenommen: Kauft er ein paar Quadratmeter Grund und Boden, muss er Grundsteuer zahlen. Will er eine kleine Bretterbude bauen, braucht er eine Baubewilligung. Baut er sich dort einen Kaminabzug hinein, fallen vierteljährlich die Rauchfangkehrerkosten an. Hat er einen Kanalanschluss, ist Kanalgebühr zu zahlen. Hat er keinen Kanalanschluss, muss er eine Senkgrube bauen und diese regelmäßig auspumpen lassen.

Selbst unter einfachsten Lebensumständen fallen also bereits eine Reihe von wirtschaftlichen Dienstleistungen, Gebühren und Kosten an. Je höher die Ansprüche an den Lebensstandard, desto stärker die persönliche Verflechtung mit der Wirtschaft.

In der Volkswirtschaft geht man allerdings nicht vom einzelnen Bürger aus, sondern von den einzelnen privaten Haushalten. Die können zwar auch aus einzelnen Personen bestehen („Singlehaushalte"), in der Mehrzahl setzen sie sich aber aus Paaren, Familien mit Kindern oder anderen familienähnlichen Gruppen zusammen, die in gemeinsamen Haushalten leben. Die privaten Haushalte stehen den öffentlichen Haushalten (das sind Gemeinden, Länder, Bund, Kammern und Sozialversicherungen) und den Unternehmen gegenüber.

Die Zahl der Haushalte wird mittels Volkszählung erhoben. Demnach gibt es in Österreich rund 3,3 Millionen private Haushalte, in denen im Durchschnitt 2,5 Personen leben. Und auch wenn sich hierzulande niemand gern in die Geldbörse blicken lässt, weiß die Statistik recht gut Bescheid über die finanzielle Lage von Familie Österreicher: So geben die heimischen Privathaushalte im Schnitt monatlich 2.437 Euro aus. Deutlich unter dem Durchschnitt liegen Haushalte von Arbeitern und Landwirten, die pro Monat für 1.034 Euro konsumieren, und Pensionisten-Haushalte, wo sich die Monatsausgaben im Schnitt auf 906 Euro belaufen. Das Geld, das von den privaten Haushalten in die Wirtschaft fließt, stammt im Wesentlichen aus den Haushaltseinkommen: aus Löhnen und Gehältern, Mieteinnahmen, Zinsen oder Dividenden, Unternehmensgewinnen oder anderen Zahlungen, die Einzelpersonen als Ausgleich für ihre Leistungen beziehen. Eine weitere Quelle stellen Leistungen des Staates dar, wie etwa Arbeitslosengeld, Familienbeihilfen, Fahrtkostenzuschüsse, Pensionen, Kindergeld und Ähnliches.

Einkommenshöhen und Verteilung

Das durchschnittliche Bruttojahreseinkommen von unselbstständig Erwerbstätigen lag im Jahr 2000 bei 20.757 Euro. In der Realität klaffen die einzelnen Einkommen natürlich weit auseinander. Dementsprechend unterschiedlich fällt der Lebensstandard in den privaten Haushalten aus. Im „Bericht über die soziale Lage" des Bundesministeriums für soziale Sicherheit und Gesundheit wird dabei zwischen fünf Gruppen unterschieden:

Lebensstandard der privaten Haushalte	Trifft zu auf ...	Nettomonatseinkommen im Schnitt (Zahlen aus 1999)
Sehr niedrig	21 % aller Haushalte	1.415 Euro
Niedrig	22 % aller Haushalte	2.151 Euro
Mittel	21 % aller Haushalte	2.641 Euro
Gehoben	19 % aller Haushalte	2.919 Euro
Hoch	17 % aller Haushalte	4.247 Euro

Anmerkung: Ohne Pensionisten-Haushalte (= Haushalte, in denen das Einkommen überwiegend aus Pensionen stammt)
Quelle: IFS-Europäisches Haushaltspanel, Bericht über die soziale Lage 2001–2002

Schlecht schneiden dabei noch immer die Frauen ab: Ihr mittleres Nettoeinkommen macht nur 65 Prozent von dem der Männer aus. Sie sind stärker in den unteren Berufspositionen vertreten, und auch wenn sich der Frauenanteil an den Höheren Schulen und Universitäten in den vergangenen Jahrzehnten fast an den Anteil ihrer männlichen Kollegen angeglichen hat, sind nur 24 Prozent der hoch qualifizierten Tätigkeiten und Führungspositionen an Frauen vergeben. Das schlägt sich im Lebensstandard nieder: Von allen Frauen und Mädchen leben 23 Prozent im untersten Bereich mit dem niedrigsten Standard (bei den Männern nur 20 Prozent), einen hohen Lebensstandard weisen hingegen nur 15 Prozent auf (im Gegensatz zu 19 Prozent der Männer).

Und die Schere zwischen hohen und niedrigen Löhnen geht immer weiter auf: Wie das Bundesministerium im Sozialbericht festhält, steigen die Jahreseinkommen (1999/2000) um weniger als 1 Prozent, in den oberen Bereichen dagegen um 2 Prozent. Klingt nach wenig Unterschied, hat aber bei genauerer Betrachtung doch beträchtliche Auswirkungen: Bei Gehältern von rund 1.500 Euro monatlich machen Einkommenssteigerungen von 1 Prozent das Kraut nicht wirklich fetter. Ein Einkommenszuwachs von 2 Prozent bei 4.200 Euro aufwärts bringt aber monatlich immerhin um rund 80 Euro mehr.

Die Sozialleistungen an einkommensschwache Haushalte können diese wachsenden Einkommensunterschiede nicht ausgleichen. Die Armutsgefährdung steigt, auch wenn das in vielen Fällen nicht auf den ersten Blick erkennbar ist, da sich Armut in unseren Breitengraden anders darstellt als etwa in Entwicklungsländern. Mehr zu diesem Thema finden Sie weiter hinten unter dem Stichwort „Armut".

Auch im europäischen Vergleich sind die Einkommen der Österreicher in den vergangenen zwölf Jahren nur unterdurchschnittlich gewachsen.

Einkommensentwicklung 1990–2002
Zunahme der Realeinkommen in Prozent

Portugal	+31,2	Österreich	+ 14,1
Irland	+29,4	Spanien	+ 11,7
Großbritannien	+23,5	Frankreich	+ 11,7
Luxemburg	+20,3	Niederlande	+ 10,3
Schweden	+20,2	Finnland	+10,0
Belgien	+17,9	Deutschland	+ 10,0
Dänemark	+14,9	Italien	-1,9
Griechenland	+14,6		

Quelle: Eurostat, EU-Kommission

88.000 Euro Geldvermögen pro Haushalt

Das Vermögen der privaten Haushalte, also das, was sie tatsächlich nach Abzug von Krediten und anderen Verbindlichkeiten besitzen, setzt sich zusammen aus Immobilienvermögen, Geldvermögen und Gebrauchsvermögen.

Zum Immobilienvermögen zählen unter anderem Eigenheime, Eigentumswohnungen, vermietete Immobilien, Grundstücke usw. Es macht etwa die Hälfte des gesamten Vermögens aus. Die andere Hälfte verteilt sich zu gut einem Viertel auf Gebrauchsvermögen (also langlebige Haushaltsgegenstände wie Kühlschrank, Stereoanlage oder Auto) und zu drei Vierteln auf Geldvermögen.

Der Geldvermögensbestand der österreichischen Haushalte belief sich Ende 2002 auf 291 Mrd. Euro. Im Durchschnitt verfügt also jeder österreichische Haushalt über ein Geldvermögen von rund 88.000 Euro. So weit die Statistik. In Wirklichkeit ist der Geldbesitz natürlich nicht auf alle Haushalte in gleicher Höhe verteilt. Denn nach Angaben der ARGE Schuldnerberatung sind 100.000 Haushalte so überschuldet, dass sie de facto zahlungsunfähig sind.

Land der Sparer und Anleger

Insgesamt sind die Österreicher jedoch in den vergangenen Jahrzehnten immer vermögender geworden. Rund 155 Mrd. Euro haben sie nach Angaben der Oesterreichischen Nationalbank an Bargeld und Sparguthaben angesammelt. Selbst im Jahr 2002, als sich die internationale Konjunkturflaute bereits in den Geldbörsen bemerkbar machte, stiegen die Spareinlagen (unter Berücksichtigung der kapitalisierten Zinsen) um weitere 2,1 Mrd. Euro.

Noch größere Zuwächse erzielten österreichische Investmentfonds: 10,6 Mrd. Euro wurden im Jahr 2002 in inländische Fonds investiert. Während das Veranlagungsvolumen der Fonds im gesamten EU-Raum nach Berechnungen der Fédération Européenne des Fonds et Sociétés d'Investissement in diesem Jahr um 8,7 Prozent zurückging, erhöhte sich der österreichische Vergleichswert um 3 Prozent.

Am besten nachvollziehen lässt sich die Wohlstandssteigerung der Österreicher innerhalb der vergangenen Jahrzehnte anhand der Sparquote, also dem Anteil des Sparens am persönlich verfügbaren Einkommen. Sie ist seit 1954 von 3,7 Prozent auf rund 12 Prozent bis Mitte der 90er-Jahre gestiegen. Damit war aber auch schon der Höhepunkt des Sparcifers erreicht, denn seither ist die Sparquote kontinuierlich gefallen. Die Erbengeneration hat offenbar das Konsumieren entdeckt und legt derzeit nur noch 7,5 Prozent ihres verfügbaren Einkommens auf die hohe Kante. (Zum Vergleich: in Deutschland 10 Prozent, in den USA nur 3,7 Prozent nach Angaben der OECD, Mai 2003.) Die Experten des Wirtschaftsforschungsinstituts (WIFO) gehen allerdings davon aus, dass sich die Quote in nächster Zeit wieder etwas heben wird: Die generelle Konjunkturflaute und die hitzige Pensionsdebatte haben den Österreichern das Geldausgeben vermiest. Nach einer Umfrage des Linzer Meinungsforschungsinstituts IMAS herrschte im Jahr 2003 bei den Konsumenten Krisenstimmung. Jeder zweite Österreicher gab an, die Auswirkungen der verschlechterten Wirtschaftslage bereits zu spüren und sein Konsumverhalten dementsprechend anzupassen.

Veränderung der Anlageformen ...

Die Zusammensetzung des finanziellen Vermögens der Österreicher hat sich allerdings in den vergangenen Jahren deutlich verändert. Bis 1995 waren die Österreicher noch ausgesprochene Sparbuchfans: Damals lag der Anteil von Bargeld und Spareinlagen noch bei 62 Prozent des Geldvermögens eines durchschnittlichen Haushalts, bis 2001 schrumpfte er auf 55 Prozent. Wertpapiere und Versicherungssparen machten Mitte der 90er-Jahre 38 Prozent aus, bis 2001 stiegen sie auf 45 Prozent. Nach dem Einbruch der Börsen 2000/2001 haben die Österreicher zwar wieder vermehrt zum Sparbuch als sicheren Hafen für ihre Gelder gegriffen. Die private Pensionsvorsorge wird aber dem Trend hin zum Versicherungssparen sowie zu Wertpapieren und Aktien in den nächsten Jahren höchstwahrscheinlich neuen Auftrieb verleihen.

Geldvermögen der privaten Haushalte 1995-2001

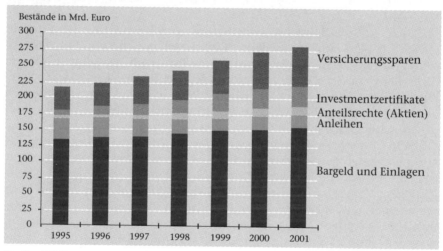

Quelle: OENB

... und der Konsumgewohnheiten

Nicht nur die Anlageformen haben sich verändert; auch bei den Konsumgewohnheiten gab es in den vergangenen 50 Jahren deutliche Nachfrageverschiebungen: weg von reinen Gütern des täglichen Bedarfs (wie Nahrungsmitteln) hin zu dauerhaften Waren und Dienstleistungen. Die Anteilszuwächse im Gesundheits-, Wohnungs- und Dienstleistungsbereich gehen zwar zum Teil auf überdurchschnittlich starke Preissteigerungen zurück. Bei den Konsumbereichen Verkehr und Nachrichten, Bildung und

Unterhaltung sowie Einrichtung, Hausrat und Haushaltsführung lassen sich die hohen Zuwächse aber eindeutig auf höhere Mengennachfrage zurückführen – vor allem deshalb, weil die Preise in diesen Bereichen gleich geblieben oder sogar gefallen sind.

Beispiel Fernseher: 1960 kostete ein Gerät rund 470 Euro, der durchschnittliche Monatsverdienst lag aber netto (also nach Abzug von Steuern) nur bei 146 Euro. 1993 kostete ein vergleichbarer Fernseher rund 900 Euro, der Monatsverdienst betrug bereits 1.460 Euro.

Ein besonders deutliches Beispiel dafür, wie sich die Konsumausgaben verlagert haben, ist der Bereich „Verkehr": In den 50er-Jahren entfiel noch mehr als die Hälfte der Ausgaben in diesem Bereich auf Straßenbahnen, Züge und Busse, heute sind es nur noch etwas mehr als 10 Prozent. Es kam also zu deutlichen Verschiebungen vom öffentlichen Verkehr zum Individualverkehr (sprich: Auto).

Laut einer Konsumerhebung der Statistik Austria geben die österreichischen Haushalte im Schnitt monatlich 2.437 Euro aus. Dieser relativ hohe Wert rührt daher, dass auch längerfristige Anschaffungen (wie Haushaltsgeräte oder Autos) auf die Monate umgerechnet werden. Deshalb verschlingt auch der Posten „Verkehr" nach dem Posten „Wohnen" den höchsten Teil des Monatseinkommens. Aber auch der Bereich „Erholung, Freizeit, Sport, Hobbys" fällt schwer ins Budget, nicht zuletzt deshalb, weil hier die Urlaubsreisen mit eingerechnet sind.

Wofür die Österreicher ihr Geld ausgeben

Von 2.437 Euro pro Monat entfallen auf ...

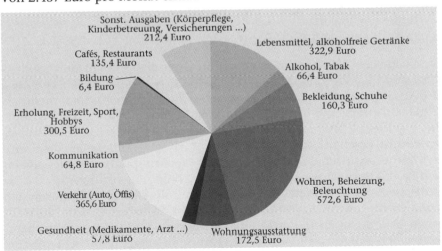

Quelle: Statistik Austria, Konsumerhebung 1999/2000

Private „konsumieren", Unternehmen „investieren"
Ob es sich um Konsum oder Investition handelt, hängt nicht vom jeweiligen Produkt ab. Entscheidend ist, ob die Ware oder Dienstleistung von einer Privatperson oder einem Unternehmen erworben wird.

- Wenn ein Unternehmen Computer kauft und seinen Mitarbeitern eine EDV-Schulung finanziert, dann spricht man von einer Investition (in die Büroausstattung bzw. in die Mitarbeiter).
- Wenn ein Privater einen Computer erwirbt und dann auf eigene Kosten eine Computer-Schulung macht, heißt das Konsum.

2. Die Struktur der Unternehmen

Schlagzeilen machen meist nur die Großen. Das Rückgrat der österreichischen Wirtschaftsleistung bilden aber vor allem Klein- und Mittelbetriebe. Das gilt auch in Zeiten zunehmender Marktkonzentration, wo sich immer mehr Unternehmen zusammenschließen und dann oft große Teile des Marktes dominieren. Klar ist: Die einen können nicht ohne die anderen. Die Klein- und Mittelbetriebe sind oft Zulieferanten für die Großbetriebe und brauchen diese als Auftraggeber und Abnehmer für ihre Produkte. Und die Großen brauchen die Kleinen wiederum als direktes Bindeglied zwischen Wirtschaft und Konsumenten oder als zuverlässige Auftragnehmer, wenn Aufgaben outgesourct, also aus dem Großbetrieb ausgelagert und von kleineren Anbietern übernommen werden sollen.

Klein- und Mittelbetriebe (KMU) dominieren

Von den rund 250.000 Unternehmen in Österreich (ohne Landwirtschaften) sind 99,5 Prozent Klein- und Mittelbetriebe (KMU). Es gibt nur etwa 1.000 Unternehmen mit mehr als 250 Beschäftigten, aber mehr als 210.000 Betriebe mit weniger als 10 Mitarbeitern. In einem durchschnittlichen österreichischen Unternehmen arbeiten also bis zu 10 Personen. Insgesamt beschäftigen die KMU rund 1,85 Mio. Mitarbeiter (64,5 Prozent) und erwirtschaften 56 Prozent der Wertschöpfung, also des gesamten Produktionswerts eines Landes abzüglich der Vorleistungen.

Diese Zahlen sind seit 1990 mehr oder weniger gleich und decken sich auch mit denen anderer europäischer Länder. So haben etwa die 20 Millionen Unternehmen in der EU, die weniger als 50 Mitarbeiter beschäftigen, einen Anteil von mehr als 99 Prozent an allen europäischen Betrieben und stellen 53 Prozent aller Jobs.

Vergleich der Betriebsgrößen Österreich/EU

Betriebsgröße nach der Zahl der Mitarbeiter	Anzahl der Unternehmen	
	Österreich	EU
1 bis 9	83,1 %	93,1 %
10 bis 49	14,1 %	5,8 %
50 bis 249	2,3 %	0,8 %
ab 250	0,5 %	0,2 %

Quelle: Bundesministerium für Finanzen, Working Papers 7/2002

Den höchsten Anteil an Klein- und Mittelbetrieben weisen in Österreich die Bundesländer Salzburg und Tirol auf. So wie auch in den EU-Regionen mit hoher KMU-Dichte (vor allem im Süden Europas) gibt es dort einen überdurchschnittlich hohen Anteil von Handels- und Gewerbebetrieben. Diese beiden Wirtschaftsbereiche sind eher kleinbetrieblich strukturiert und oft eng mit der Tourismusbranche verknüpft, was speziell auf Tirol zutrifft.

Anders die Situation in Japan und in den USA: Dort sind deutlich mehr Menschen in Großbetrieben beschäftigt als in Österreich und Europa.

KMUs schaffen mehr Arbeitsplätze als Großunternehmen

Klein- und Mittelbetriebe stellen nicht nur die Mehrzahl der Unternehmen, sondern auch der Arbeitsplätze. Und sie schaffen und erhalten auch mehr Jobs als die Großen. Natürlich sind die klein- und mittelständischen Betriebe und vor allem Neugründungen nicht vor Pleiten und Arbeitsplatzabbau gefeit; im Langzeitvergleich zeigen die Zahlen aber, dass die KMUs bei steigenden Erwerbstätigenzahlen mehr Arbeitsplätze erhalten und geschaffen haben als die großen Unternehmen. Langsam, aber kontinuierlich ist die Zahl der Jobs bei den Mittelständlern zwischen 1990 und 2001 gestiegen – während sie in Unternehmen mit mehr als 300 Beschäftigten ebenso langsam und kontinuierlich zurückging (im Verhältnis zur steigenden Zahl von Erwerbstätigen).

Zahl der unselbst.Beschäft. je Betrieb	Veränderungen bei den Beschäftigtenzahlen je nach Betriebsgröße (1990–2001)			
	1990 in %	1995 in %	2000 in %	2001 in %
1 bis 9	19,39 %	19,62 %	19,34 %	19,28 %
10 bis 49	22,40 %	22,63 %	22,75 %	22,87 %
50 bis 299	25,75 %	25,62 %	25,91 %	25,96 %
300 +	32,46 %	32,13 %	32,00 %	31,90 %

Quelle: Hauptverband der Sozialversicherungsträger

Info-Tipp: Das Forschungsinstitut KMU Forschung Austria (ehemals Institut für Gewerbe und Handel) beschäftigt sich seit Jahren mit der Entwicklung von Klein- und Mittelbetrieben und bietet regelmäßig aktualisierte Daten zu deren Lage an. Adresse: www.kmuforschung.at.

Gefragt und gefördert: Unternehmensgründungen

Auch bei Unternehmensgründungen dominieren naturgemäß die Klein- und Mittelbetriebe. Seit 1995 steigt die Zahl der Neugründungen beständig: Vor 1996 wurden jährlich zwischen 14.000 und 15.000 neue Betriebe gegründet, zwischen 1996 und 2000 waren es im Durchschnitt rund 21.400. Im Jahr 2001 wurden sogar fast 27.000 neue Betriebe gegründet – vor allem im Bereich Unternehmensberatung und Informationstechnologie, gefolgt von Finanzdienstleistungen. Gut ein Drittel der neuen Unternehmen war im Handel tätig und rund 12 Prozent im Tourismus- und Freizeitbereich.

Durch die geförderte Einrichtung von rund 50 Technologie- und Gründerzentren im vergangenen Jahrzehnt wurde und wird versucht, jungen, innovativen Unternehmen Räumlichkeiten, Ausstattung und Betreuung für den Start ins Unternehmertum zu geben. Damit wollen Bund und Länder gewährleisten, dass das im EU-Vergleich relativ hohe Maß an Ideen, Wissen und Innovationen auch möglichst rasch und zielführend in verwertbare Produkte und Dienstleistungen umgesetzt wird.

Schließlich ist die Entwicklung neuer Unternehmen und das Wachstum der KMU nicht nur wichtig für die Wettbewerbsfähigkeit eines Landes, sondern vor allem auch für die Schaffung von Arbeitsplätzen. Aus diesem Grund gibt es in der EU, aber auch in Österreich eine ganze Reihe von Fördermaßnahmen und -programmen für Unternehmensgründer, Erfinder und Jungunternehmer sowie zur beruflichen Aus- und Weiterbildung.

So wurden etwa durch das im Jahr 2000 beschlossene Neugründungs-förderungsgesetz neue Betriebe von Gerichts- und Eintragungsgebühren, Verwaltungsabgaben, Grunderwerbs-, Gesellschafts- und Börsenumsatzsteuer sowie von 7 % der Lohnnebenkosten im ersten Jahr befreit. Das ursprünglich mit 1.1.2003 befristete Gesetz wurde mit dem Konjunkturbelebungsgesetz 2002 unbefristet verlängert.

Info-Tipp:

- Die 2002 gegründete Plattform „foerderportal.at" vereint die Angebote der bundesweiten Fördereinrichtungen für Klein- und Mittelbetriebe sowie Betriebsgründer, darunter BÜRGES, ERP-Fonds und den Forschungsförderungsfonds für die gewerbliche Wirtschaft. Adresse: www.foerderportal.at. Informationen zu den Förderungen der EU gibt es unter anderem in den Wirtschaftskammern oder im Internet unter http://europa.eu.int/.

- Zur „Europäischen Charta für Kleinunternehmen" gibt es einen jährlichen Umsetzungsbericht, der veröffentlicht wird unter: http://europa.eu.int/comm/enterprise/enterprise_policy/charter/ charter2002.htm.

Großbetriebe ab 250 Mitarbeitern

Die österreichischen Großunternehmen sind vorwiegend in der Sachgüterproduktion zu finden, also in Industrie und Gewerbe. Dort stellen sie fast 2 Prozent des Unternehmensbestands und beschäftigen etwa die Hälfte der rund 350.000 in diesem Bereich tätigen Arbeiter und Angestellten. Insgesamt, also in allen Wirtschaftszweigen zusammengenommen, sind aber nur 0,5 Prozent der heimischen Betriebe zu den Großbetrieben mit mehr als 250 Mitarbeitern zu zählen. Diese rund 1.000 Unternehmen beschäftigen aber aufgrund ihres Umfangs mehr als 800.000 Arbeitnehmer.

So wie die KMU hat auch die Zahl der Großbetriebe zwischen 1995 und 2001 zugelegt, und zwar um 4,3 Prozent (bei den KMU waren es in diesem Zeitraum nur 3,8 Prozent). Dafür war aber bei den Großen der Stellenzuwachs mit 3,6 Prozent nicht so hoch wie bei den KMU (7 Prozent).

Die Top-25 der österreichischen Wirtschaft

Unternehmen	Konzernumsatz in Mio. Euro weltweit	Beschäftigte	Standort	Hauptgeschäftszweig
OMV	7.736	5.659	Wien	Energieversorgung
Rewe Austria (Billa, Merkur, ...)	6.104	40.281	Wiener Neudorf	Handel
Bau Holding Strabag	5.316	30.096	Spittal/Drau	Bauwesen, Baustoffe
Porsche Holding	4.223	10.969	Salzburg	Kfz, Kfz-Komponenten
Siemens Österreich	4.114	19.482	Wien	Telekommunikation, IT-Hardware
VA Technologie	3.999	24.000	Linz	Maschinen, Anlagenbau
Telekom Austria	3.944	17.549	Wien	Telekommunikation
ÖBB	3.380	48.509	Wien	Personen-, Warentransport, Logistik
Spar	3.353	22.494	Salzburg	Handel
voestalpine AG	3.166	17.129	Linz	Metall
Chrysler Austria	2.680	2.060	Wien	Kfz, Kfz-Komponenten
BMW Group Öst.	2.283	2.911	Steyr	Kfz, Kfz-Komponenten
Austrian Airlines	2.096	7.964	Wien	Reisen, Tourismus
RHI	1.850	7.464	Wien	Bauwesen, Baustoffe
Frantschach	1.833	8.726	Wien	Papier, Pappe, Verpackung
Wiener Stadtwerke	1.822	15.123	Wien	Energieversorgung
A. Porr	1.761	9.827	Wien	Bauwesen, Baustoffe
Magna Steyr	1.736	9.230	Oberwaltersdorf	Kfz, Kfz-Komponenten
Verbund	1.685	3.053	Wien	Energieversorgung
Hofer	1.671	1.700	Sattledt	Nahrungs-, Genussmittel
Swarovsky D. & Co	1.668	13.400	Wattens	Glas, Optik, Schleifmittel
RWA Raiffeisen Ware Austria	1.608	2.262	Wien	Handel
Casinos Austria	1.586	4.690	Wien	Freizeit, Unterhaltung, Sport
Wienerberger	1.544	11.331	Wien	Bauwesen, Baustoffe
Österr. Post	1.518	30.357	Wien	Personen-, Warentransport, Logistik

Quelle: Gewinn extra, Juni 2003

Österreichische Global Player

Verglichen mit ausländischen Multis wie ChryslerDaimler (Umsatz 2001: 152,9 Mrd. Euro), Siemens oder Nestlé gehen die österreichischen Großbetriebe nicht als „Global Player" durch, wie die multinationalen Großkonzerne heute mitunter genannt werden. Auf dem Weltmarkt mischen aber trotzdem immer mehr mit, und das zum Teil sehr kräftig. Mittels Unternehmensbeteiligungen oder Tochterfirmen richten sich die Unternehmen, deren Sitz im Inland verbleibt, ein oder mehrere Standbeine im Ausland ein. Im Folgenden drei Beispiele für österreichische Großunternehmen, die bereits weit über den heimischen Markt hinausgewachsen sind.

1) Marktführer im gesamten Donauraum: OMV AG
Der österreichische Mineralölkonzern OMV deckt mehr als die Hälfte des heimischen Kraft- und Brennstoffbedarfs und sorgt zu 90 Prozent für die Belieferung Österreichs mit Erdgas. Doch der Zielmarkt des Unternehmens hat Österreichs Grenzen längst überschritten und erstreckt sich mittlerweile über den gesamten Donauraum – vom Schwarzwald bis zum Schwarzen Meer. Dabei mischt die OMV nicht nur unter „ferner liefen" auf ausländischen Märkten mit: Seit ihrer Gründung im Jahr 1955 hat sie sich zum führenden Erdöl- und Erdgaskonzern in Zentral- und Osteuropa entwickelt. Mit 1.736 Tankstellen (Stand: Juni 2003) hält der Konzern einen Marktanteil von 12 Prozent in der zentral- und osteuropäischen Region. Bis 2008 soll der Marktanteil auf 20 Prozent steigen.
Daneben ist die OMV in 17 Ländern in der Ölförderung und Produktion tätig. Rund 35 Prozent des verarbeiteten Rohöls stammen bereits aus Eigenförderung, und der Anteil soll bald auf 50 Prozent steigen. Neben dem Donau-Adria-Raum sind die OMV-Förderanlagen in der Nordsee, in Nordafrika, Australien und im Mittleren Osten rund um die Uhr im Einsatz.
Weitere Standbeine sind die Beteiligung an einem der weltweit führenden Kunststofferzeuger (Borealis) und die heimische Marktführerschaft in der Produktion von Pflanzennährstoffen wie Melamin.
Die OMV wurde 1987 und 1989 in zwei Tranchen an die Börse gebracht und gilt als größtes börsenotiertes Industrieunternehmen Österreichs.

Konzernumsatz *(2002):*	7,08 Mrd. Euro	
Exportanteil:	45 %	
Mitarbeiter *(Ende 2002):*	5.828	
Eigentümer:	35,0 %	Österreichische Industrieholding AG (ÖIAG – Staatsbesitz)
	19,6 %	International Petroleum Investment Company (Abu Dhabi)
	45,4 %	Streubesitz

Weitere Informationen: www.omv.com

2) Vom reinen Stahlproduzenten zum Verarbeitungsspezialisten: voestalpine AG
Richtig spannend rund um die voestalpine wurde es im Sommer 2003: Magna-Chef Frank Stronach will die VOEST kaufen, wurde kolportiert – ein Aufschrei in Oberösterreich war die Folge. Und angesichts der bevorstehenden Landtagswahlen brachten sich nicht nur verschiedene Investoren wie die Raiffeisen-Landesbank Oberösterreich ins Spiel, sondern auch die Landespolitiker aller Couleurs. „Die Mehrheit der voestalpine soll im Land bleiben", lautete das einhellige Credo.
Bis zur tatsächlichen Veräußerung des 34,7-prozentigen ÖIAG-Anteils im September 2003 über die Börse gingen die Wogen hoch: Solidaritätskundgebungen, Unterschriftenlisten, Menschenketten durch Linz und Mahnlager der Mitarbeiter sollten den „Ausverkauf"

des heimischen Stahlkonzerns an strategische und/oder ausländische Investoren verhindern. – Die starken Emotionen kommen nicht von ungefähr, hängt doch an kaum einem anderen Unternehmen so viel Herzblut wie am oberösterreichischen Vorzeigeunternehmen.

Die voestalpine als einer der größten Stahlhersteller weltweit hatte schon allein aufgrund ihrer Produktion immer eine starke internationale Ausrichtung – mit entsprechend positiven (weltweite Absatzmärkte) und negativen (Stahlpreisabhängigkeit) Auswirkungen. Nach großen Export- und Innovationserfolgen in den 60er-Jahren schrieb das Unternehmen gegen Ende der 70er-Jahre, Anfang der 80er-Jahre immer höhere Verluste, bis in den 80er-Jahren die Wende eingeläutet wurde. Die VOEST wurde mehrmals umstrukturiert, umgruppiert und in Teilbereiche zerlegt, bis schließlich 1993 mit der Ausgliederung aus den Austrian Industries AG der Startschuss für den heutigen Konzern fiel. Und obwohl das Unternehmen bis in den Herbst 2003 zu rund einem Drittel im Eigentum des Staates stand, hat es sich in den vergangenen Jahren zu einem profitablen, zukunftsträchtigen Konzern gemausert. Vor allem seit dem Börsengang im Jahr 1995 ist die voestalpine stark gewachsen.

Als Erfolgsrezept hat sich der Stahlkonzern eine neue Strategie verordnet: weg vom reinen Stahlproduzenten hin zum hochqualitativen Stahlverarbeiter. Statt „mehr Stahl" soll das Wachstum in Zukunft durch „mehr aus Stahl" erzielt werden. Das sei nicht nur profitabler, sondern auch weniger zyklusabhängig als die reine Stahlerzeugung.

Die Zahlen scheinen den Unternehmensstrategen Recht zu geben: Während zum Ende des Geschäftsjahrs 2001/2002 noch 60 Prozent des Konzernumsatzes auf die Stahlproduktion und 40 Prozent auf Weiterverarbeitungsaktivitäten entfielen, lag das Verhältnis ein Jahr später bereits bei 53 Prozent Verarbeitung gegenüber 47 Prozent Stahlerzeugung. Bis 2005/2006 soll der Verarbeitungsanteil sogar auf 60 Prozent und der Umsatz auf 5,4 Mrd. Euro anwachsen. Um die anhaltende Nachfrage nach speziell veredelten bzw. verarbeiteten Blechen insbesondere für die Automobil- und Haushaltsgeräteindustrie erfüllen zu können, hat die voestalpine das Projekt „Linz 2010" in Angriff genommen: In den kommenden Jahren sollen rund 2 Mrd. Euro in den Ausbau und die Modernisierung der Produktions- und Verarbeitungsanlagen investiert werden. Das Werk soll damit zum Technologiezentrum für Europas Autoindustrie ausgebaut werden.

Die internationale Ausrichtung des Stahlkonzerns ist vor allem in den letzten Jahren durch Unternehmensbeteiligungen und Aufkäufe verstärkt worden. voestalpine-Standorte finden sich heute in Europa ebenso wie in den USA, in Südamerika und Australien. Neben der Markt- und Technologieführerschaft bei Spezialschienen in Europa (die voestalpine war beispielsweise für die Errichtung der Hochgeschwindigkeitsstrecke zwischen Köln und Frankfurt verantwortlich und stellt als einziges Unternehmen weltweit 120 Meter lange Schienen her) ist der Linzer Konzern heute auch der umsatzstärkste und profitabelste Spezialprofilerzeuger Europas. Nach den Rekordergebnissen im Geschäftsjahr 2000/2001 zeichnen sich – aufgrund voller Auftragsbücher nicht überraschend – weitere Erfolgsbilanzen ab.

Konzernumsatz (2002/2003):   4,4 Mrd. Euro
Mitarbeiter (2001):   22.737
Eigentümer: 74,6 % Streubesitz, davon: 39,0 % in Österreich
  35,7 % international
  10,3 % Mitarbeiter
  15,0 % ÖIAG (in Form einer Umtauschanleihe)

Weitere Informationen: www.voestalpine.com

3) Kartons und Verpackungen als Erfolgsrezept: Mayr-Melnhof Karton AG
Die Mayr-Melnhof-Gruppe besteht seit mehr als 100 Jahren und hat sich in den vergange-
nen 20 Jahren zum europäischen Marktführer in den Bereichen Karton- und Faltschachtel-
erzeugung entwickelt. Heute werden in der Sparte „Karton" in neun europäischen Werken
pro Jahr rund 1,6 Millionen Tonnen Karton vorwiegend auf Basis von Recyclingfaser herge-
stellt und in rund 100 Länder exportiert. Die Verpackungsabteilung verarbeitet in 21 Wer-
ken in acht europäischen Ländern über 390.000 Tonnen Karton zu Faltschachteln. Und die
Expansion geht unverdrossen weiter: Allein seit 2001 wurden in Deutschland ein Karton-
werk, ein Spezialverpackungswerk, eine Faltschachtelgruppe und in Bulgarien ein Karton-
werk aufgekauft.

Konzernumsatz (2002):	*1,3 Mrd. Euro*
Mitarbeiter (2001):	*6.800*
Eigentümer:	*60 % Familienbesitz*
	40 % Streubesitz

Weitere Informationen: www.mayr-melnhof.com

Österreichische Weltmarktführer

Gleichzeitig haben sich eine ganze Reihe von Betrieben mit einem oder
mehreren Produkten zu unumstrittenen Weltmarktführern entwickelt –
angefangen vom Energydrink Red Bull, der im Mekka der Softdrinks, in
den USA, oft kopiert wurde und trotzdem unangefochten an der Spitze
steht, bis hin zu den knallroten Feuerwehrautos von Rosenbauer, die heute auf praktisch allen Kontinenten der Erde im Einsatz sind.

Weltmarktführer „made in Austria"

Swarovski Kristallwaren. Umsatz: 1,7 Mrd. Euro	**BWT** Wasseraufbereiter. Umsatz: 420 Mio. Euro
Wienerberger Ziegelwerke. Umsatz: 1,5 Mrd. Euro	**Jungbunzlauer** Zitronensäure. Umsatz: 350 Mio. Euro
Böhler Uddeholm Edelstahl. Umsatz: 1,5 Mrd. Euro	**AVL List** Motorenprüfsysteme. Umsatz: 305 Mio. Euro
Alpla Plastikverpackungen. Umsatz: 1,3 Mrd. Euro	**Miba** Kfz-Zulieferer, Gleitlager. Umsatz: 292 Mio. Euro
Red Bull Energydrink. Umsatz: 1 Mrd. Euro	**Plasser&Theurer** Bahnbaumaschinen. Umsatz: 436 Mio. Euro
Lenzing Viskosefasern. Umsatz. 664 Mio. Euro	**AT&S** Leiterplatten. Umsatz: 275 Mio. Euro
Constantia Flexible Verpackungen. Umsatz: 636 Mio. Euro	**Rosenbauer** Löschsysteme. Umsatz: 274 Mio. Euro
Ludwig Engel Spritzgussmaschinen. Umsatz: 693 Mio. Euro	**Doppelmayr** Seilbahnen. Umsatz: 265 Mio. Euro
Plansee Speziallegierungen. Umsatz: 524 Mio. Euro	**Novomatic** Spieleautomaten. Umsatz: 243 Mio. Euro
Tann Papier Zigarettenpapier. Umsatz: 436 Mio. Euro	**KTM** Geländemotorräder. Umsatz: 192 Mio. Euro

Quelle: Format 20/02

3. Die einzelnen Branchen und ihre Bedeutung

Jede wirtschaftliche Tätigkeit wird einem Wirtschaftssektor zugeordnet. Dabei werden folgende drei große Bereiche unterschieden:
- Land- und Forstwirtschaft (= primärer Sektor genannt);
- Güterproduktion, das heißt Industrie und Gewerbe (= sekundärer Sektor);
- Dienstleistungen (= tertiärer Sektor).

In den vergangenen 50 Jahren hat sich die wirtschaftliche Bedeutung dieser drei Bereiche stark verändert. Die Land- und Forstwirtschaft hat kontinuierlich an Raum verloren, während die industrielle und gewerbliche Güterproduktion bis in die 70er-Jahre hinein stark zunahm. Ab 1973 wurden Industrie und Gewerbe allerdings erstmals von den Dienstleistungen überrundet, und heute erwirtschaftet der Dienstleistungsbereich bereits doppelt so viel wie der industrielle und gewerbliche Sektor. Dafür gibt es vor allem zwei Gründe:
- Die Österreicher sind wohlhabender geworden und haben mit wachsendem Einkommen andere bzw. weit reichendere Bedürfnisse als noch vor 30 oder 40 Jahren. Die Lust auf Kleidung, Möbel, Autos und der Bedarf an Service in Form von Finanz- und Sicherheitsberatung, EDV-Schulungen, Gesundheitsleistungen, Freizeit- und Unterhaltungsangeboten haben dem Dienstleistungsbereich zu einem geradezu explosiven Wachstum verholfen.
- Gleichzeitig hat die Produktivität in allen Bereichen zugenommen. Das bedeutete beispielsweise in der Landwirtschaft, dass immer mehr auf den Markt kam (Stichwort „Milchschwemme" oder „Apfelberge") und immer weniger Bauern von ihren Erträgen leben konnten. Im Sachgüterbereich wiederum konnte mit zunehmender Technisierung immer mehr mit immer weniger Menschen produziert werden.

Zu diesen tief greifenden Verschiebungen kamen vor allem im vergangenen Jahrzehnt zahlreiche Unternehmenszusammenschlüsse über Österreichs Grenzen hinweg – etwa im Lebensmittelsektor, im Handel, in der Bauwirtschaft, im Bankwesen –, durch die sich die traditionellen Strukturen stark veränderten. Ein Beispiel dafür, das jeder hautnah miterleben konnte: Immer mehr Greißler sperrten zu, immer mehr Shopping-Center und Megastores laden zum Erlebniseinkauf ein. Damit einher ging ein zunehmender Bedarf an Verkaufs-, Beratungs- und Entertainment-Personal. Die Beschäftigtenzahlen zeigen die Verschiebungen deutlich.

Beschäftigte nach Wirtschaftssektoren

Jahr	... Land- und Forstwirtschaft	Unselbstständig Beschäftigte in ... ... verarbeitendem Gewerbe und Industrie	... Dienstleistungen	insgesamt
1950	236.000	975.000	760.000	1.971.000
1960	143.000	1.199.000	984.000	2.325.000
1970	65.000	1.194.000	1.173.000	2.432.000
1980	41.000	1.247.000	1.552.000	2.841.000
1990	32.000	1.116.000	1.800.000	2.947.000
1995*	26.000	946.000	2.002.000	2.973.000
2000	26.000	913.000	2.125.000	3.064.000
2001	25.000	904.000	2.149.000	3.078.000
2002	26.000	881.000	2.158.000	3.064.000

* Bruch in der Zeitreihe:
  bis 1994 Stand: Ende Juli;
  ab 1995 Jahresdurchschnitte, daher nur eingeschränkte Vergleichbarkeit vor/nach 1995
Quelle: Wirtschaftskammer

Im gesamten vergangenen Jahrhundert fand eine Umschichtung von den Arbeitern zu den Angestellten statt. Die Zahl der Erwerbstätigen, die in Betrieben der Rohstoffgewinnung und der Weiterbearbeitung beschäftigt sind (also im primären und sekundären Sektor), nahm beständig ab. Vor allem der Anteil der landwirtschaftlich Tätigen ist drastisch gesunken. Dafür hat sich seit 1973 die Zahl der Dienstleistungsjobs nahezu verdreifacht. Der Bereich ist somit auch beschäftigungsmäßig der bedeutendste Sektor der österreichischen Wirtschaft.

Wenn aber der Dienstleistungsbereich mittlerweile den weitaus größten Anteil an der gesamten Wirtschaftsleistung einnimmt, wieso gilt Österreich dann – ebenso wie alle anderen hoch entwickelten Länder weltweit – nach wie vor als Industriestaat? Weil die scharfe Trennung zwischen dem güterproduzierenden Sektor und dem Dienstleistungssektor nicht exakt ist.

Verzahnung zwischen Industrie und Dienstleistungen

Viele Tätigkeitsbereiche, die als typische Dienstleistungen gelten, wären ohne enge Verzahnung mit der industriellen Produktion gar nicht möglich. Softwareentwicklung, Schulung, Gerätewartung und Inspektion, Datenverarbeitung, technische Beratung und Planung oder auch Unternehmens- und Rechtsberatung oder Personalleasing – ohne güterproduzierende Auftraggeber könnten viele kleine Anbieter dieser industrie- oder produktionsnahen Dienstleistungen nicht existieren.

Manche dieser Aufgabenbereiche wurden früher in den Industriebetrieben selbst erbracht, etwa von einer EDV- oder Buchhaltungsabteilung. Sie sind also nichts wirklich Neues, sondern wurden lediglich outgesourct, also aus dem Unternehmen ausgelagert und an einen externen Zulieferer vergeben. Damit sollen Kosten gespart und die Konzentration auf die eigentlichen Kernbereiche des Unternehmens gerichtet werden.

Viele der industrienahen Dienstleistungen sind aber eigenständige Gründungen, auf die das güterproduzierende Gewerbe immer stärker angewiesen ist, um im internationalen Wettbewerb mitzuhalten. Isoliert angebotene Produkte haben auf dem Weltmarkt immer weniger Chancen, weil sie von jungen Industrieländern oft kostengünstiger angeboten werden. Gefragt sind daher zusätzliche Serviceleistungen, wie etwa auf einen bestimmten Einsatzbereich zugeschnittene Steuerungsprogramme für Maschinen und Geräte, die dann von externen Zulieferern entwickelt und beim Käufer installiert und betreut werden.

Obwohl also der Anteil der Industrie an der gesamtwirtschaftlichen Leistung abnimmt und der Dienstleistungssektor einen immer größeren Beitrag zum Bruttoinlandsprodukt und zur Gesamtbeschäftigung liefert, bleibt die Industrie der Hauptmotor der wirtschaftlichen Aktivitäten und Entwicklungen.

Unterschiedliche Entwicklung innerhalb der Sektoren

Dazu kommt, dass sich auch die Branchen innerhalb der beiden Sektoren unterschiedlich entwickeln – zum Teil abhängig von der internationalen Wirtschaftslage, zum Teil auf Grund von sich wandelnden Konsumbedürfnissen. So zeigt beispielsweise die folgende Grafik, wie der Arbeitskräftebedarf innerhalb eines Sektors variieren kann: Im produzierenden Bereich verzeichnete das Bauwesen im Jahr 2001 einen kräftigen Arbeitskräfterückgang, während die Metallberufe deutlich zulegten. Im Dienstleistungssektor wiesen der Möbel-, Schmuck- und Sportgerätehandel ein Minus auf; Fremdenverkehr, Gesundheits- und Sozialwesen konnten hingegen Beschäftigungszuwächse verbuchen.

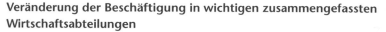

Veränderung der Beschäftigung in wichtigen zusammengefassten Wirtschaftsabteilungen

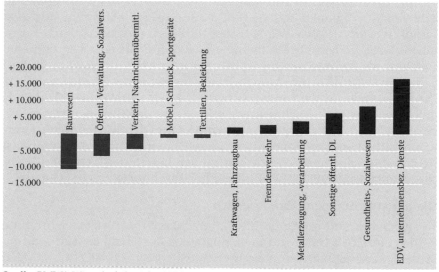

Quelle: BMWA Wirtschaftsbericht 2002

Die Zahlen spiegeln zwar nur die Entwicklung innerhalb eines Jahres (und noch dazu eines schwierigen Jahres mit beginnender Wirtschaftsflaute) wider. Sie zeigen aber trotzdem deutlich die unterschiedliche Gewichtung einzelner Branchen. Im Folgenden daher ein kurzer Blick auf den aktuellen Stand und die Entwicklung der drei Sektoren sowie auf einzelne Branchen, die in der heimischen Wirtschaft besondere Bedeutung haben.

Land- und Forstwirtschaft

Zum primären Sektor zählen Land- und Forstwirtschaft, Fischerei und Bergbau, also alle Tätigkeiten, bei denen der Ertrag direkt der Natur entnommen wird. Dieser Bereich liefert mittlerweile mit gerade 2 Prozent die geringsten Beiträge zur gesamten Wirtschaftsleistung. Und von 100 Beschäftigten sind nicht mehr als 6 in der Land- und Forstwirtschaft tätig, während nach dem Zweiten Weltkrieg auf 100 Arbeiter und Angestellte noch gut 30 Bauern und Landarbeiter kamen. Die Landwirtschaft diente also fast einem Drittel der Bevölkerung als Erwerbsquelle – wenn sie auch nicht das ganze Land ernähren konnte. Schweine und Getreide mussten importiert werden. Doch in den vergangenen 50 Jahren hat sich das Blatt vollkommen gewendet: Wie in keinem anderen Sektor wurden Produktion und Produktivität gesteigert. Ab 1960 wurden bereits Rinder exportiert, und ab 1980 war Österreich auch Getreideexportland. Selbst die Milchkühe lieferten um eine Million Tonnen mehr Milch, obwohl ihre Zahl von 1,2 Millionen im Jahr 1937 auf rund 800.000 bis zum Jahr 2000 gesunken war. Möglich wurden diese Ertragssteigerungen durch Züchtungserfolge, verbesserte Düngung, verstärkten Pflanzenschutz und eine zunehmende Mechanisierung und Technisierung der Arbeit.

Wie wichtig nicht nur bessere Technologien, sondern auch steigende Qualität gerade für die Landwirtschaft sind, hat die Weinwirtschaft eindrucksvoll bewiesen. Nach dem Weinskandal in den 80er-Jahren, wo sich herausstellte, dass dem edlen Rebensaft dort und da auch ein wenig Frostschutzmittel beigefügt worden war, startete ein gewaltiger Aufholprozess. Heute zählen die heimischen Weine zu den besten der Welt. Eine ähnliche Qualitätsoffensive – etwa für Fleisch – ist Österreich nicht gelungen.

Ökopunktebäume und Quotenmilch

So angenehm und erfreulich die Verbesserungen der letzten Jahrzehnte für den einzelnen Landwirt waren, zeigte sich doch bald die Kehrseite der Medaille: Fernsehbilder von riesigen Apfelbergen, die langsam vor sich hinverrotteten, und ein Blick auf die Preisschilder an den Fleischvitrinen im Supermarkt machten deutlich, dass weitaus mehr Weizen, Gemüse, Obst und Fleisch auf den Markt kam, als die Menschen verbrauchen konnten. Das blieb natürlich nicht ohne Auswirkung auf die Verkaufspreise, denn wo viel Angebot ist, da sinken die Preise. Und obwohl die Zahl der Bauern ständig abnahm, wäre den wenigen Verbliebenen trotzdem bei diesen Preisen das Überleben nicht möglich gewesen. Um ihnen ihr Einkommen zu sichern und um gleichzeitig zu gewährleisten, dass die produzierten Nahrungsmittel einem bestimmten Qualitätsstandard entsprechen, wurde der freie Markt hier praktisch ausgeschaltet. Ein umfassendes System an Preisstützungen und Subventionen wurde eingeführt und von der EU-Kommission noch verfeinert und vertieft.

So gab es zuerst Prämien, wenn Obstbäume umgeschnitten wurden, ein paar Jahre später gab es wieder Prämien, wenn welche gepflanzt wurden, und heute pflegt und stutzt beispielsweise ein Bauer in Niederösterreich nicht seine „Bäume" und „Hecken", sondern seine „Ökopunkte", die von einem eigens beauftragten Agrarexperten gezählt werden. Drohen die Preise wichtiger Agrarprodukte unter eine bestimmte Marke zu rutschen, kaufen staatliche Stellen den Überschuss auf und lagern ihn ein. Für die Milch gibt es genau geregelte Höchstgrenzen. Wird zu viel Milch angeliefert, wie das beispielsweise bei den österreichischen Bauern im vergangenen Jahr der Fall war, dann muss Strafe gezahlt werden.

Wer da noch den Überblick wahren will, muss „auf Zack" bleiben. Ein Computerarbeitsplatz auf dem Bauernhof wird immer mehr die Regel denn die Ausnahme, und das idyllische Bild vom naturverbundenen Landwirt, der am Abend seine rauen Hände zufrieden in den Schoß legt, wird zunehmend vom Agrarmanager mit kontinuierlicher Weiterbildung überlagert.

Hoffnungsmarkt Biolandwirtschaft?

Das gilt ebenso, wenn nicht sogar noch mehr für jene Bauern, die sich für biologische Landwirtschaft entscheiden. Rund 18.500 davon gibt es laut Grünem Bericht hierzulande, und mit einem Öko-Anteil von rund 11 Prozent an allen landwirtschaftlichen Betrieben liegt Österreich an der Spitze innerhalb der EU. Da sie ohne chemische und gentechnische Hilfsmittel wirtschaften, sind die Erträge entsprechend geringer, die Kosten sind aber durch vermehrten Einsatz von Arbeitskräften, Futter- und Stallkosten höher. Umso mehr muss also gerechnet und zum Teil über Eigeninitiative vermarktet werden, damit sich der Einsatz lohnt.

Welche Bioprodukte die Österreicher kaufen
Bioanteile mengenmäßig in %, 2002

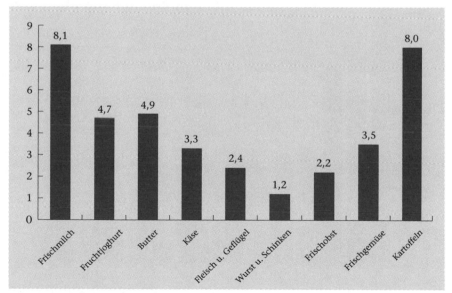

Quelle: RollAMA/AMA Marketing

Für etliche „Umsteiger" war das offenbar nicht der Fall. Allein im Jahr 2000 haben rund 1.000 Ökobauern das Handtuch geworfen und sind zur traditionellen Landwirtschaft zurückgekehrt, vor allem im Westen Österreichs und hier besonders in der Hochburg der Biobauern, in Tirol. Im Gegensatz zu Ostösterreich, wo die Bioprodukte über die Supermärkte mit Erfolg unters Volk gebracht werden, finden die „natürlichen" Lebensmittel in den westlichen Bundesländern nicht so reißenden Absatz. Die Konsumenten vertrauen dort auf die Qualität der herkömmlich hergestellten Lebensmittel (oder auf die im eigenen Garten gezogenen Radieschen und Erdbeeren) und sind weniger bereit, höhere Preise für Bioprodukte zu zahlen, und zweitens mangelt es in den kleinräumiger strukturierten Gemeinden und Kleinstädten oft an Verkaufs- und Absatzmöglichkeiten.

Andererseits können die heimischen Bauern praktisch nur in Nischenbereichen, wie etwa Qualität und ökologischem Anbau, punkten. Die heimischen Anbauflächen sind klein und zum Großteil schwer zu bewirt-

Wie viele Kühe stehen im Stall?
Durchschnittlicher Milchkuhbestand pro Betrieb (Stand Ende 2002)

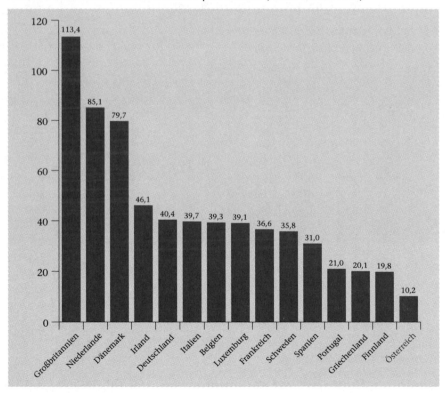

Quelle: EU-Kommission

schaften: Rund drei Viertel des Staatsgebietes sind Bergland. Mit der Flachlandkonkurrenz aus Dänemark, Holland oder Deutschland können die österreichischen Bauern daher nicht mithalten. Aber nicht nur die Anbauflächen sind klein, auch Österreichs Bauernhöfe wirken im Vergleich mit den anderen EU-Ländern oft trotz harter Arbeit wie idyllische Streichelzoos für urlaubende Stadtkinder, wie die Grafik zum „Milchkuhbestand" zeigt.

Reform der EU-Agrarpolitik im Zeichen von Milchseen und Butterbergen

Gerade Qualität und ökologischer Landbau könnten allerdings in den nächsten Jahren neuen Auftrieb erfahren. Denn die europäische Agrarpolitik mit ihrem Beihilfensystem steckt tief in der Krise. Schon jetzt verschlingt der Agrarbereich rund 45 Prozent des EU-Budgets. Nun kommen zehn weitere Länder hinzu, die von den Vorteilen der Gemeinsamen Agrarpolitik (GAP) der EU profitieren wollen. Allein die direkten Einkommensbeihilfen für die Landwirtschaft Ungarns und Polens (das mit 19 Prozent noch einen sehr hohen Anteil am Landwirtschaftssektor aufweist; in den meisten anderen EU-Ländern liegt der Anteil bei 5 bis 6 Prozent) würden den EU-Finanzrahmen sprengen.

Nur drei Jahre, nachdem mit der Agenda 2000 die Weichen in der EU-Agrarpolitik bis 2006 gestellt wurden, schlug EU-Landwirtschaftskommissar Franz Fischler daher Anfang 2003 neue, teils einschneidende Änderungen vor. Er reagierte damit nicht nur auf immer größere Kritik an dem bisherigen Beihilfen- und Subventionssystem, das nach Ansicht der Kritiker zu Milchseen und Butterbergen führe, sondern auch unter dem Druck der Welthandelsorganisation (und in diesem Rahmen der USA, siehe auch unter dem Stichwort „Internationale Organisationen" im Teil III), nach der die EU ihre Preisstützungen, Exportsubventionen und indirekten Einkommensbeihilfen aus Wettbewerbsgründen abbauen muss.

Bis die Agrarreform Ende Juni 2003 dann tatsächlich beschlossen wurde, musste Fischler allerdings zahlreiche Abstriche von seinen Plänen vornehmen. Wichtigster Punkt auf Fischlers Reformliste war der Umbau der für die EU-Landwirtschaft bestimmenden Direktzahlungen. Statt der bisherigen Flächen- und Tierprämien sollte es in Zukunft nur noch eine einzige, betriebsbezogene und von der Produktion entkoppelte Einkommenszahlung geben (so genannte „Entkopplung"). Damit, so Fischler, sollte es den Bauern endlich möglich sein, das zu produzieren, was die Verbraucher wünschten. Denn im bestehenden System gebe es über die Prämien Anreize, an der Nachfrage vorbei anzubieten. Die wichtigsten Resultate der entschärften Agrarreform:

- Die **Entkopplung** kommt zwar, aber in entschärfter Form: So bleibt es nun den EU-Ländern überlassen, ob sie die Direktzahlungen voll oder teilweise von der Produktion entkoppeln. Allerdings bestehen gewisse Mindestgrenzen: Bei Getreide- und Ölsaatprämien etwa müssen mindestens 75 Prozent von der Produktion gelöst werden, bei den Rinderprämien bestehen mehrere Optionen. Wie die Entkopplungen in Österreich ausfallen werden, stand Mitte 2003 noch nicht fest, da die verschiedenen Modelle im Detail erst durchgerechnet wurden.

- Die Gewährung von Förderungen wird künftig davon abhängig gemacht, dass 18 verschiedene **Umweltbestimmungen** eingehalten werden. Bei Missachtung der Bestimmungen drohen Abzüge bis zu einem Viertel der Prämien.

- Die durch Fischlers Maßnahmen eingesparten Direktzahlungen sollen zum Teil in die **Entwicklung der ländlichen Gebiete** fließen. Konkret sollen ab 2005 drei Prozent, ab 2006 vier Prozent und ab 2007 fünf Prozent der Direktzahlungen an Großbauern (in konkreten Zahlen sind das ab 2007 1,2 Mrd. Euro pro Jahr) für nicht-agrarische Maßnahmen verwendet werden, etwa die Landschaftspflege, den Tourismus, den Umweltschutz oder die Vermarktung von Produkten. Dadurch soll auch der Landflucht ein Riegel vorgeschoben werden. Betroffen von den Umschichtungen, die unter dem Fachbegriff „Modulation" laufen, sind Bauern, die mehr als 5.000 Euro an jährlichen Direktzahlungen erhalten.

- Die **Milchquoten** bleiben bis 2005 unverändert, bei der Preisbildung gibt es keine Änderungen.

- Der Mindestpreis für **Getreide** bleibt unverändert.

- Der im Jahr 1999 beschlossene **Finanzrahmen für die Agrarausgaben**, der bei jährlich 40 Mrd. Euro liegt und bis 2013 bei 48,5 Mrd. Euro liegen soll, wird beibehalten.

Das letzte Wort in Hinblick auf die Zukunft der Landwirtschaft in Europa ist damit aber sicher noch nicht gesprochen. Das zeigte sich bereits kurz nach Beschluss der Agrarreform, als die Agrarpolitik Thema bei den Welthandelsorganisations-Verhandlungen über den geplanten weltweiten Abbau von Handelsschranken im Juli 2003 war: EU-Vertreter Fischler war der Ansicht, dass die EU beim Abbau von Agrarsubventionen einen ersten Schritt gemacht habe. Da diese nun auf Bereiche wie Naturschutz und ländliche Entwicklung umgeschichtet würden, würden sie den Handel weniger stark verzerren. Nun seien die USA am Zug. Diesen, aber auch Agrar-Großproduzenten wie Kanada, Australien und Brasilien gehen die EU-Regelungen aber nicht weit genug. Dabei gehe es, wie etwa der US-Handelsbeauftragte Robert Zoellick neuerdings gern betont, gar nicht so sehr um die Eigeninteressen der USA, sondern vor allem darum, dass der Abbau von Subventionen vor allem den Entwicklungsländern zugute kommen soll. Deren landwirtschaftliche Produkte könnten nämlich nicht gegen die hoch subventionierte Konkurrenz bestehen. Die EU wiederum nimmt es den Verhandlungspartnern krumm, dass sie Themen wie Tier- und Verbraucherschutz gar nicht erst in die WTO-Verhandlungen mit einbeziehen wollen. Der Agrarbereich wird somit auch in den kommenden Jahren immer wieder für Auseinandersetzungen und heftiges Feilschen auf höchster Ebene sorgen.

Gewerbe und Industrie

Rauchende Schlote, dreckige, schäumende Flüsse und ölverschmierte Arbeiterscharen am Fließband – diese Zeiten sind vorbei. In den großen Betrieben des sekundären Sektors dominieren heute vielmehr klinisch saubere Böden und computergesteuerte Produktionslinien. „Richtig zugepackt" werden muss da nur noch in einzelnen Sparten, wie etwa dem Stahlbau, in bestimmten warenproduzierenden und -verarbeitenden Gewerbebetrieben wie Kfz-Werkstätten oder im Bauwesen, das ebenso zu diesem Sektor zählt wie die Energie- und Wasserversorgung. Immer mehr dominieren aber auch in reinen Handwerksbetrieben Automatisierung und Maschinen. Beispiel Tischlerei: Was früher mühsam von Hand gehobelt und gedrechselt werden musste, erledigen heute fein steuerbare Maschinen. Selbst in den so genannten konsumnahen Gewerbebetrieben, wie etwa in Bäckereien, sind heute Backautomat und Fließband die Regel.

Die Unterscheidung zwischen Industrie und Gewerbe ist eher eine österreichisch-deutsche Eigenart, die sonst in keinem Land gemacht wird. Schließlich werden in beiden Bereichen Sachgüter hergestellt, deshalb auch oft die zusammenfassende Bezeichnung „Sachgüterproduktion":

- Zur Industrie zählen Unternehmen, die Rohstoffe und Halbfertigwaren in größeren, mechanisierten Produktionsstätten ver- und bearbeiten. Mit eingeschlossen ist der Bergbau.

- Zum Gewerbe zählen eher die kleinstrukturierten Handwerksbetriebe, die bestimmte Grundstoffe (wie Holz, Eisen usw.) be- und verarbeiten. Nicht eingeschlossen sind Unternehmen, die sich auf die so genannte Urproduktion konzentrieren (also Bergbau, Land- und Forstwirtschaft oder Fischereien). Ausgeschlossen sind auch „freie Berufe", wie Ärzte und Rechtsanwälte, aber auch künstlerische und wissenschaftliche Tätigkeiten wie Schauspieler oder Forscher.

Gemeinsam erwirtschaften die beiden Bereiche rund ein Drittel der heimischen Wirtschaftsleistung. Österreich hält sich damit im OECD-Vergleich mit anderen Ländern in der Mitte. Was die Produktivität, also die Leistungsfähigkeit, betrifft, haben die heimischen Industriebetriebe in den vergangenen Jahren sogar kräftig aufgeholt und liegen weit vorne.

Industrieproduktivität
(Produktivitätsentwicklung pro Jahr zwischen 1991 und 2000 in Prozent)

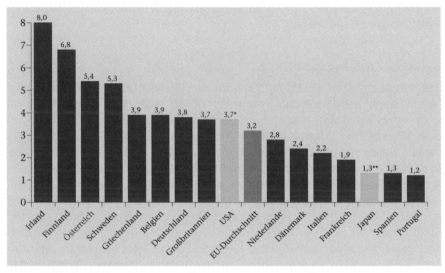

* bis 1999, ** bis 1998

Quelle: EU, WIFO, Österreichisches Gesellschafts- und Wirtschaftsmuseum

Fachkräftebedarf trotz Jobrückgang

So viel zu den guten Nachrichten. Die schlechte ist, dass die Beschäftigtenzahlen im industriellen Sektor kontinuierlich zurückgehen. Allein im Jahr 2002 wurden 15.000 Industriebeschäftigte abgebaut. Ausschlaggebend dafür ist nur zu einem geringen Maß die seit 2001 flaue Konjunkturlage. Eine viel stärkere Rolle spielt die gestiegene Produktivität. Wo mehr in kürzerer Zeit und mit geringerem Aufwand hergestellt werden kann, sind entsprechend weniger Hände erforderlich. Ersichtlich wird das allein daran, dass die industrielle Konsumgüterproduktion von den 50er- bis in die 90er-Jahre mehr als vervierfacht wurde, während die Zahl der Beschäftigten in diesem Zeitraum nur um 20 Prozent zunahm und heute sogar wieder unter dem Stand von 1950 liegt.

In den Gewerbebetrieben konnten die Beschäftigtenzahlen zwar zumindest im Jahr 2002 auf Vorjahresniveau gehalten werden; der Umsatz der rund 62.000 Gewerbe- und Handwerksbetriebe wies aber schon im zweiten Jahr hintereinander ein Minus auf.

Langfristig gesehen, verzeichnet auch der Gewerbebereich einen Rückgang an Betrieben und Beschäftigten: Seit dem Jahr 1930 hat sich die Zahl der gewerblichen Betriebe halbiert. Am stärksten war der Rückgang in Wien, wo die Betriebszahl auf ein Drittel gesunken ist. Mehr gewerbliche Unternehmen als vor rund 70 Jahren gibt es heute lediglich in Salzburg und Tirol, weil sich dort aufgrund des Fremdenverkehrs viele kleine Betriebe halten können.

Für die kommenden Jahre wird in jedem Fall ein weiterer Rückgang der Beschäftigten im Produktionssektor erwartet. Durch neue Materialien und Techniken, Elektronik und Automatisierung werden immer weniger Arbeitnehmer in Industrie und Gewerbe gebraucht, wenn auch speziell in den Industriebetrieben je nach Konjunkturlage und technologischer Ausrichtung immer wieder Fachkräftemangel herrscht. Die Kunst der jüngeren Generationen wird darin bestehen, gerade zum rechten Augenblick die „richtige" Ausbildung zu wählen. Denn wie der Boom rund um die hochgejubelten Informationstechnologien (IT) zur Jahrtausendwende gezeigt hat, kann der Trend-Job von heute bereits morgen schon wieder out sein oder so heillos überfüllt, dass erst recht eine neuerliche Umschulung notwendig ist.

Die wichtigsten Branchen und die Entwicklung in der Industrie

Zu den wichtigsten Industriezweigen zählen Nahrungs- und Genussmittel, Maschinen- und Stahlbau, Elektro/Elektronik, Chemie und Fahrzeuge. Im Fahrzeugbereich ist die Motoren- und Getriebeproduktion wichtigster Teilbereich mit einer Exportquote von über 90 Prozent. So werden etwa pro Jahr rund 1.000.000 Motoren erzeugt, die sich in vielen bekannten Automarken wiederfinden. Bei elektronischer Technologie hat sich Österreich insbesondere bei maßgeschneiderten Elektronikprodukten wie Chips und integrierten Schaltkreisen (Entwicklung von Chips für Airbags, ABS-Bremssysteme, Bauteile für Airbus oder Super-Schnellzüge und Ähnliches) international einen Namen gemacht.

Doch seit zwei, drei Jahren will es nicht mehr so recht laufen: Die Industriekonjunktur dümpelt um die Nulllinie herum, und das in weiten Teilen Europas und der USA. Die Investitionsneigung ist gering, weil die Nachfrage schwach ist. Als Folge drosselten die Industrieunternehmen in den vergangenen Jahren ihre Produktion und schraubten ihre Einkäufe deutlich zurück. Besonders stark ging die Produktion in Deutschland, Frankreich und Irland zurück, in Italien und den Niederlanden stagnierte die Industrie, während sie in Spanien, Österreich und Griechenland ihre

Produktion ausbaute. Die heimischen Industriebetriebe haben sich also trotz gedämpfter Stimmung und weltwirtschaftlicher Unsicherheit noch ganz gut halten können.

Den Hauptanteil daran trugen die westlichen Bundesländer, allen voran Tirol, sowie Vorarlberg und Salzburg und trotz Flaute in der Grundstoffindustrie auch noch Oberösterreich – und das, obwohl die Unternehmen dort viel in die EU und insbesondere nach Deutschland exportieren. Diese Handelspartner waren ja ihrerseits nicht gerade mit einer blühenden Wirtschaft gesegnet. Laut Wirtschaftsforschungsinstitut lag der Grund für die guten Ergebnisse darin, dass sich die Wettbewerbsfähigkeit der Unternehmen verbessert hatte: Produktivität und Lohnstückkosten entwickelten sich günstiger als im übrigen Österreich. Häufig bedeutet „höhere Produktivität" auch den Abbau von Mitarbeitern. Nicht in diesem Fall: Trotz überdurchschnittlichem Produktivitätswachstum wurden in der Sachgüterproduktion der westlichen Bundesländer relativ weniger Beschäftigte „freigesetzt" als im Osten und Süden Österreichs.

Abgesehen von dem Ost-West-Gefälle innerhalb Österreichs gab es natürlich auch stark unterschiedliche Entwicklungen in den einzelnen Branchen.

Veränderungen in produzierenden Branchen
(von Oktober 2001 auf Oktober 2002)

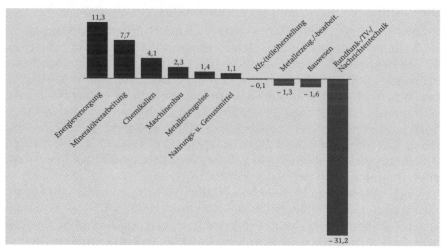

Quelle: Statistik Austria

Nicht einmal ein Jahr später sieht die Branchenlage schon wieder anders aus: Nach Angaben der Wirtschaftskammer erwartet sich lediglich die chemische Industrie ein deutliches Umsatzplus. Maschinenbau und Metallwaren hingegen verzeichnen ebenso sinkende Auftragseingänge wie Bekleidung, Papierverarbeitung, Elektro/Elektronik und Maschinenbau. Wegen der flauen Nachfrage sind die Erwartungen bescheiden: Zumindest der Produktionsstand des Vorjahres soll möglichst gehalten werden.

Um den Schwankungen auf den Weltmärkten auszuweichen, wird versucht, immer mehr von der Roh- und Grundstoffherstellung wegzukommen und auf höherwertige Produkte umzustellen. Bestes Beispiel: voestalpine, die sich – wie weiter oben beschrieben – immer mehr vom reinen Stahlhersteller zum Spezialverarbeiter entwickeln soll. Damit soll nicht nur der Konkurrenz aus aufstrebenden Industriestaaten entgegengewirkt werden, die dieselben Güter oft noch billiger herstellen können. Es soll auch ein beständiger Absatz gewährleistet werden. Denn hoch qualitative Waren haben auch bei schwankenden Preisen und schlechter Wirtschaftslage ihren Wert.

Gewinner und Verlierer im Gewerbe

Auch bei den Handwerksbetrieben waren die letzten Jahre alles andere denn eitel Wonne. Es gab zwar einzelne Branchen, die zulegten. Die Mehrzahl aber stagnierte oder wies Umsatzeinbußen auf.

Welche Gewerbebranchen zulegten, welche verloren
(Umsatzentwicklung 2002 nach Branchen, Veränderung gegenüber 2001 in %)

	Umsatz nominell	Preisentwicklung	Umsatz preisbereinigt
Mechatroniker *	2,1	0,8	1,3
Kunststoffverarbeiter	0,6	0,2	0,4
Fleischer	0,7	0,3	0,4
Zimmermeister	0,5	0,2	0,3
Maler	-0,3	-0,4	0,1
Tischler	0,3	0,3	0,0
Schlosser	0,8	0,8	0,0
Baugewerbe	-0,9	-0,6	-0,3
Dachdecker	-1,1	-0,4	-0,7
Bäcker	1,4	2,7	-1,3
Elektrotechniker	-0,7	0,7	-1,4
Bekleidungsgewerbe	-1,1	0,4	-1,5
Textilreiniger	-1,1	0,9	-2,0
Kfz-Techniker	-0,3	1,8	-2,1
Spengler	-1,9	0,3	-2,2
San./Heizungs-Installateure	-1,5	1,4	-2,9
Friseure	-1,8	1,6	-3,4

* Mechatronik: Kombination aus Maschinen- u. Fertigungstechnik, Elektrotechnik u. Hydraulik

Quelle: KMU Forschung Austria

Insgesamt gingen die Umsätze in den vergangenen Jahren kontinuierlich zurück. Erst im Frühjahr 2003 gab es erstmals wieder Grund zur Hoffnung: Die Auftragsbestände stiegen um 5 Pozent und der Personalbedarf war höher als im Vorjahr. Die leichte Verbesserung der Baukonjunktur zeigte vor allem bei Zimmermeistern, Dachdeckern und Schlossern erste positive Wirkungen. Auch Kunststoffverarbeiter und Kfz-Techniker spürten einen leichten Aufwind. Nichts vom Aufschwung, der sich nach der Statistik vor allem im Burgenland, in Kärnten und der Steiermark abspielte, merkten hingegen Spengler, Installateure und Elektrotechniker. Weniger gute Aussichten haben laut dem Forschungsinstitut KMU Forschung Austria auch Bäcker, Friseure und Fleischer.

Kein durchgehend goldener Boden mehr

Auch wenn sich für das Gewerbe nach drei Jahren schlechter Nachrichten zuletzt wieder ein kleiner Hoffnungsschimmer zeigte, hat das Handwerk schon lange nicht mehr den goldenen Boden, der ihm lange nachgesagt wurde. Vor allem in Zeiten flauer Konjunktur wird um jeden Auftrag gekämpft, und das drückt auf die Preise und frisst an den Erträgen. Die Folge: 47 Prozent aller Gewerbe- und Handwerksbetriebe arbeiten mit Verlust, 43 Prozent haben kein Eigenkapital mehr, das heißt, Investitionen in neue Maschinen und Technologien sind nur über Schulden möglich.

Und je kleiner der Betrieb, desto schwieriger die Lage. So mussten die Gewerbebetriebe mit weniger als 10 Mitarbeitern im Jahr 2002 einen Umsatzrückgang von 1,7 Prozent hinnehmen, Betriebe mit 10 bis 19 Beschäftigten ein Minus von 0,5 Prozent und Unternehmen ab 20 Mitarbeitern „nur" einen Rückgang von 0,2 Prozent. Beispiel Textilreiniger: Während kleine Putzereien Umsatzeinbußen von rund 4 Prozent verkraften mussten, legten größere Reinigungen im Schnitt um 3 Prozent zu.

Vor allem kleine Gewerbetreibende müssen also damit rechnen, dass ihr Betrieb nur mit einem gehörigen Maß an Selbstausbeutung aufgebaut und weitergeführt werden kann. Ohne Spezialisierung und Rundum-Service können sie im Preiswettkampf nur noch schwer punkten. Ein Tischler beispielsweise, der den Einbau neuer Fenster anbietet und nicht gleichzeitig mit einem Spengler zusammenarbeitet und am besten auch noch mit einem Maurer, der die Lücken rund um Fensterbänke und Rahmen auch gleich fachgerecht verputzt, wird gegen einen Großanbieter mit geringeren Preisen wenig Chancen haben. Warum auch, wenn sich der Kunde letztlich erst recht selbst um Einbau und Fertigstellung kümmern muss! Service, Extras und Zusammenarbeit über die Branchen hinweg können dabei helfen, sich von Mitbewerbern abzuheben. Dabei wird nicht zuletzt die Verschränkung mit dem Dienstleistungsbereich für Werbung, Vermarktung usw. eine wichtige Rolle spielen.

Info-Tipp: Regelmäßige Branchenanalysen für Gewerbe und Handwerk finden sich bei der KMU Forschung Austria, Adresse: www.kmuforschung.at, oder auf der Website der Wirtschaftskammer unter http://portal.wko.at.
Unter dieser Adresse gibt es auch Informationen und Zahlen zum Industriesektor. Daten dazu bietet auch der freiwillige Interessenverband der Industrie, die Industriellenvereinigung, unter www.iv-net.at.

Dienstleistungen

Der Dienstleistungsbereich ist der am schnellsten wachsende und auch bedeutendste Sektor der heimischen Wirtschaft: Zwei Drittel des Bruttoinlandsprodukts werden von Dienstleistern erwirtschaftet. Und auch die Beschäftigungszuwächse konzentrieren sich in Österreich seit den 70er-Jahren fast ausschließlich auf den Dienstleistungsbereich, dem mittlerweile zwei Drittel der Arbeitnehmer, hauptsächlich Frauen, zuzurechnen sind. Insgesamt wurden seit 1970 fast eine Million zusätzliche Jobs in den Bereichen Handel und Verkehr, Gastronomie und Tourismus, Bank-, Kredit- und Versicherungswesen, Information und Telekommunikation, Wissenschaft, Gesundheitswesen, Verwaltung, Bildung und öffentlicher Dienst geschaffen.

Jobchancen in kundenbezogenen Dienstleistungen

Die Entwicklungen innerhalb des Dienstleistungssektors sind aber unterschiedlich. Nicht jede Branche ist am aufsteigenden Ast, nicht überall wird expandiert oder wenn, dann sind damit nicht zwangsläufig neue Arbeitsplätze verbunden. Beispiel Banken: Hier wurde in den vergangenen zehn Jahren heftig rationalisiert und fusioniert. Größere, aber auch kleinere Institute schlossen sich zusammen und bauten Jobs ab, obwohl sich die Palette der Dienstleistungen erweiterte und die Unternehmen insgesamt wuchsen. Möglich gemacht wurde das unter anderem durch vermehrten Einsatz von Elektronik (Stichworte Online-Banking, Bankomat und Kreditkarten) und enge Kooperation mit anderen Dienstleistern, wie etwa Versicherern oder Kreditkartenanbietern.
Arbeitsmarktexperten gehen daher von einer Zweiteilung des Dienstleistungssektors aus: Bei den produktionsnahen Diensten mit hohem Automatisierungsgrad sei der Beschäftigungshöhepunkt bereits überschrit-

ten. Ihr Anteil am Arbeitsmarkt soll langsam, aber kontinuierlich zurückgehen. Steigerungen seien dafür bei den personen- oder kundenbezogenen Dienstleistungen zu erwarten, bei denen nicht oder nur wenig rationalisiert und automatisiert werden könne. Gemeint sind damit das Gesundheitswesen, Forschung und Unterrichtswesen, Beratung, Planung, Informatik und sonstige persönliche Dienste, bei denen der Mensch nicht durch Maschinen ersetzt werden kann.

Das Zeitalter der Vifzacks

Ein starkes Wachstum wird auch der Information und Kommunikation vorhergesagt. Dieser Bereich innerhalb des Dienstleistungssektors nimmt mittlerweile so viel Bedeutung ein, dass er oft als eigenständiger Sektor – als quartärer Sektor – bezeichnet wird. Nach der Agrargesellschaft, der Industriegesellschaft und der Dienstleistungsgesellschaft stecken wir demnach mitten im Informations- oder Wissenszeitalter. Darin dominieren alle Tätigkeiten, die in erster Linie das Sammeln und Verarbeiten von Informationen umfassen, also etwa alle Berufe der Datenverarbeitung, aber auch Rechts- und Wirtschaftsdienste. Es geht somit um qualifizierte Dienstleistungen. Nach Ansicht vieler Zukunftsforscher muss der Begriff der Informationsdienstleistungen aber weiter gefasst werden. Sprich: Gewinner ist, wer – basierend auf Wissen – Probleme erkennen und lösen kann. Angesprochen ist damit nicht (nur) der umfassend gebildete Akademiker, sondern jeder in seinem Bereich: der Kfz-Mechaniker, der sich (beispielsweise mittels Internet) schnell kundig zu machen weiß, wo er einen bestimmten Ersatzteil rasch und kostengünstig erhält; der Installateur, der dem Kunden bei der Althausrenovierung mehr als die Standardlösung anbieten kann; der kleine oder mittelständische Unternehmer, der herauszufinden weiß, dass sein bester Lieferant nicht in der nächstgelegenen Großstadt sitzt, sondern vielleicht in Litauen oder China.

Einzelne Bereiche innerhalb des Dienstleistungssektors

Den größten Anteil am Dienstleistungssektor nehmen mittlerweile die unternehmensbezogenen Dienstleistungen ein, also Serviceunternehmen, die wiederum für andere Unternehmen tätig werden, wie etwa in Form von Unternehmens-, Rechts- und Steuerberatung, technischen Diensten wie Reinigung, aber auch mittels Werbung, Forschung & Entwicklung, Informationstechnologie oder Leasing. An zweiter Stelle stehen die sonstigen Dienstleistungen, in die unter anderem alle Jobs aus dem Gesundheits-, Sprach- und Bildungswesen fallen, und schließlich an dritter Stelle der Handel, der im Vergleich mit 1990 auf Kosten der rasch expandierenden unternehmensbezogenen Dienstleister etwas an Gewicht eingebüßt hat. Weil Handel und Tourismus praktisch jeden von uns in irgendeiner Weise betreffen – und sei es auch nur als „Bereiste" in einem der beliebtesten Urlaubsländer Europas –, weiter unten ein näherer Blick auf diese beiden Dienstleistungsbranchen sowie auf die Bereiche „Energie" und „Verkehr".

Welchen Anteil hatten die einzelnen Bereiche am Dienstleistungssektor 1990/2002?

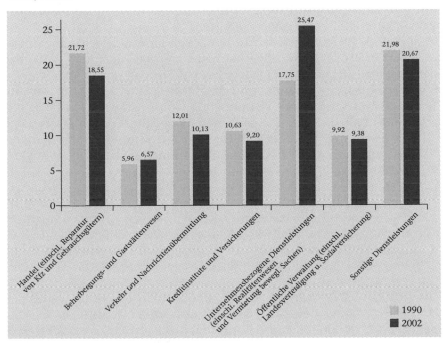

Quelle: Statistik Austria, WIFO, WKO

Einzelhandel

Im Handel ist in den vergangenen Jahren praktisch kein Stein auf dem anderen geblieben. Obwohl im Jahr 2001 noch 90 Prozent der Geschäfte weniger als zehn Beschäftigte aufwiesen, ist die Zahl der Kleinunternehmen seit 1995 stark rückläufig. Dafür ist die Anzahl der Handelsunternehmen mit 50 bis 99 sowie mit 1.000 und mehr Beschäftigten überproportional gewachsen. Konkret bedeuten die abstrakten Zahlen: Alles konzentriert sich zunehmend auf wenige große Marktteilnehmer.

Für die Konsumenten hat sich der Trend zum Großmarkt zunächst vor allem im Lebensmittelhandel spürbar gemacht: Immer mehr kleine Läden sperrten zu; dafür öffneten immer häufiger vergleichsweise gigantische Supermärkte. Was zunächst noch heftige Diskussionen über den Zusammenbruch der Nahversorgung auslöste, ist heute kaum noch ein Thema: Die „großen" Einkäufe werden im Supermarkt getätigt, die kleinen Geschäfte dienen bestenfalls noch als Lückenbüßer, wenn etwas vergessen wurde, und sind in der Mehrzahl Auslaufmodelle – es sei denn, sie punkten durch einen günstigen Standort, etwa als Kantinenersatz für Berufstätige, oder durch Spezialisierung, beispielsweise durch besonders qualitätsvolle Lebensmittel oder Eigenerzeugnisse.

Ähnliches gilt mittlerweile für den gesamten Handel – von Textilien und Möbeln über Elektro- und Haushaltswaren bis hin zum kleinen Papier-, Schreibwaren- und Buchladen. Die Gründe dafür unter anderem:

- Die Spannen, beispielsweise im Lebensmittelhandel, sind klein. Wer etwas verdienen will, muss viel umsetzen. Sonst reicht der Aufschlag auf die im Großhandel erworbenen Waren nicht einmal zum Überleben.

- Wettbewerb und Preisdruck sind enorm gestiegen. Je größer ein Geschäft oder eine Kette, desto günstiger können sie bei den Großhändlern einkaufen.

- Je größer die Produktpalette, desto mehr Kunden werden angezogen – das „Erfolgsgeheimnis" der Einkaufszentren. Denn wer dorthin fährt, um sich eine Hose zu kaufen, greift vielleicht auch noch schnell im Parfümerieladen zu. Und wer wegen einer Schachtel Schrauben in den Baumarkt muss, findet sich dort im Vorbeigehen vielleicht einen Akkubohrer oder ein paar Balkonblumen im angeschlossenen Gartencenter.

Fast zwei Drittel der Verkaufsflächen sind mittlerweile in der Hand der „Big Player". Am dichtesten ist die Konzentration im Drogerie- und Parfumeriehandel, wo dm, Bipa und Konsorten bereits 86 Prozent des Marktes belegen. An zweiter Stelle steht der Lebensmittelhandel, wo sich neben den Lebensmittel-Diskontern wie Hofer, Lidl, Mondo oder Zielpunkt vor allem die beiden mächtigsten Marktteilnehmer – der deutsche Rewe-Konzern mit Billa und Merkur sowie die Spar-Gruppe – das Revier zu 85 Prozent untereinander aufteilen. An dritter Stelle steht der Möbelhandel, in dem Kika/Leiner, Lutz und Ikea bereits 77 Prozent des heimischen Marktes besetzen.

Für die österreichischen Produzenten bringt diese hohe Konzentration ein großes Problem: Für sie ist es extrem bedeutend, dass sie in das Warenangebot der „Großen" aufgenommen werden. Verlieren sie ihren Platz in den Regalen, kann das entscheidend für die Zukunft des Unternehmens sein.

Der Bekleidungshandel nimmt zwar umsatzmäßig eine wichtige Rolle ein. Durch die große Anzahl an verschiedenen Anbietern ist der Konzentrationsgrad mit 17 Prozent aber noch vergleichsweise gering. Dafür soll aber in nächster Zeit umso heftiger expandiert werden, und zwar vor allem in besten Innenstadtlagen oder Fachmarktzeilen. Kleinere Gemeinden oder Nebeneinkaufsstraßen sind „megaout". Der Trend zum konzentrierten Shopping in bestimmten Straßen oder Shopping-Centern wird sich also verstärken – zum Leidwesen ehemals lebendiger Seitenstraßen in Städten und zunehmend verödenden Ortszentren.

126 Einkaufszentren gab es in Österreich im Jahr 2000. Damit erreichten die Shopping City Süd im Süden Wiens, die PlusCity in Oberösterreich, die vielen Fachmarktzentren und Handelsketten bereits einen Marktanteil von 13,6 Prozent. Mit 1,6 Millionen m^2 an Verkaufsfläche liegen die heimischen Einkaufszentren international im Mittelfeld. Verglichen mit den USA, verfügen die Österreicher aber noch immer über relativ wenig Raum zum Konsum: Rund 5 m^2 Einkaufsfläche steht jedem US-Amerikaner im Durchschnitt zur Verfügung, während es in Österreich „nur" 1,5 m^2 sind, im Europa-Schnitt gar nur 0,4 m^2 und in Afrika lediglich 0,01 m^2.

Zahl der Einkaufs- und Fachmarktzentren und deren Marktanteile

	1987	1994	1995	1998	1999	2000
Zahl der Einkaufszentren	30	79	84	115	120	126
Marktanteil in %	3,6	8,0	9,7	12,5	13,3	13,6

Quelle: Standort + Markt

Trends im Handel

- **Sinkende Markentreue:** Tests des Vereins für Konsumenteninformation zeigen es immer wieder: Markenprodukte sind nicht zwangsläufig die beste Wahl. Oft schneiden No-Names aus dem Billigsupermarkt sogar besser ab. Das hat sich herumgesprochen. Und obwohl 70 Prozent der österreichischen Konsumenten im Jahr 2001 mit dem Handels- und Dienstleistungsangebot überaus zufrieden waren, nimmt die Kundenloyalität stetig ab, wie die Agentur Kreutzer, Fischer & Partner herausfand.

- **Diskont- oder Luxusschiene:** Nicht immer wird zum billigsten Produkt gegriffen, aber immer öfter wird Diskontware mit Luxusartikeln gemischt: Zum hochpreisigen Schuhwerk wird ein schicker Billigfetzen von H&M getragen. Zum Abendessen leistet man sich einen exquisiten Wein, der Orangensaft kommt aus dem Hofer-Packerl. Haarshampoo und Hautcreme stammen aus dem teuren Bioregal, Waschpulver und Klopapier vom Diskonter.

Für traditionelle Kaufhäuser im mittleren Preissegment bleibt da nach einer Untersuchung von Regioplan Consulting immer weniger Spielraum übrig. Jeder fünfte Euro für Lebensmittel rollte 2002 bereits in die Kassen von Diskontern wie Hofer, Lidl, Mondo oder Zielpunkt. Und das gilt nicht nur bei Lebensmitteln. Standardware ist out. Beispiel Küchen: Gekauft würden Designerküchen, maßgeschneiderte Einzelteile oder eben – für die Übergangszeit – eine Billigsdorferküche von der Stange. Ein Trend, der nicht nur von dem neuen „Geiz ist geil"-Slogan der kaufkräftigen Kunden lebt. Vor allem in wirtschaftlich mageren Zeiten wird die ungleiche Einkommensverteilung besonders spürbar. Der Mittelstand verliert an Gewicht, und für diejenigen, die an den Wohlstandsgewinnen nicht teilhaben können, bleibt als Rezept gegen die Ebbe in der Haushaltskasse nur der Griff zu den Billigprodukten.

Für die mittelständischen Händler bedeutet das, „entweder saugut oder saubillig zu sein", wie Unternehmensberater Elmar Vogt beim 1. Oberösterreichischen Handelskongress im Frühjahr 2003 in Wels meinte. Denn bis 2010 würde der Anteil der eingesessenen Fachhändler im mittleren Marktsegment von 50 auf 15 Prozent zurückgehen. Wer überleben wolle, müsse zunächst einmal selbst herausfinden, wo er hinwolle; ohne ein markiges Leitbild könnten Kunden nicht längerfristig gebunden werden. Zielgruppengerechtes Marketing, Mut zum Polarisieren und Kreativität bei Marketing, Logistik und Verkauf lauten die Theorien zum Überleben. Reines Verkaufen ist also zu wenig. Kaufleute werden in Zukunft ein gehöriges Maß an Einfallsreichtum und Geschick mitbringen müssen.

■ **Immer kaufkräftigere Kids:** Kinder und Jugendliche nehmen nicht nur Einfluss auf die Kaufentscheidung der Eltern, sondern verfügen auch selbst über immer mehr Geld. Preise spielen eine geringe Rolle, Marken dafür eine umso größere. Musik, Computer, Kino und Fernsehen sind nach einer Fessel + GfK-Studie die großen Freizeithits der Kids, und darauf sind auch die großen Einkaufstempel abgestimmt, die neben ihrem eigentlichen Zweck – nämlich Waren zum Kauf anzubieten – allesamt ein umfassendes Rahmenprogramm bieten: Internet-Cafés, nahe gelegene Kinocenter, Schnellrestaurants, Musik- und Sport-Events und Ähnliches.

■ **Erlebniskauf als Kundenmagnet:** Nicht nur Jugendliche schätzen Fun-Shopping. Auch Erwachsene erwarten sich immer mehr den erlebnisbetonten Konsum. Das Angebot wird immer unüberschaubarer, umso gefragter sind ansprechende Ladengestaltung und spezielles Service, wie etwa persönliche Geschenke. Autogrammstunden oder Promi-Veranstaltungen sollen Kundschaft anziehen. Einkauf und Unterhaltung verschmelzen zu einer neuen Form der Freizeitgestaltung.

- **Impulskäufe:** Nur noch rund ein Drittel aller Käufe sind im Voraus geplant. Der überwiegende Teil erfolgt durch „Inspiration" vor Ort: sei es im Lebensmittelgeschäft, wo je nach Angebot für das Abendessen oder das Wochenende eingekauft wird, sei es beim Einkaufsbummel, bei dem je nach Lust und Laune entweder eine Hose, eine Bluse oder schöne Unterwäsche anfallen. Um die Spontan-Shopper ob des Riesenangebots für ihre Ware zu interessieren, müssen sich die Händler immer subtilere Kaufanreize einfallen lassen. Einer der nach wie vor wichtigsten: der Preisvorteil.

- **Best Ager:** So wird die kaufkräftige ältere Generation umschrieben, die sich nicht nur im besten Alter befindet, sondern auch viel Zeit und eine hohe Kaufkraft hat. Ihre Zahl wird in den nächsten Jahrzehnten kräftig zunehmen, und der Handel wird diese Käuferschicht nicht ignorieren. Bereits jetzt wurde in Salzburg und Wien ein speziell auf älteres Publikum ausgerichteter Adeg-Markt eröffnet. Mehr Service, mehr Beratung, breitere Gänge, größere Preisetiketten, Sitzgelegenheiten und vor allem Produkte, die reifere Käufer ansprechen, sind nur einige der Merkmale, die dieser Entwicklung Rechnung tragen sollen.

Tourismus

Der Fremdenverkehr hat sich innerhalb der vergangenen 50 Jahre zu einer der größten Wirtschaftsbranchen in Österreich entwickelt. Etwa 10 Prozent der österreichischen Wirtschaftsleistung werden von rund 40.000 Tourismusbetrieben und rund 220.000 Beschäftigten erbracht. Dazu kommen zahlreiche Arbeitsplätze, die indirekt von dem steten Besucherstrom aus dem In- und Ausland abhängen. Vor allem in tourismusintensiven Bundesländern wie Tirol und Salzburg sind zwei von drei Arbeitsplätzen mit dem Tourismus verbunden. Und daran wird sich so schnell nichts ändern, denn auch wenn die Welt-Tourismusorganisation WTO im Frühjahr 2003 wegen der flauen Konjunktur und der Angst vor Terrorattacken von der „schwerwiegendsten Krise in der Geschichte der Tourismusbranche" sprach, kann sich der heimische Fremdenverkehr im internationalen Vergleich gut halten. Die Rekordzahlen von Beginn der 90er-Jahre mit 130 Millionen Nächtigungen pro Jahr werden zwar wahrscheinlich bis auf weiteres unerreicht bleiben. Mit rund 117 Millionen Übernachtungen war Österreich allerdings 2002 das einzige Land, das seinen Marktanteil innerhalb Europas deutlich steigern konnte. Als Gründe dafür gelten unter anderem:

- Statt Quantität wurde und wird zunehmend auf Qualität gesetzt, sprich: Statt immer mehr Gäste in die mancherorts schon aus allen Nähten platzenden Quartiere zu locken, wurde auf verbesserten Komfort und auf zahlungskräftigere Besucher gesetzt – was allerdings mit dem Nachteil einherging, dass sich viele Hoteliers und Pensionsbetreiber in immense Schulden stürzten: Rund 80 Prozent der Betriebe schreiben rote Zahlen.

- Daneben konnte Österreich laut WIFO-Tourismusexperte Egon Smeral mit Erfolg als qualitativ hochwertiges Kurzurlaubsziel mit hohem Erlebniswert im Zentrum Europas vermarktet werden.

- Und schließlich „profitiert" der heimische Tourismus von den weltweit drohenden Terrorattacken: Laut Wirtschaftsminister Martin Bartenstein gilt Österreich in internationalen Vergleichen als sicherstes Land der Welt. Und diese „Qualität" gewinnt bei Urlaubern immer mehr an Bedeutung.

Für Österreich bedeutet der Zustrom von Gästen aus der ganzen Welt eine sehr wichtige Einnahmequelle. Sie hilft mit, Importe zu bezahlen, die nicht aus dem Erlös exportierter Waren bestritten werden können. Damit diese wichtige Säule der heimischen Wirtschaft auch langfristig nicht zu bröckeln beginnt, werden regelmäßig Studien und Untersuchungen zur Reise- und Freizeitwirtschaft angestellt. Vom Bundesministerium für Wirtschaft und Arbeit erscheint außerdem jährlich ein Tourismusbericht, der die Bedeutung und Entwicklung dieses Wirtschaftszweigs genau analysieren soll.

Info-Tipp:

- Der Bericht über die Lage der Tourismus- und Freizeitwirtschaft in Österreich und Kurzfassungen von Tourismusstudien stehen unter der Internet-Adresse www.bmwa.gv.at/BMWA/Themen/Tourismus/Publikationen/Studien/default.htm zum Downloaden oder Bestellen bereit.

- Unter www.statistik.at/neuerscheinungen/tourismus2002.shtml findet sich die von der Statistik Austria erstellte Untersuchung „Tourismus in Österreich 2002".

- Eine weitere Quelle für Daten und regelmäßige Analysen zum Tourismus: www.wifo.at

Woher kommen die Urlauber?

Der weitaus größte Teil der ausländischen Gäste reist seit Jahrzehnten unverändert aus Deutschland an. Mit zwei Drittel aller Nächtigungen ist der nördliche Nachbar das wichtigste Herkunftsland. Zusammen mit dem hohen Warenhandel, der zwischen Deutschland und Österreich stattfindet, ist somit kein anderes Land der EU so stark mit Deutschland verflochten und von dessen wirtschaftlicher Entwicklung abhängig wie Österreich.

Die wichtigsten Herkunftsländer 2002 (Nächtigungsanteile in Prozent)

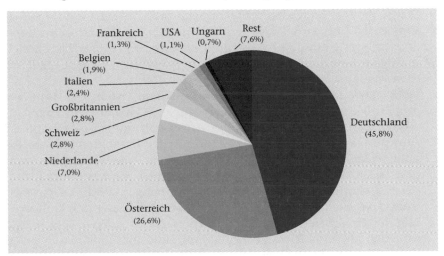

Quelle: Statistik Austria

Wie verbringen die Österreicher ihren Urlaub?

Die Österreicher haben übrigens Glück, dass andere Nationen reisefreudiger sind. Denn Herr und Frau Österreicher selbst sind im europäischen Vergleich eher Stubenhocker. Lediglich 46,5 Prozent der Über-15-Jährigen unternahmen im Jahr 2002 zumindest einen Tapetenwechsel von mindestens vier Tagen, während von den Deutschen fast 80 Prozent und von den Holländern immerhin noch stolze 70 Prozent auf Reisen gingen. Auch Briten (65 Prozent) und Franzosen (60 Prozent) reisen weitaus häufiger. Wenn die Österreicher verreisen, dann am liebsten nach Italien, Griechenland, Spanien, in die Türkei oder nach Kroatien. Gut ein Drittel der heimischen Urlauber bleibt im Land, wobei Kärnten und die Steiermark mit rund 20 Prozent als Lieblingsdestinationen gelten, gefolgt von Salzburg (17,7 Prozent), Tirol (12,6 Prozent) und Oberösterreich (8,9 Prozent).

Ein Blick in die Tourismuszukunft

Auch wenn der heimische Tourismus bislang mit einem blauen Auge davonkam, herrscht nach Ansicht von WIFO-Chef Helmut Kramer für die kommenden Jahre und Jahrzehnte dringender Handlungsbedarf.

- **Neue Besucherschichten und Herkunftsländer:** Für die bevorstehenden Saisonen wird ein verringerter Gästezustrom befürchtet: aus Deutschland wegen der schlechten Wirtschaftslage und aus den USA wegen des starken Euro, der den Urlaub in Europa für die Amerikaner teuer macht. Im Frühjahr 2003 zeichnete sich aber zumindest aus Deutschland anhand der Vorbuchungen bereits wieder ein erfreulich konstanter Zustrom ab. Das Fernbleiben der Amerikaner sollen dafür Besucher aus China und Russland kompensieren. Längerfristig sollen auch neue Besucherschichten in Indien, Brasilien oder Japan angesprochen werden.

- **Mehr Gäste und mehr Wettbewerb aus dem Osten:** Die Gäste aus den EU-Beitrittsländern sind immer stärker in heimischen Fremdenverkehrsbetrieben vertreten und erweisen sich mit Ausgaben von 97 Euro pro Tag im Winter und 74 Euro pro Tag im Sommer als ebenso zahlungskräftig wie die Inländer. In manchen Teilen Österreichs kommen bereits ebenso viele Gäste aus Osteuropa wie aus Deutschland. Der Geschäftsführer der Österreich Werbung, Arthur Oberascher, schätzt das Wachstum dieses Marktes auf 5 bis 7 Prozent. In konkreten Zahlen wären das etwa 200.000 zusätzliche Nächtigungen. Gleichzeitig wird sich aber durch die EU-Erweiterung und mittelfristig durch den Wegfall der Wartezeiten bei den Grenzabfertigungen der Wettbewerb mit den neuen EU-Ländern verstärken.

- **Immer mehr reiselustige Senioren:** Die zunehmende Überalterung in vielen Ländern Europas soll sich im Fremdenverkehr gleich auf zweierlei Arten bemerkbar machen: Einerseits müssten sich die Tourismusbetriebe auf eine neue Urlauberschicht einstellen, nämlich zahlungskräftige, anspruchsvolle, sprach- und reisegewandte mobile Pensionisten.

- **Immer weniger arbeitsfähige Menschen:** Andererseits ist der gesamte europäische Tourismus wegen der immer älteren Bevölkerung mit einem Arbeitskräftemangel konfrontiert. Allein in Österreich ist zwischen 2010 und 2025 mit einem Rückgang von 500.000 arbeitsfähigen Menschen zu rechnen. Daher müsse bereits jetzt mit der Anwerbung und Einschulung von Mitarbeitern aus Ländern mit jüngerer Bevölkerungsstruktur, wie der Türkei, Ägyptens oder Tunesiens, begonnen werden.

Energie

Aufgrund der eher geringen Vorkommen an fossilen Energieträgern wie Erdgas und Kohle ist Österreich auf Importe angewiesen. Fast 68 Prozent des heimischen Energieaufkommens stammen aus dem Ausland, davon mehr als die Hälfte an Erdöl und gut ein Viertel an Erdgas. Lediglich beim Strom weist Österreich vor allem aufgrund seines Wasserreichtums einen leichten Überschuss aus; das heißt, es wird ein wenig mehr Strom exportiert, als eingeführt werden muss.

Was den Endverbrauch an Energie betrifft, so liegt die Aufteilung folgendermaßen:

- Am meisten Energie verbrauchen die Österreicher für Raumheizung und Warmwasser (rund 35 Prozent),
- dahinter rangiert mit rund 30 Prozent der Verkehr,
- gefolgt von 21 Prozent für die Verwendung für Prozesswärme (also etwa der Energieeinsatz in Industrieöfen, die Dampferzeugung für Produktions- und Dienstleistungszwecke und der Stromeinsatz für elektrochemische Prozesse),
- für mechanische Arbeit (den Antrieb von überwiegend stationären Motoren aller Art in Industrie und Gewerbe und den Betrieb von Haushaltsgeräten, wie etwa Kühlschränke) gehen 10 Prozent Energie drauf und
- für Beleuchtung und EDV rund 3 Prozent.

Zu den großen Fischen in der heimischen Energiewirtschaft zählen der Öl- und Gaskonzern OMV (mehr dazu auf Seite 57) und in der Elektrizitätswirtschaft die Verbundgesellschaft. Letztere durchlief in den vergangenen 20 Jahren – so wie die gesamte Elektrizitätswirtschaft – umfangreiche Veränderungen. Denn bis Ende der 80er-Jahre war die Stromversorgung weitgehend Sache des Staates. Ab 1987 konnten die heimischen Stromversorger durch eine Novelle des Verstaatlichungsgesetzes teilprivatisiert werden, und ab 1998 wurde der Strommarkt – nicht zuletzt auf Druck durch die EU – schrittweise liberalisiert. Wie das Europäische Parlament im Juni 2003 beschloss, müssen die europäischen Strom- und Gasmärkte bis 2007 voll liberalisiert sein. Kein Problem für die heimische Elektrizitätswirtschaft, die den Liberalisierungsprozess schon abgeschlossen hat.

Umso kurioser mutete es aber manchen Beobachter vor allem in den Medien, aber auch bei den wenigen verbleibenden Stromversorgern an, dass sich in Österreich im Jahr 2003 erneut ein Quasi-Strommonopol zu formieren begann: Die mehrheitlich im Besitz der öffentlichen Hand befindlichen Energieversorger aus Wien, Niederösterreich, Burgenland und Oberösterreich haben sich zur so genannten Österreichischen Stromlösung

(ÖSL) zusammengerungen. Konkret geht es um die Fusion der Verbund AG, die zu 51 Prozent dem Bund gehört, mit der Energie Allianz (bestehend aus EVN, Wienenergie, Linz AG, Bewag und Energie AG). Mit einem Marktanteil von 80 Prozent in Österreich hätte die ÖSL eine marktbeherrschende Stellung eingenommen, die klar gegen die EU-Wettbewerbsregeln verstößt. Deshalb wurde die endgültige Absegnung der Österreichischen Stromlösung an einige strikte Auflagen gebunden. So müssen sich sowohl der Verbund als auch die Energie AG von bisherigen Unternehmensbeteiligungen trennen bzw. ihre Stimmrechte ruhen lassen.

Werden die Bedingungen der EU-Wettbewerbshüter erfüllt, dann entsteht mit der ÖSL ab 2004 einer der zehn größten Stromhändler in Europa. Die Betreiber der Strom-Ehe zwischen Verbund und Energie Allianz sehen darin die einzig plausible Antwort auf die stärker werdende Dominanz der großen europäischen Energiekonzerne. Die neuen Partner rechnen aufgrund des Zusammenschlusses mit Kostenvorteilen von 80 Mio. Euro, die unter anderem an die Kundschaft weitergegeben werden sollen.

Das werden die Verbraucher gerne hören, denn nach einer im August 2003 präsentierten Studie der Unternehmensberatung A.T. Kearney hat von der Liberalisierung des heimischen Strommarktes bisher nur einer profitiert, nämlich der Fiskus. Die Energie- und Netzkosten seien zwar gesunken, dafür hätten sich aber die Steuern und Abgaben erhöht und die Liberalisierungsgewinne förmlich aufgesaugt. Resultat: Für Gewerbekunden gab es nur geringe Einsparungen, die Haushaltskunden gingen überhaupt fast leer aus und können laut Studie auch für die nächsten Jahre nicht mit Energiepreissenkungen rechnen.

Kleines Trostpflaster: EU-weit zählen die österreichischen Haushalte zu jenen Strom-Privatkunden, die am wenigsten zahlen müssen. Nur in Griechenland, Schweden und Finnland ist das Preisniveau für Haushalte niedriger als bei uns, in Deutschland muss sogar um 40 Prozent mehr bezahlt werden.

Stark im Aufwind, aber insgesamt noch immer relativ klein ist der Anteil an Ökostrom in heimischen Steckdosen. Nach Angaben des Geschäftsführers der Stromregulierungsbehörde Energie-Control GmbH, Walter Boltz, wird der Ökostrom-Anteil 2004 bereits rund 3 Prozent betragen, also deutlich mehr als die 2 Prozent, die per Ökostromgesetz als Zwischenziel bis 2008 vorgegeben sind. Neben Kleinwasserkraftwerken und Photovoltaik-Anlagen sorgen vor allem immer mehr Windräder für ständig erneuerbare Energie: Rund 150 Windmühlen versahen im Sommer 2003 in ganz Österreich ihre Dienste. Bis Ende 2003 soll ihre Zahl laut IG Windkraft fast verdoppelt werden und ab dann circa 220.000 Haushalte mit Strom versorgen.

Der Pferdefuß am Ökostrom: Ohne finanzielle Unterstützung ist die Stromversorgung durch erneuerbare Energieträger für die privaten Verbraucher meist noch nicht wirklich rentabel.

Info-Tipp: Mehr zum Thema Energie finden Sie etwa auf der Homepage der EnergieVerwertungsagentur (www.eva.wsr.ac.at) oder beim Verband der Elektrizitätsunternehmen Österreichs (www.veoe.at).

Verkehr

Obwohl vieles heute bereits auf elektronischem Weg quer über den Erdball verschickt wird, ergeben sich durch die zunehmende Globalisierung auch immer höhere Ansprüche an die Transport- und Verkehrswege zwischen den einzelnen Ländern. Österreich als Transitland mitten im Herzen Europas ist hier besonders gefordert, wenn nicht – aus Sicht von betroffenen Anrainern – überfordert. Denn zu den Lastwagen- und Pkw-Kolonnen, die Tag für Tag von Nord nach Süd bzw. in umgekehrter Richtung durch das Land strömen, wird auch eine wachsende Verkehrslawine aus den und in die neuen Beitrittsländer im Osten erwartet. Und schließlich wächst auch die Zahl der inländischen Pkw- und Lkw-Fahrten laufend. Allein zwischen 1995 und 2003 ist die transportierte Gütermenge um 33 Prozent auf 369 Mio. Tonnen gestiegen. Damit ist sie doppelt so stark gewachsen wie die Wirtschaftsleistung im selben Zeitraum. Mittlerweile werden in Österreich nach Angaben des Verkehrsclub Österreich (VCÖ) bereits 25 Prozent des Bruttoinlandsprodukts, also jeder vierte Euro, für den Transport von Gütern und Personen ausgegeben. Und dazu kommt: Pkw und Lkw verursachen mehr Kosten, als sie über Steuern, Abgaben und Mautgebühren wieder hereinbringen.

Kosten des Straßenverkehrs in Österreich

Kosten für Infrastruktur	5.416 Mio. Euro
Externe Unfallkosten	4.860 Mio. Euro
Kosten für Gesundheitsschäden	1.479 Mio. Euro
Kosten für Umweltschäden	2.879 Mio. Euro
Gesamtkosten	14.634 Mio. Euro
Einnahmen (Abgaben, Maut)	– 4.505 Mio. Euro
Belastung für Allgemeinheit	10.129 Mio. Euro

Quelle: Herry, VCÖ 2003

Damit unsere Verkehrssysteme nicht in den kommenden Jahren kollabieren und weil Staus und Verzögerungen auch hohe Kosten verursachen, wird auf Regierungs- und EU-Ebene immer wieder an zukunftsfähigen Verkehrs- und Infrastrukturplänen gebastelt. Aber auch die Transport- und Verkehrsunternehmen sind stark gefordert, am Ball zu bleiben. Allen voran die zwei Flaggschiffe der heimischen Verkehrswirtschaft, ÖBB und AUA.

Die Österreichischen Bundesbahnen kämpfen dabei gewissermaßen an mehreren Fronten: Zum einen drängt die EU auf eine rasche Umsetzung der Bahnliberalisierung. Das heißt, der Bahn bläst zunehmend der rauere Wind des Wettbewerbs entgegen. Zum anderen fährt die Straße der Schiene beim Gütertransport klar davon. Transporte per Lkw und Bahn sind zwar seit den 80er-Jahren mehr oder weniger parallel gewachsen – aber die Lkw liegen kontinuierlich vorne, was den Umfang der transportierten Güter betrifft. Lediglich beim Personenverkehr punktet die ÖBB nach wie vor: Die Österreicher zählen nach Dänemark und Luxemburg zu den fleißigsten Bahnfahrern in der gesamten EU. Auch die Industrie würde stärker auf den Transport per Schiene umsteigen, fordert dafür aber eine höhere Geschwindigkeit beim Gütertransport und marktkonforme Preise. Das bedeutet, die Bahn muss moderner, schneller und wirtschaftlicher werden. Vor allem auch aus letzterem Grund hat sich für die ÖBB eine zweite Front aufgetan, nämlich beim Personal. Dort soll kräftig eingespart werden. 12.000 Stellen sollen bis zum Jahr 2010 dem Rotstift zum Opfer fallen. Das entspricht einem Viertel der 2003 beschäftigten 48.000 ÖBBler. Rund 7.000 Mitarbeiter sollen nach Aussagen von Verkehrsstaatssekretär Helmut Kukacka durch reguläre Pensionierungen das Unternehmen verlassen, die restlichen 5.000 sollen umgeschult, verleast oder sogar frühpensioniert werden. Dadurch ergäbe sich für die ÖBB ein Einsparungspotenzial von jährlich 500 bis 600 Mio. Euro. Und nicht zuletzt soll das Dienstrecht der ÖBB-Bediensteten – das auch in der Vergangenheit schon öfters für hitzige Diskussionen um Privilegien sorgte – an das Dienstrecht von großen heimischen Betrieben angepasst werden. Innerbetriebliche Regeln sollen außer Kraft gesetzt werden.

Aus diesen Gründen ist bei den Eisenbahnergewerkschaftern und -bediensteten spätestens seit dem Sommer 2003, als konkretere Pläne zur ÖBB-Reform bekannt wurden, Feuer am Dach. Bereits Anfang September organisierten die Gewerkschafter eine Menschenkette in Linz, die den Protest gegen die voest-Privatisierung, aber auch gegen die ÖBB-Reformpläne widerspiegeln sollte. Und im Herbst startete ein Überstundenboykott gegen die geplante Reform der Regierung.

Eine Situation, die auch bei den Austrian Airlines bekannt ist: Dort kam es im Sommer 2003 und dann noch einmal im Herbst zu Streiks des fliegenden Personals, das sich gegen geplante Gehaltskürzungen wehrte. Dem stand aber eine unerschütterliche Tatsache gegenüber: Auch die AUA muss sparen. Die goldenen Zeiten des beständigen Wachstums sind seit Mitte der 90er-Jahre vorbei. Immer mehr private Fluglinien machten den ehemals staatseigenen Carriern in ganz Europa Konkurrenz. Viele von ihnen sind heute bereits in Privatbesitz oder haben mit anderen Fluggesellschaften fusioniert, da ein Alleingang aufgrund der hohen Wartungskosten und unzureichender Auslastung praktisch nicht mehr machbar ist. Selbst so traditionsreiche Linien wie die Swissair oder die Sabena wurden von dem harten Verdrängungswettbewerb in der Luft förmlich verblasen.

Dazu beigetragen haben nicht zuletzt die wie Schwammerl aus dem Boden schießenden Billigflieger, die Flüge oft zu einem Bruchteil des Preises der traditionellen Fluglinien anbieten. Möglich wird das durch das Konzept „no frills" (kein Schnickschnack, also kein Essen an Bord, minimaler Service usw.). Aufgrund des großen Erfolgs der Billigflieger führen nun auch immer mehr alteingesessene Fluglinien einen Billigableger unter ihrem Dach oder sie sind – so wie die AUA – dazu gezwungen, für bestimmte Flugstrecken Dumpingflüge anzubieten. Für die Kunden bedeutet das, dass sie oft zu einem Spottpreis dessen, was vor einigen Jahren noch zu bezahlen war, rund um die Welt jetten können. Für die noch bestehenden großen Traditions-Airlines bedeutet es, dass sie noch strenger als zuvor rechnen müssen, um nicht geradewegs in die roten Zahlen zu fliegen oder so wie bereits viele große Carrier im vergangenen Jahrzehnt eine komplette Bruchlandung hinzulegen.

Info-Tipp: Weitergehende Informationen zum Thema Verkehr bietet etwa die Homepage des Bundesministeriums für Verkehr, Innovation und Technologie (www.bmvit.gv.at), des Verkehrsclubs Österreich (www.vcoe.at) oder der Verkehrsabteilung der Arbeiterkammer (www.ak-wien.at/Verkehr/). Daten und Fakten zum Thema enthält auch die Broschüre „Verkehrswirtschaft in Zahlen" der Wirtschaftskammer Österreich, zu bestellen unter Tel.: 01/501 05-5050 oder per e-Mail unter mservice@wko.at.

Teil III
Begriffe aus der Wirtschaft von A–Z

Aktien

- Was genau sind Aktien?
- Wie wird der Kurs einer Aktie festgelegt?
- Wozu gibt es Aktien?
- Wie kauft man eine Aktie?
- Wie rentabel sind neue Aktien?
- Was sind ATX, DAX und Co?

Was genau sind Aktien?

Bis zum März 2000 hätte so mancher wohl gesagt: Eine Aktie ist eine Lizenz zum Geldverdienen. Für kurze Zeit hatten sich die Börsen als wahre Goldgruben erwiesen. Doch seit dem Platzen der Spekulationsblase – gefolgt von einem jahrelangen Abwärtstrend an den Börsen – besinnt man sich wieder des ursprünglichen Sinns:

Die Aktie ist ein Wertpapier, das einen Anteil am Grundkapital einer Aktiengesellschaft verbrieft. „Papier" ist eigentlich zu viel gesagt, denn im Gegensatz zu früher werden Aktien heute nicht mehr wie ein Dokument ausgehändigt, sondern existieren mehr oder weniger nur noch virtuell, also im Computer bzw. als Computerausdruck für den Anleger.

Als Anteilsinhaber steht Ihnen nicht nur ein Anteil am Gewinn des Unternehmens zu, sondern – je nachdem, ob es sich um eine Stammaktie oder eine Vorzugsaktie handelt – auch das Recht zur Mitsprache. Grundsätzlich hat jeder Stammaktionär die Möglichkeit, Unternehmensentscheidungen zu beeinflussen und über die personelle Zusammensetzung der Unternehmensleitung mitzubestimmen. Allerdings können Sie als frisch gebackener Anteilsinhaber nun nicht einfach in „Ihr" Unternehmen hineinmarschieren und die bisherigen Manager hinauskomplimentieren. Das wäre bestenfalls dann möglich, wenn Sie mindestens die Aktienmehrheit (also über 50 Prozent) halten. Vielmehr beschränkt sich die Mitsprache auf die Teilnahme an der jährlich abzuhaltenden Hauptversammlung und auf die Punkte, die dort zur Abstimmung vorgelegt werden.

Dort wird auch bekannt gegeben, wie hoch die Dividende für das vergangene Geschäftsjahr ausfällt, also der Gewinn pro Aktie. Falls das Unternehmen keine Gewinne erzielt hat, wird gar nichts ausgezahlt – einer der möglichen Nachteile einer Aktie: Eine fixe Verzinsung ist nicht möglich, da die Aktiengesellschaft sich nach ihren Gewinnen richten muss. Verdient sie gut, dann zahlt sie eine hohe Dividende. Verdient sie wenig oder gar nichts, so zahlt sie eine niedrige oder gar keine Dividende.

Wie wird der Kurs einer Aktie festgelegt?

Allein über Dividenden lassen sich aber meist ohnehin keine riesigen Summen verdienen. Wer auf das schnelle Geld aus ist, setzt auf Kursgewinne oder auch -verluste, also auf die Schwankungen, denen Aktienkurse ständig unterliegen. So kann es passieren, dass ein Aktientitel morgens noch ein wahres Sonderangebot ist, mittags schon vielen Investoren zu teuer erscheint und nachmittags bereits wieder einen relativ günstigen Kurswert aufweist.

Der Kurs wird dabei weder von einer Börse noch von Börsenmaklern oder gar von der Aktiengesellschaft selbst festgelegt. Er schwankt je nach Angebot und Nachfrage: Wollen viele Anleger genau diese Aktie, steigt ihr Kurs. Wird sie vielen zu teuer (oder zu riskant, weil über das dahinter stehende Unternehmen schlechte Nachrichten durchsickern), dann sinkt der Kurs. Im Prinzip ist der Kurs also abhängig von den Zukunftserwartungen, die die Anleger in ein Unternehmen haben: Gehen sie davon aus, dass ein Unternehmen, eine Branche, eine Region Potenzial oder – wie die Börsianer gerne sagen – „Fantasie hat" und Gewinne machen wird, werden sie in deren Aktien investieren bzw. im umgekehrten Fall sich davon trennen.

Spekulanten machen sich diese Kursschwankungen zunutze. Sie kaufen Aktien, wenn ihr Kurs im Keller zu sein scheint, um sie dann möglichst zu ihrem höchsten Stand wieder zu verkaufen. Dabei wechseln oft riesige Aktienpakete und Beträge den Eigentümer. Nach Schätzungen werden heute an den Wertpapierbörsen weltweit Tag für Tag rund 1,5 Billionen Dollar hin- und herverschoben (1980 waren es erst 80 Milliarden Dollar pro Tag). Bei erfolgreicher Spekulation fallen hier natürlich dementsprechend hohe Gewinne ab. Wenn immer mehr Menschen daran teilhaben wollen, die hinter den Aktien stehenden Unternehmen aber nicht mehr werden oder bei weitem nicht den Wert haben, der ihnen durch die steigende Nachfrage der Investoren zugeschrieben wird, entsteht eine immer größere Spekulationsblase, die – wie zuletzt bei den Technologie-Aktien im Jahr 2000 – platzt, wenn die ersten Investoren wegen des erhöhten Risikos im großen Stil auszusteigen beginnen, also ihre Aktienpakete verkaufen. Die Folge dieser Spekulationsblase: Während in den Jahren vor

2000 manche Aktien um mehrere hundert Prozent gestiegen waren, ging es danach steil bergab, auch Verluste von 90 Prozent und mehr waren keine Seltenheit. So hat der Kurs des amerikanischen Telekomzulieferers Qualcomm 1999 innerhalb eines Jahres um irrwitzige 2.600 Prozent zugelegt, um dann steil abzustürzen. Aber auch in Österreich folgten bei manchen Aktien auf unglaubliche Kursgewinne dramatische Abstürze – bis hin zum Kollaps des gesamten Unternehmens. So im Fall von Libro oder Cybertron, bei dem Anleger, die ihre Aktien nicht rechtzeitig verkauften, ihr gesamtes Geld verloren.

Wozu gibt es Aktien?

Warum, fragt sich mancher, muss es überhaupt Aktien geben? Es wäre doch viel einfacher, wenn sich die Unternehmen nicht durch Aktien, sondern durch festverzinsliche Schuldverschreibungen finanzieren würden. Dann wären die Börse und die ganzen Spekulationsgeschäfte hinfällig; die Betriebe kämen trotzdem zu ihrem Investitionskapital und die Anleger hätten mehr Sicherheit, was ihre investierten Ersparnisse betrifft.

Dem steht aber ein gewichtiger Einwand gegenüber: Unternehmer müssen Risiken tragen. Infolgedessen muss auch der Kapitalgeber in gewissem Umfang an den Risiken teilnehmen. Wenn eine Fabrik, ein Dienstleistungsunternehmen alle Mittel, über die es verfügt, Jahr für Jahr fest verzinsen müsste, würde es in manchen Jahren mehr zahlen müssen, als es eigentlich kann, und in anderen wieder weniger. Ein Unternehmer, der eine neue aussichtsreiche, aber unsichere Modernisierung der Fabrik vorhat, wird sich dafür weit leichter entschließen, wenn er das Geld in Aktienform aufbringen kann und weiß: Wenn sich die neue Anlage drei Jahre lang nicht verzinst, dann muss auch ich die Zinsen nicht aufbringen, sondern zahle dann weniger oder keine Dividende. Sobald die Investition (also in dem Fall die Anlage) Gewinne abwirft, können auch die Anleger daran teilhaben.

Die wechselnden Chancen der Wirtschaft verlangen also wechselnde Zinssätze und damit ein Investitionsinstrument wie die Aktie. Oder andersherum gesagt: Ohne Aktien wäre es kaum möglich gewesen, die riesigen Mengen von Produktionsmitteln zu finanzieren, die im Laufe der vergangenen 150 Jahre aufgestellt wurden und letztlich dazu beitrugen, dass sich der Lebensstandard heute drastisch von dem unserer Vorfahren unterscheidet.

Wie kauft man eine Aktie?

Früher ging alles noch ein wenig langsamer. Wenn ein Anleger eine Aktie kaufen wollte, begab er sich direkt an die Börse und erwarb dort das entsprechende Papier. Heute können so genannte (private) Kleinanleger Aktien im Gegensatz zu institutionellen Anlegern (wie Fondsgesellschaften, Banken usw.) nur noch über eine Bank, eine Versicherungsgesellschaft oder einen Vermögensberater erwerben. Bei einer Bank wird ein Wertpapierkonto für den Aktionär eingerichtet, über das dann alle An- und Verkäufe (auch Transaktionen genannt) laufen. Mittels Telefon oder Computer werden der Bank Kauf- und Verkaufswünsche bekannt gegeben. Dafür und für die Verwaltung der Wertpapiere verlangt die Bank Spesen und Gebühren.

Falls ein Unternehmen erstmals an die Börse geht (also noch gar keine Aktien im Umlauf hat) oder seinen Aktienanteil vergrößern will, können dessen Aktien während der Zeichnungsfrist „bestellt" werden. Das ist der Zeitraum, bevor die Aktie dann tatsächlich an der Börse gehandelt wird. Herrscht großes Interesse an diesen neuen Aktien (auch Neuemissionen genannt), dann sind sie womöglich überzeichnet. Das heißt, es gibt mehr Bestellungen als verfügbare Aktien. In Österreich war das zum Beispiel der Fall, als die Austria Tabak AG im Jahr 1997 zu 49,5 % privatisiert wurde: Die Austria-Tabak-Aktie war damals in Österreich 4,6mal überzeichnet, die ausländische Nachfrage lag sogar 8,8mal über den tatsächlich verfügbaren Aktien.

Wie rentabel sind neue Aktien?

Wenn man während der Zeichnungsfrist nicht zum Zug kommt, kann man natürlich sofort, nachdem die Aktie tatsächlich an der Börse gehandelt wird, so viel davon kaufen, wie man möchte. Allerdings ist hier Vorsicht angesagt: Die Aktie ist dann möglicherweise (wegen der starken Überzeichnung) überbewertet. Das heißt, sie wird zu einem höheren Kurs gehandelt, als sie tatsächlich wert ist. Eine solche Überbewertung wird von großen Investoren oft dazu genützt, größere Aktienpakete „abzustoßen" und kräftige Gewinne „mitzunehmen", also die Aktie zu einem Zeitpunkt zu verkaufen, wo sie viel mehr als den tatsächlichen Wert abwirft. Sinkt dann der Kurs der Aktie, weil immer mehr Aktionäre noch schnell Gewinne einstreifen wollen und das Angebot größer wird als die Nachfrage nach dem Titel, erhält man unter Umständen bei einem Verkauf der Aktie weniger zurück, als man beim Kauf ausgelegt hat – vom Anlagegewinn ganz zu schweigen!

Ein Beispiel dafür war der dritte Börsegang der Deutschen Telekom, der zur größten Klagewelle führte, die jemals ein deutsches Unternehmen verzeichnen musste: Mehr als 10.000 Anleger fordern ihr Geld zurück, das sie investiert haben. Der Ausgabepreis der Aktie für Privatanleger betrug 63 Euro – ab dann ging es mit der Deutschen Telekom-Aktie jedoch fast nur mehr bergab, auf Kurse bis unter 10 Euro.

Das Prinzip gilt generell für die Investition und Spekulation mit Aktien: Wer nicht über genügend Wissen oder Hilfe durch clevere Berater verfügt, wird hoch gelobte Titel noch zu einem Zeitpunkt kaufen, wo andere sie bereits wieder abstoßen. Viele sehen daher im Aktienmarkt zunehmend einen „Spielplatz" der Großinvestoren und Spekulanten, die sich ihre Gewinne durch unbedarfte, ständig hintennach hinkende Kleinaktionäre finanzieren lassen.

Was sind ATX, DAX und Co?

In den Finanzseiten in Zeitungen, aber auch in den Wirtschaftsnachrichten im Fernsehen ist immer wieder vom ATX, vom DAX oder auch vom Dow Jones die Rede. Diese Aktienindizes spiegeln die Stimmung an den jeweiligen Börsen, für die sie stehen, wider. Sie umfassen jeweils eine bestimmte Anzahl repräsentativer Aktien. Im Fall des österreichischen Aktienindex ATX (Austrian Traded Index) sind das die umsatzstärksten in Wien gehandelten Aktien.

Zusammensetzung des ATX

Titel	Streubesitzfaktor*
Andritz	0,75
AUA	0,50
Bank Austria Creditanstalt	0,25
BBAG Stamm	0,50
Böhler Uddeholm	0,50
Brau Union	0,50
BWT	0,50
Erste Bank	0,75
EVN	0,25
Flughafen Wien	0,75
Generali Holding Vienna	0,25
Mayr-Melnhof	0,50
OMV	0,50
Palfinger	0,50
RHI	1,00
Semperit	0,50
Telekom Austria	0,50
Uniqa	0,25
VA Technologie	0,75
Verbund	0,50
voestalpine	0,50
Wienerberger	0,75

* Der Streubesitz wird in vier verschiedenen Abstufungen festgelegt: 0,25/0,50/0,75/1,00 = der so genannte Streubesitzfaktor. Je höher, desto besser, denn Aktien, die zu einem großen Teil im Streubesitz liegen, spielen eine größere Rolle im Börsehandel und können leichter gehandelt werden als die mit stark konzentrierter Eigentumsstruktur.
Stand: August 2003. Quelle: Wiener Börse

Der ATX steht für nahezu 90 Prozent der Umsätze und rund 70 Prozent der gesamten Marktkapitalisierung (also den Börsenwert aller notierten Aktien) der Wiener Börse. So wie beim deutschen Aktienindex DAX oder auch beim Euro-Stoxx 50, der die 50 Top-Werte aus dem EU-Raum repräsentiert, wird auch der ATX regelmäßig (jeweils im März und September) auf seine Aktualität hin überprüft und gegebenenfalls neu zusammengesetzt. Hauptkriterien für die Aufnahme in den ATX bzw. die Streichung sind der Streubesitz und der Börseumsatz. Bei der halbjährlichen Anpassung können höchstens drei Aktien aus dem Index gestrichen bzw. in diesen aufgenommen werden. Daher pendelt die Zahl der enthaltenen Werte regelmäßig um die 20. Im Sommer 2003 lag sie bei 22 Werten. Verantwortlich für die Zusammensetzung des ATX ist die Wiener Börse, die die ATX-Titel nach folgenden Kriterien aussucht:

- Liquidität (also wie leicht der Anleger eine Aktie kaufen/verkaufen kann)
- Kontinuierlich gehandelter Wert
- Marktkapitalisierung (das heißt der aktuelle Börsenwert eines Unternehmens)
- Streubesitz (wie viele Aktien sind in fester Hand – je mehr, umso weniger sind sie für den Handel an der Börse verfügbar. Ein großer Streubesitz wird daher als positiv erachtet).

Der weltweit bekannteste Index ist der Dow Jones der New Yorker Börse, der seit 1896 täglich errechnet wird und 30 repräsentative US-Unternehmen enthält. Von Bedeutung ist auch der Nikkei 225 der japanischen Börse.

Info-Tipp: Mehr zu den Indizes und eine Echtzeit-Darstellung einiger Börsenbarometer finden Sie unter der Internet-Adresse www.wienerboerse.at/cms?index=ATX.

Arbeitslosigkeit

- Wer ist besonders von Arbeitslosigkeit bedroht?
- Wie hängen Arbeitslosigkeit und Wirtschaftswachstum zusammen?
- Wann spricht man von Vollbeschäftigung?
- Warum werden oft zwei unterschiedlich hohe Arbeitslosenquoten genannt?
- Wie entwickelt sich die Arbeitslosigkeit in Österreich?
- Wie hoch ist die Arbeitslosigkeit innerhalb der EU?
- Was kann der Staat gegen Arbeitslosigkeit unternehmen?

Wer ist besonders von Arbeitslosigkeit bedroht?

Neue Techniken schaffen neue Arbeitsplätze, alte Techniken verschwinden – und vernichten Arbeitsplätze. Dieser Kreislauf dreht sich immer schneller. Die Folge: Immer mehr Menschen wechseln mehrmals im Leben ihren Beruf. Doch oft halten die Kenntnisse und Fertigkeiten der Jobwechsler nicht mit dem raschen technologischen Fortschritt mit. Immer seltener führt daher ein Arbeitsplatzwechsel direkt von einem Job zum nächsten, wie die Synthesis-Forschungsgesellschaft für das Jahr 2002 erhob. Während bis zum Beginn der 80er-Jahre noch nahezu jeder, der konnte und wollte, Arbeit fand, ist die Arbeitsuche vor allem für gering Qualifizierte in den vergangenen Jahren schwieriger geworden. Obwohl durch die schwache Arbeitskräftenachfrage im Jahr 2002 auch die Arbeitslosigkeit von Uni-Absolventen zunahm, fanden insbesondere Geringqualifizierte keinen Arbeitsplatz: Personen ohne Berufsausbildung (das heißt höchstens mit Pflichtschulabschluss) stellten 45 Prozent der Arbeitslosen, während sich die Nachfrage nach Arbeitskräften in vielen Bereichen in Richtung höherer Qualifikationen entwickelte.

Ausbildung senkt Arbeitslosenrisiko
Arbeitslosenquote nach Ausbildung, Jahresdurchschnitt 2001 in Prozent

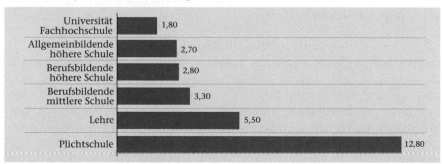

Universität Fachhochschule	1,80
Allgemeinbildende höhere Schule	2,70
Berufsbildende höhere Schule	2,80
Berufsbildende mittlere Schule	3,30
Lehre	5,50
Plichtschule	12,80

Quelle: Arbeitsmarktservice Österreich

Als besondere Problemgruppen am Arbeitsmarkt gelten daher Personen ohne Ausbildung bzw. mit geringem oder veralteten Fachwissen, weiters Frauen ohne Ausbildung, die etwa nach der Kinderpause wieder ins Arbeitsleben einsteigen wollen, Jugendliche auf der Suche nach einer Lehrstelle (laut Arbeiterkammer-Präsident Herbert Tumpel fehlten im Frühjahr 2003 mindestens 2.000 Lehrstellen) und ältere Arbeitnehmer. Darüber hinaus hängt die Gefahr, arbeitslos zu werden, auch davon ab, ob man in einer wachstumsorientierten oder schrumpfenden Branche tätig ist (siehe Grafik weiter unten).

Wie hängen Arbeitslosigkeit und Wirtschaftswachstum zusammen?

Die österreichische Regierung will den Problemen am Arbeitsmarkt nach Aussagen von Bundeskanzler Schüssel bei der Regierungsantrittsrede im Frühjahr 2003 in erster Linie durch Qualifizierung begegnen. Qualifizierung und Ausbildung allein bewahren aber noch nicht vor Arbeitslosigkeit oder führen, wenn nicht andere wirtschaftliche Maßnahmen parallel dazu gesetzt werden, zu einem Abwandern der qualifizierten Arbeitskräfte. Der Wirtschaftsforscher Stephan Schulmeister erklärt den Zusammenhang zwischen der Schaffung von Arbeitsplätzen und Wirtschaftswachstum so: „Jeder kennt das Spiel, wo ein paar Kinder um die Stühle herumlaufen und sich auf ein Signal hin niedersetzen. Man stelle sich 100 Sessel und 110 Arbeitslose vor. Sie laufen um die Wette um die freien Sessel. Aber so sehr sie sich auch bemühen: Zehn von ihnen werden trotzdem ohne Sessel, also arbeitslos bleiben. Werden diese zehn dann besser ausgebildet und sind somit qualifizierter, werden sie zehn andere verdrängen, die dann arbeitslos sind."

Das heißt, wenn nicht gleichzeitig die Zahl der Sessel (also das Angebot an Arbeitsplätzen) zunimmt, hilft die beste Qualifizierung nichts. Und mehr Arbeitsplätze sind nur durch ein anhaltendes Wirtschaftswachstum zu erzielen. Sonst fallen immer mehr „alte" Arbeitsplätze weg, während keine neuen geschaffen werden.

Wann spricht man von Vollbeschäftigung?

Vollbeschäftigung ist eines der obersten Ziele jeder Wirtschaftspolitik. Denn einerseits verursacht Arbeitslosigkeit soziale Probleme. Und zweitens verursacht sie Kosten: Das Steueraufkommen sinkt. Außerdem entgehen einer Volkswirtschaft damit Werte, nämlich die der Waren und Dienstleistungen, die die Arbeitslosen produzieren hätten können. Dadurch sinken das Bruttoinlandsprodukt und das Volkseinkommen.

Aber selbst der erfolgreichsten Wirtschaftsordnung wird es nie gelingen, absolut jedem Arbeitswilligen im erwerbsfähigen Alter Beschäftigung zu verschaffen. Erstens gibt es immer Menschen, die den Arbeitsplatz wechseln wollen oder müssen und nicht gleich eine neue Stelle finden. Zweitens gibt es saisonale Arbeitslose, etwa auf dem Bau oder im Tourismus, die nur einige Wochen und Monate überbrücken müssen, bis sie wieder die Arbeit aufnehmen können. Und drittens gibt es durch den ständigen Fortschritt Veränderungen in den Unternehmen und auf dem Arbeitsmarkt. Manche Betriebe können da nicht mithalten und müssen Arbeitskräfte entlassen. Andererseits sind gestern noch gefragte Berufskenntnisse morgen vielleicht schon out (Beispiel: Setzer in Verlagen und Druckereien, die komplett auf die Produktion per Computer umsatteln mussten).

Unter Vollbeschäftigung versteht man daher vielmehr, wenn die Zahl der Arbeitslosen mit der Zahl der offenen Stellen übereinstimmt. Dabei wird also eine bestimmte Arbeitslosenquote in Kauf genommen. Wie hoch diese Quote sein darf, hängt bis zu einem gewissen Maß von der gesamtwirtschaftlichen Lage ab. In den 40er- und 50er-Jahren galt als akzeptabler Wert eine Arbeitslosenquote zwischen 3 und 4 Prozent, in den Wirtschaftswunderjahren der 60er lag der angestrebte Wert bei 1 Prozent. Mit steigenden Arbeitslosenzahlen in den 80er- und 90er-Jahren europaweit (in Spanien 1995 beispielsweise 23 Prozent Arbeitslose) wurde die für eine Vollbeschäftigung akzeptable Arbeitslosenquote nach oben verschoben. Heute wird im Allgemeinen bei einer Arbeitslosenquote von bis zu 3 Prozent von Vollbeschäftigung gesprochen.

Vollbeschäftigung ist also immer auch Interpretationssache. So gab es beispielsweise nach dem II. Weltkrieg laut Arbeitsmarktstatistik so gut wie keine Arbeitslosen. Von Vollbeschäftigung konnte allerdings keine Rede sein: Viele Personen gingen damals Scheinarbeitsverhältnisse ein, weil Lebensmittelkarten nur an arbeitende Menschen ausgegeben wurden.

Warum werden oft zwei unterschiedlich hohe Arbeitslosenquoten genannt?

Die Arbeitslosenquote dient als eine der Messgrößen für den Arbeitsmarkt eines Landes. Sie gibt an, wie viele von den erwerbsfähigen Menschen ohne Arbeit sind und aktiv eine Beschäftigung suchen.

In Österreich, aber auch in Deutschland und anderen Ländern der EU werden jeweils zwei Arbeitslosenquoten angeführt – eine nach österreichischer Berechnung und eine nach EU-Berechnung.

- Die österreichische Methode zählt als Arbeitsuchende alle beim Arbeitsmarktservice (AMS) gemeldeten Arbeitslosen und als Erwerbspersonen alle unselbstständig Beschäftigten und Arbeitslosen.
- Bei der EU-Methode wird die Zahl der Arbeitsuchenden durch eine repräsentative direkte Befragung der Haushalte (in Österreich durch den

von der Statistik Austria erhobenen Mikrozensus) erhoben. Als arbeitslos gilt hier, wer innerhalb der letzten 4 Wochen vor Befragung aktiv nach Arbeit gesucht hat. Und als Beschäftigter gilt, wer in der Woche vor der Befragung mindestens eine Stunde gegen Entgelt gearbeitet hat. Da bei der EU-Quote auch die Selbstständigen zu den Erwerbspersonen zählen, ergibt sich bei der Berechnung ein größerer Nenner – und dadurch ist die EU-Arbeitslosenquote niedriger als nach österreichischer Methode.

Der Grund für die unterschiedliche Vorgangsweise: Die jeweiligen nationalen Berechnungen unterscheiden sich voneinander. Das Statistische Amt der Europäischen Union (Eurostat) braucht aber vergleichbare Daten, daher muss es für alle Länder nach einer eigenen, einheitlichen Methode vorgehen. Die von der EU ermittelte Arbeitslosenquote liegt regelmäßig um ca. 2 Prozentpunkte unter der österreichischen.

Wie entwickelt sich die Arbeitslosigkeit in Österreich?

Österreich hat zwar international gesehen eine niedrige Arbeitslosenquote, zählte aber im Jahr 2002 zu jenen Ländern, in denen sie deutlich anstieg. Nach EU-Definition betrug sie im Durchschnitt des Jahres 2002 4,1 Prozent, nach nationaler Berechnung 6,7 Prozent. Sie lag damit um 0,5 Prozentpunkte (EU-Definition) bzw. um 0,8 Prozentpunkte (nationale Berechnung) über den Vergleichswerten des Vorjahrs. Im Langzeitvergleich war 2002 sogar die höchste Steigerung seit 1993 zu verzeichnen. Auch für die kommenden Jahre prognostizieren die Wirtschaftsforscher weder eine merkliche Entspannung auf dem Arbeitsmarkt noch einen spürbaren Rückgang der Arbeitslosen. So soll es zwar laut Wirtschaftsforschungsinstitut bis 2006 zu einer Belebung des Beschäftigungswachstums kommen (sprich: die Zahl der Arbeitsplätze steigen), die Arbeitslosigkeit soll aber trotzdem hoch bleiben. Nach den Berechnungen der Wirtschaftsforscher soll sich die Zahl der unselbstständig aktiv Beschäftigten durchschnittlich um 9.000 Personen pro Jahr erhöhen. Die Zahl der Arbeitslosen soll aber bis 2006 nur auf 216.000 zurückgehen. Das würde eine Arbeitslosenquote von 6,3 Prozent der unselbstständig Erwerbstätigen (nationale Berechnung) bzw. 3,7 Prozent der Erwerbspersonen laut Eurostat bedeuten.

Entwicklung der Arbeitslosigkeit in den letzten 10 Jahren
Vorgemerkte Arbeitslose

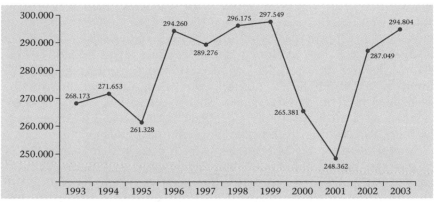

Quelle: Arbeitsmarktservice Österreich

Sowohl in den Medien als auch von Politikern werden oft noch höhere Arbeitslosenzahlen genannt. Demnach waren in Österreich im Jahr 2003 rund 340.000 Menschen ohne Arbeit. Die Diskrepanz zu den offiziell angeführten 294.000 Arbeitslosen rührt daher, dass circa 45.000 Menschen ohne Job in Schulung sind. Die Zahl der Schulungsteilnehmer ist im Vergleich zu 2002 sehr stark – nämlich um 11.000 Personen – angestiegen. Arbeitsuchende in Schulung tauchen in der Arbeitslosenstatistik nicht auf. Deshalb wird den Regierenden von der politischen Opposition oft auch Schönfärberei der Arbeitslosenzahlen vorgeworfen.

Arbeitsplatzgewinner und -verlierer 2002
Nach Branchen im Vergleich zum Vorjahr

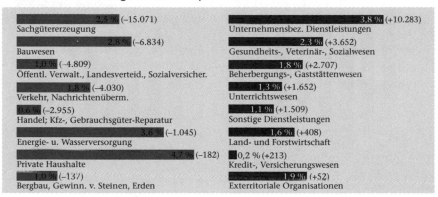

Quelle: Arbeitsmarktservice Österreich

Wie hoch ist die Arbeitslosigkeit innerhalb der EU?

Auch wenn die steigenden Arbeitslosenzahlen in Österreich und vor allem die hohe Zahl an Arbeitslosen in Deutschland einen anderen Eindruck vermitteln: In der Europäischen Union ist die Zahl der Arbeitslosen insgesamt seit Mitte der 90er-Jahre deutlich gesunken. Nach einem Höchststand von 18,4 Millionen Menschen ohne Arbeit im Jahr 1994 ist die Arbeitslosigkeit bis 2002 um vier Millionen zurückgegangen. Als Grund dafür nennt die EU einerseits vor allem den Dienstleistungsbereich, in dem zehn Millionen neue Stellen geschaffen wurden – davon mehr als sechs Millionen von Frauen besetzt. Andererseits wird die moderate Lohnentwicklung als Beschäftigungsmotor angeführt.

Angesichts der rund 14 Millionen Arbeitslosen in den Staaten der EU ist aber klar, dass es damit noch lange nicht getan ist. Um die Beschäftigung in den Mitgliedstaaten anzukurbeln, hat die EU-Kommission Leitlinien festgelegt, die in den „Nationalen Aktionsplänen zur Beschäftigung" Niederschlag fanden. Die einzelnen Maßnahmen zur Bekämpfung der Arbeitslosigkeit obliegen zwar weiterhin den Mitgliedstaaten selbst. Die Europäische Union übernimmt aber die Koordinierung und überprüft die Aktionen jährlich auf ihren Erfolg hin.

Arbeitslosigkeit im internationalen Vergleich (2002)

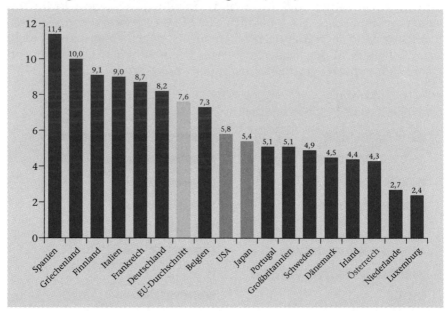

Quelle: WIFO, Eurostat, OECD

Was kann der Staat gegen Arbeitslosigkeit unternehmen?

Der Staat kann einerseits aktiv in die Wirtschaft eingreifen, um mehr Arbeitsplätze zu schaffen oder bestehende zu erhalten. Sei es durch steuerliche Maßnahmen, die Unternehmen zur Einstellung von Arbeitskräften bewegen sollen, durch die Förderung von Unternehmensgründungen, durch regionale Betriebsansiedlungen und Ähnliches. Die wesentliche Aufgabe des Staates besteht darin, das Angebot an Arbeitskräften mit der entsprechenden Nachfrage in Einklang zu bringen. Das erfordert zwangsläufig langfristige Maßnahmen und Vorausschau. Denn bei Bildung und Ausbildung, beispielsweise, oder auch in Hinblick auf Forschung und Entwicklung (F&E) geht auf die Schnelle gar nichts.

Darüber hinaus übt der Staat auch eine passive Rolle bei Arbeitslosigkeit aus: durch Beratung bei der Berufswahl, durch Unterstützung der Arbeitslosen bei der Jobsuche und durch soziale Absicherung der Arbeitslosen.

Als kleine offene Volkswirtschaft kann Österreich allein aber nur begrenzt etwas gegen die Arbeitslosigkeit machen. Die Abhängigkeit von den wichtigsten Wirtschaftspartnern, allen voran Deutschland, ist zu groß. Je besser es den Wirtschaftspartnern geht, umso mehr profitiert auch Österreich von Aufträgen – und nicht zuletzt damit steigt die Beschäftigung.

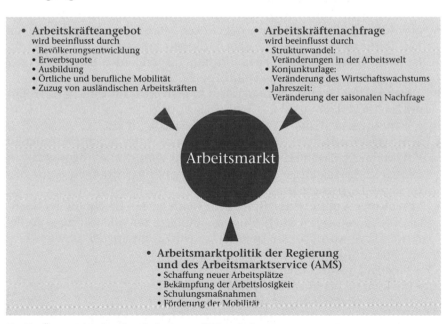

- **Arbeitskräfteangebot**
  wird beeinflusst durch
  - Bevölkerungsentwicklung
  - Erwerbsquote
  - Ausbildung
  - Örtliche und berufliche Mobilität
  - Zuzug von ausländischen Arbeitskräften

- **Arbeitskräftenachfrage**
  wird beeinflusst durch
  - Strukturwandel:
    Veränderungen in der Arbeitswelt
  - Konjunkturlage:
    Veränderung des Wirtschaftswachstums
  - Jahreszeit:
    Veränderung der saisonalen Nachfrage

Arbeitsmarkt

- **Arbeitsmarktpolitik der Regierung und des Arbeitsmarktservice (AMS)**
  - Schaffung neuer Arbeitsplätze
  - Bekämpfung der Arbeitslosigkeit
  - Schulungsmaßnahmen
  - Förderung der Mobilität

Quelle: Österreichisches Gesellschafts- und Wirtschaftsmuseum

Armut

- Was ist Armut und gibt es die bei uns überhaupt noch?
- Warum schützt heute selbst Arbeit nicht mehr vor Armut?
- Warum sind vor allem Frauen armutsgefährdet?
- Weshalb ist Armut gesundheitsgefährdend?
- Was unternimmt der Staat gegen die Armutsgefährdung?
- Wird die Schere zwischen Arm und Reich kleiner?

Was ist Armut und gibt es die bei uns überhaupt noch?
Wer an Armut denkt, denkt meist auch an Hunger und Obdachlosigkeit; an unterernährte Säuglinge in Äthiopien, an verwahrloste Straßenkinder in Brasilien, an mit Lumpen gekleidete Flüchtlingskinder in Afghanistan oder Ruanda. Doch eine Lebenssituation, die dem Straßenjungen in Sao Paulo wie das Paradies erscheint, ist für den Schulbuben in Linz oder Graz, der wegen ständigen Geldmangels mit seinen Freunden nicht ins Kino gehen kann, von einer PlayStation nur träumen kann und statt eines Tommy-Hilfiger-Shirts bestenfalls ein No-Name-Leiberl von Hofer oder TPS kriegt, vielleicht die Hölle. Armut und Reichtum sind relative Begriffe, die erst im Vergleich mit anderen Bedeutung erlangen.

Im weltweiten Vergleich gilt nach den Definitionen der Weltbank als

- **absolut arm**, wer kaum die notwendigen Mittel zum reinen Überleben hat. Darunter fallen alle Menschen, die pro Tag weniger als einen Dollar zur Verfügung haben – das trifft auf 1,2 Milliarden Menschen oder rund 20 Prozent der Weltbevölkerung zu.
- Unter **großer Armut** (weniger als 2 Dollar pro Tag) leben 47 Prozent der Weltbevölkerung.

In den Industrieländern – so auch in Österreich – gilt als

- **armutsgefährdet**, wer weniger als 60 Prozent des durchschnittlichen Einkommens, das in seinem Land verdient wird, zur Verfügung hat. In Österreich betrug dieser Schwellenwert 1999 rund 9.000 Euro pro Jahr für einen Einpersonenhaushalt.
- Von **akuter Armut** wird gesprochen, wenn zu den beschränkten finanziellen Verhältnissen auch Einschränkungen zur Abdeckung grundlegender Lebensbedürfnisse treten. Dies wird dann angenommen, wenn eine der fünf folgenden Situationen auftritt:
  - Substandardwohnung;
  - Rückstände bei Miet- und Kreditzahlungen;
  - Probleme beim Beheizen der Wohnung;
  - Unmöglichkeit, abgenutzte Kleidung durch neue Kleider zu ersetzen;

- Unmöglichkeit, zumindest einmal im Monat nach Hause zum Essen einzuladen.

Nach diesen Kriterien sind laut dem Sozialbericht des Bundesministeriums für soziale Sicherheit und Generationen etwa 880.000 Menschen (11 Prozent der Gesamtbevölkerung) armutsgefährdet. Davon sind rund 314.000 Personen (circa 4 Prozent aller Österreicher) von akuter Armut betroffen.

Armutsgefährdungsschwellen für unterschiedliche Haushaltstypen, 1999

Haushaltszusammensetzung	Jahreseinkommen (netto)	Monatseinkommen (netto)
Einpersonenhaushalt	9.370 Euro	780 Euro
Ein Erwachsener + 1 Kind	12.180 Euro	1.020 Euro
Zwei Erwachsene	14.050 Euro	1.170 Euro
Zwei Erwachsene + 1 Kind	16.860 Euro	1.410 Euro
Zwei Erwachsene + 2 Kinder	19.680 Euro	1.640 Euro
Zwei Erwachsene + 3 Kinder	22.490 Euro	1.870 Euro

Quelle: Bericht über die soziale Lage 2001–2002, BMSG

Nach einer Erhebung der Bundesarbeitsgemeinschaft Wohnungslosenhilfe aus dem Jahr 1999 (neuere bundesweite Zahlen sind nicht vorhanden) gibt es rund 1.000 bis 2.000 Obdachlose in Österreich. Weitere 12.000 wohnungslose Menschen waren 1998 in Sozialeinrichtungen wie Notschlafstellen oder Wohnheimen untergebracht und noch einmal 7.000 Personen in Asyl- und Flüchtlingsheimen. Allein im Jahr 2002 waren rund 45.000 Delogierungsverfahren anhängig. Wie viele davon tatsächlich zur Räumung der Wohnung führten, ist nicht bekannt.

Wie ist Wohnungsnot möglich in einem Land mit öffentlicher Wohnbauförderung und Wohnbeihilfe? Weil Einkommensschwache meist nicht einmal die erforderlichen geringen Baukostenbeiträge für geförderte Wohnungen aufbringen können, heißt es unter anderem von der Caritas, die deshalb eigenmittelfreie geförderte Mietwohnungen verlangt. Und ob eine Wohnbeihilfe gewährt wird, hängt je nach Bundesland häufig wiederum davon ab, ob eine Wohnung ursprünglich mit Förderungsmitteln errichtet wurde.

Warum schützt heute selbst Arbeit nicht mehr vor Armut?

Von den 50er- bis in die 80er-Jahre hinein galt: Wer arbeiten wollte und konnte, der fand auch Arbeit. Und wer Arbeit hatte, war gut versorgt. Fixe Arbeitsverhältnisse mit umfassender Sozialversicherung boten Planungssicherheit: Schulden machen für den Hausbau, für eine größere Anschaffung, für die Ausbildung der Kinder war üblicherweise kein Problem. Die Zinsen waren zwar höher als heute, aber dafür kam Monat für Monat ein stabiles Einkommen herein. Das gilt heute nicht mehr, oder nicht mehr in diesem Ausmaß: Die Formen der Beschäftigung haben sich verändert, immer mehr Erwerbstätige sind in so genannten atypischen Arbeitsverhältnissen tätig. Dazu kommt ein (oft erzwungener) häufigerer Arbeitsplatzwechsel, der nach einer Untersuchung des Wiener Forschungsinstituts Synthesis im Jahr 2002 immer seltener von einem Job zum nächsten führte, sondern zunehmend in die Arbeitslosigkeit oder in so genannte erwerbsferne Positionen wie Pension oder Haushalt.

Die Folge ist, dass immer mehr Menschen trotz Arbeitsstelle in die Armut abzugleiten drohen. Das Phänomen der „Working Poor" – also der Menschen, die trotz Erwerbstätigkeit zur Armutsschicht zählen – wurde Ende des 20. Jahrhunderts zunächst in den USA beobachtet: Durch die so genannten McJobs (niedrig bezahlte, atypische Beschäftigungsverhältnisse, wie etwa bei der Hamburgerkette McDonalds, daher der Name) nahm dort die Armut unter der Erwerbsbevölkerung auffallend zu. Wie es im Sozialbericht heißt, ist auch in Europa und Österreich eine ähnliche Entwicklung zu beobachten. Nach Angaben der Statistik Austria musste im Jahr 2001 jeder zehnte unselbstständig Beschäftigte oder 314.000 Österreicher mit weniger als 1.000 Euro brutto pro Monat auskommen. Besonders hoch ist der Anteil der Frauen: 17 Prozent fallen in diese Einkommenskategorie, während es bei den Männern nur 5 Prozent sind.

Warum sind vor allem Frauen armutsgefährdet?

Armut kann fast jeden treffen, denn oft ist sie die Folge eines persönlichen Schicksalsschlags: Scheidung, Konkurs, ein schwerer Unfall mit körperlichen oder psychischen Langzeitfolgen oder auch der Tod des Partners. Für Frauen ist das Risiko, in Armut abzugleiten, auch ohne einen solchen Knick im Lebenslauf erhöht. Laut Sozialbericht sind etwa eine halbe Million Frauen armutsgefährdet, während es bei den Männern „nur" 340.000 sind. Und 200.000 Frauen sind tatsächlich arm (bei den Männern 110.000). Gründe für das höhere Risiko:

- Arbeitsmarkt, Schule, Betreuungseinrichtungen für Kinder und Jugendliche, aber auch das Sozialrecht sind noch zu stark auf traditionelle Familienverhältnisse ausgerichtet. Der klassischen Hausfrau-/Ernährerfamilie stehen steigende Scheidungsraten und eine wachsende Anzahl an Alleinerzieherinnen gegenüber.
- Frauen verdienen im Schnitt um 30 Prozent weniger als Männer, und das wirkt sich auf das Arbeitslosengeld und die Pension aus.
- Hausarbeit und Kinderbetreuung sind noch immer vorwiegend Frau-

ensache und nach wie vor schwer vereinbar mit dem Beruf. Zu wenig geeignete und finanzierbare Kinderbetreuungseinrichtungen mit längeren Öffnungszeiten erlauben höchstens Teilzeitarbeit und/oder Abgleiten in gering bezahlte Tätigkeiten.

■ Frauen haben geringere Chancen am Arbeitsmarkt, weil sie keine, eine schlechte oder nach einer Kinderpause nicht mehr zeitgemäße Ausbildung haben oder wegen der Kinderbetreuungspflichten nur begrenzt einsetzbar sind.

Vor allem Alleinerziehende (und das sind meist Frauen) zählen zu den am stärksten von Armut bedrohten Personengruppen in Österreich. Sie kommen neben den bereits angeführten Gründen zusätzlich in Schwierigkeiten, wenn das Einkommen des ehemaligen Partners wegfällt, aber die Kosten für den Haushalt und die Wohnung weiterzubezahlen sind; wenn der Unterhalt für die Kinder nicht oder nur schleppend bezahlt wird; oder wenn sie für Kredite des Ex-Partners gebürgt haben und dadurch auf einem Schuldenberg sitzen bleiben. Dazu kommt die stark eingeschränkte Verfügbarkeit am Arbeitsmarkt: Spätschichten, Wochenendarbeit und Ähnliches sind mit Kindern praktisch ausgeschlossen.

Weshalb ist Armut gesundheitsgefährdend?

Einkommensschwache Menschen müssen nicht nur auf viele materielle Güter verzichten. Sie haben auch ein erhöhtes Erkrankungsrisiko und eine kürzere Lebenserwartung. Im Durchschnitt sterben Arme mit geringer Schulbildung um fünf Jahre früher als Menschen mit höherem Einkommen und höherer Bildung, sagt die „Armutskonferenz", ein Netzwerk von verschiedensten kirchlichen, sozialen, gewerkschaftlichen und frauenspezifischen Organisationen, das sich gegen Armut und soziale Ausgrenzung richtet. Stress durch finanziellen Druck und schlechte Wohnverhältnisse würden Hand in Hand mit einem ungesunden Lebensstil und einer geringeren Inanspruchnahme von Gesundheitsleistungen gehen. Als Hemmschwellen dafür, dass Ärmere die Gesundheitsversorgung weniger beanspruchen, gelten etwa finanzielle Barrieren in Form von Selbstbehalten oder auch die Tatsache, dass sie nicht sozialversichert sind; Angst vor komplizierten oder bürokratischen Abläufen; Schwierigkeiten bei der Kontaktaufnahme mit Gesundheitseinrichtungen (mangelnde Informationen oder geringe sprachliche Ausdrucksfähigkeit), aber auch die Tatsache, dass Arme „andere Sorgen haben", sprich: gesundheitliche Probleme von Existenzsorgen überdeckt werden.

Wie Univ.-Prof. August Oesterle von der Abteilung für Sozialpolitik an der Wirtschaftsuniversität Wien bei der 5. Armutskonferenz im März 2003 feststellte, zeigen sich die gesundheitlichen Nachteile insbesondere bei Kindern: „Arme Kinder weisen einen schlechteren Gesundheitszustand auf. Bei ihnen treten mehr Kopfschmerzen, Nervosität, Schlafstörungen und Einsamkeit auf. Diese Kinder tragen die soziale Benachteiligung als gesundheitliche Benachteiligung ein Leben lang mit. Sie sind auch als Erwachsene deutlich kränker als der Rest der Bevölkerung."

Was unternimmt der Staat gegen die Armutsgefährdung?

Die EU-Mitgliedstaaten haben sich im Jahr 2000 verpflichtet, alle zwei Jahre „Nationale Aktionspläne gegen Armut und soziale Ausgrenzung" (NAPincl.) zu erarbeiten. Als Ziele wurden festgelegt:

- die Förderung der Teilnahme am Erwerbsleben und der Zugang für alle zu Ressourcen, Rechten, Gütern und Dienstleistungen;
- Armutsvermeidung: Prävention von Ausgrenzungs- und Verarmungsrisiken;
- Armutsbekämpfung: Maßnahmen für die am stärksten Gefährdeten und Betroffenen;
- Mobilisierung und Einbindung aller relevanten Akteure.

Der für 2000–2002 präsentierte österreichische Aktionsplan gegen Armut erntete aber Kritik von der EU-Kommission. Es fehle an konkreten Zielvorgaben und Vorschlägen für eine mittelfristige Strategie. Es würden bereits bestehende Maßnahmen aufgelistet. Es würden keine finanziellen Ressourcen für die Umsetzung veranschlagt und bereitgestellt. Und von der Einbeziehung aller Akteure könne keine Rede sein. Die österreichische Regierung muss somit konkreter werden und – wie die Vertreter der Armutskonferenz kritisieren – den angekündigten Schritten tatsächliche politische Maßnahmen folgen lassen.

Sozialhilfe statt Notstandshilfe – eine neue Armutsfalle?

Geht es nach den Plänen der Regierung, soll die Notstandshilfe durch die Sozialhilfe neu abgelöst werden. Das würde zu einem Sinken der Arbeitslosenzahlen führen, weil Sozialhilfeempfänger statistisch gesehen nicht als arbeitslos gelten. Vertreter der Armutskonferenz, der Oppositionsparteien und der Gewerkschaften kritisierten diese Pläne scharf, weil die Notstandshilfe vor allem den wirklich Bedürftigen zugute komme. Würde sie gestrichen, stehe zu befürchten, dass noch mehr Familien in die so genannte neue Armut getrieben würden. Der Ersatz der Notstandshilfe durch Sozialhilfe würde Arbeitslose nämlich in mehrerlei Hinsicht treffen:

- Viele Notstandshilfebezieher würden keine Sozialhilfe erhalten, weil sie mit einer noch engeren Auslegung von Notlage und Vermögen verbunden ist. Bereits der Besitz eines Autos schließt vielfach einen Anspruch auf Sozialhilfe aus.

- Sozialhilfe ist deutlich geringer: Die durchschnittliche Höhe der Notstandshilfe lag 2003 bei 543 Euro. Bei der Sozialhilfe lag die Bandbreite zwischen 382 und 496 Euro.
- Sozialhilfe beinhaltet keine Krankenversicherung.
- Sie wird nicht auf die Pension angerechnet.
- Sie muss zurückgezahlt werden, wenn die Notlage beendet ist, in manchen Bundesländern noch zehn Jahre danach, und kann von Eltern, Großeltern und Kindern zurückgefordert werden (Pfändungsrecht).

Wird die Schere zwischen Arm und Reich kleiner?

Nach den vorliegenden Daten und Entwicklungen ist das Gegenteil der Fall: Der Abstand wird von Jahr zu Jahr größer. Im April 2001 wurde in Deutschland erstmals ein Armuts- und Reichtumsbericht veröffentlicht. Nach Ansicht der Vertreter der Armutskonferenz kann für Österreich eine ähnliche Verteilung angenommen werden. Demnach verfügt das oberste Fünftel der Haushalte über knapp die Hälfte der Vermögenseinkommen und über zwei Drittel der Ersparnisse. Ein Grund dafür: In den vergangenen Jahren wurden Finanzerträge (also Zinsen, Dividenden usw.) gegenüber Produktionsgewinnen begünstigt. Es war also lohnender, sein Geld in den Finanzmarkt zu stecken als in ein Unternehmen. Dazu passe, dass in den letzten Jahrzehnten der Lohnanteil am Volkseinkommen deutlich zurückgegangen sei, die Besitzeinkommen und die Einkünfte aus Finanzvermögen dafür dramatisch angewachsen seien. Der Staat habe diese Verschiebungen in seiner Steuerpolitik nicht nur nicht berücksichtigt, sondern die Vermögenssteuer sogar weitgehend abgeschafft. Österreich belegt in der Vermögensbesteuerung im OECD-Vergleich den letzten Platz. Beim Aufkommen aus Gewinnsteuern stehen wir an vorletzter Stelle in der EU.

Der Sozialbericht des Bundesministeriums für soziale Sicherheit und Generationen bestätigt die Analyse der Armutskonferenz. Demnach würden die Einkommensunterschiede von Jahr zu Jahr anwachsen. In den untersten Bereichen wären die Jahreseinkommen 1999/2000 um weniger als 1 Prozent gestiegen, in den obersten Bereichen dagegen um mehr als 2 Prozent.

Info-Tipp:

- Der Bericht über die soziale Lage 2001–2002 kann im Bundesministerium für soziale Sicherheit und Generationen unter Tel.: 0800-20 20 74 bestellt werden oder ist im Internet unter der Adresse www.bmsg.gv.at (unter „Berichte") abrufbar.
- Weitere Informationen zum Thema Armut und zur Tätigkeit der Armutskonferenz erhalten Sie unter Tel.: 01/402 69 44-12 oder im Internet unter www.armutskonferenz.at.

Ausbildung

- Warum wird ein erfolgreicher Schulabschluss in Zukunft nicht mehr reichen?
- Wie erfolgen Bildungs- und Berufswahl in Österreich?
- Welche Bedeutung haben Ausbildung und Qualifikation für die Wirtschaft?
- Inwiefern ist das heimische Ausbildungssystem verbesserungswürdig?

Warum wird ein erfolgreicher Schulabschluss in Zukunft nicht mehr reichen?

Die Anforderungen an Schule und Lehre haben sich gewandelt: Früher sollten sie Schreiben, Rechnen und Lesen lehren und die Grundkenntnisse eines Handwerksberufs vermitteln. Heute sollen sie darüber hinaus die wirtschaftliche Entwicklung fördern und den Unternehmen vielseitig einsetzbare Experten mit Sprachkenntnissen und aktuellstem Fachwissen liefern. Überzogene Erwartungen?

Fix ist jedenfalls, dass es mit einem erfolgreichen Schul- oder Universitätsabschluss allein immer weniger getan ist. Denn eine Berufsausbildung oder ein Studium, das einen früher für ein ganzes Berufsleben qualifizierte, ist heute und morgen lediglich ein Fundament, auf das immer wieder neue Wissensbausteine gelegt werden müssen. Wer da nicht mithalten kann oder will, wird immer schwerer eine Beschäftigung finden. Denn für unqualifizierte 08/15-Jobs werden die Löhne kontinuierlich geringer. Dem lässt sich nur durch Ausbildung, Fort- und Weiterbildung entgegenwirken – sei es durch einzelbetriebliche Umschulungsprogramme der betroffenen Beschäftigten, durch staatliche Maßnahmen über das Arbeitsmarktservice oder durch individuelle Abhilfe. „Lebenslanges Lernen" lautet die Devise.

Dem wird oft entgegengesetzt, dass doch nicht alle nur studieren und einen Bürojob anstreben könnten; irgendwer müsse doch schließlich auch die „richtige" Arbeit erledigen. Stimmt, aber die Arbeiten, wo noch richtig zugepackt werden muss, werden immer weniger, und das in raschem Tempo. Beziehungsweise werden sie in Länder mit deutlich niedrigeren Lohnkosten ausgelagert.

Zweifelsohne wird es immer wieder – oder aus heutiger Sicht zumindest noch sehr lange – Aufgaben geben, die sich nur erledigen lassen, wenn jemand tatsächlich mit eigenen Händen die Arbeit verrichtet. Gerade im kontinuierlich wachsenden Dienstleistungssektor (siehe mehr dazu in Teil II weiter vorne), beispielsweise im boomenden Gesundheits- und Wellnessbereich, ist persönliche Betreuung unersetzbar. Masseure, Friseure, Fitnessberater sind nicht durch Apparate zu ersetzen. Auch Kranke können zwar schon durch computergesteuerte Geräte operiert werden; zur Beratung und Betreuung ist aber nach wie vor „menschliches Personal" notwendig. Und dabei geht meist nichts ohne entsprechende Ausbildung und Qualifikation. Dazu kommt: Wer sich in seiner Branche durch Information und Fortbildung am Laufenden hält, hat auch Wettbewerbsvorteile gegenüber seinen Kollegen im Betrieb und am Arbeitsmarkt.

Wie erfolgen Bildungs- und Berufswahl in Österreich?

Nach einer Untersuchung des AMS aus dem Jahr 2001 haben sowohl bei Männern als auch bei Frauen die Pflichtschulabsolventen das höchste Risiko, arbeitslos zu werden. Das geringste Risiko wiesen Akademiker auf. Also alle ab an die Uni? Das wäre wohl schon rein organisatorisch nicht möglich. Aber es würde bereits viel bringen, wenn vor der Auswahl des Bildungswegs und der beruflichen Ausbildung gut überlegt und vor allem das große Angebot genützt würde. Davon sind die österreichischen Schüler noch weit entfernt. So wählen etwa die Hälfte aller weiblichen Lehrlinge aus drei Berufen aus: Bürokauffrau, Einzelhandelskauffrau oder Friseurin – und das bei einem Angebot von 373 möglichen Lehrberufen in Österreich. 40 Prozent aller weiblichen Studierenden wählen eine geisteswissenschaftliche Studienrichtung, nur etwas über 5 Prozent entscheiden sich für ein technisches Studium.

Eine Folge dieser starren Entscheidungsprozesse: Österreich hat zu wenig technologisch gebildete Arbeitskräfte. Und es werden gigantische Ressourcen verschleudert, wie Bildungsexperten bei einer Diskussion von „Wiener Zeitung" und „Management Club" im Frühjahr 2003 feststellten: Jeder 3. Arbeitnehmer treffe eine falsche Berufsentscheidung. Das ließe sich aus einer Umfrage des Instituts Dr. Brunmayr hochrechnen. „Falsch" bedeute, dass jemand seinen Neigungen und Interessen nicht folge oder diese nicht mit einem geeigneten Beruf kombinieren könne. Und das verursacht laut Personalberater Othmar Hill einen volkswirtschaftlichen Schaden in Höhe von geschätzten 10 Mrd. Euro pro Jahr. So hoch sei der finanzielle Unterschied quer durch alle Berufs- und Bildungsgruppen zwischen der Leistungskraft von Best- und Mindestleistern.

Derzeit würden Berufsentscheidungen vor allem durch die Familie beeinflusst – an vorderster Stelle durch die Eltern (40 Prozent), durch Vorbilder (28 Prozent), Freunde (20 Prozent) und nur zu 12 Prozent durch professionelle Berufs- und Schulberater. Nach Ansicht der Bildungsexperten ein ziemlich riskantes Vorgehen, wenn es um so weit reichende Entscheidungen wie die berufliche Zukunft geht. Allerdings räumte selbst Berufspsychologe Othmar Hill ein, dass ihm die Berufsberaterin in seiner Jugend dringend vom Psychologiestudium abgeraten hatte ... Intuition und eine gewisse Durchsetzungskraft bei sehr konkreten eigenen Vorstellungen sind also auch durch die professionellste Berufsberatung nicht zu ersetzen.

Info-Tipp: Das Arbeitsmarktservice bietet auf seiner Homepage eine mit dem Personalberater und Berufspsychologen Othmar Hill entworfene, kostenlose Orientierungshilfe für die Berufswahl an: www.berufskompass.at.

Welche Bedeutung haben Ausbildung und Qualifikation für die Wirtschaft?

Gut ausgebildete, interessierte Menschen sind ein wichtiger Wirtschaftsfaktor.

Zum einen gesamtwirtschaftlich, weil höherwertige Produkte produziert und exportiert werden können und in solchen Jobs höhere Löhne gezahlt werden. Und das ist wiederum für die Wohlstandsentwicklung und die Finanzierung des Sozialsystems, vor allem der Pensionen, von großer Bedeutung.

Zum anderen, weil eine hohe Qualität der Arbeitskräfte oft auch Direktinvestitionen von ausländischen Betrieben anzieht. So kommt es nicht von ungefähr, dass Staaten heute nicht nur nach wirtschaftlichen Erfolgskriterien gemessen werden, sondern auch nach dem Wissens- und Ausbildungsstand ihrer Bevölkerung. Qualifizierte Arbeitskräfte bedeuten auch für die Unternehmen einen echten wirtschaftlichen Vorteil: Sie verursachen geringere Einschulungskosten und Fehlerquoten, sind flexibler einsetzbar und schaffen durch Erfindungsgeist und Intelligenz oft einen zusätzlichen Wert für ihre Arbeitgeber. Deshalb ist es kein Zufall, dass gerade jene Länder heute zu den Erfolgreichsten innerhalb der EU zählen, die einen hohen Grad an Beschäftigten in Forschungs- und Wissensbereichen aufweisen.

Arbeiten in der Wissensgesellschaft

Von je 100 Beschäftigten arbeiten in forschungsintensiven Industrie- oder wissensintensiven Dienstleistungsbereichen in ...

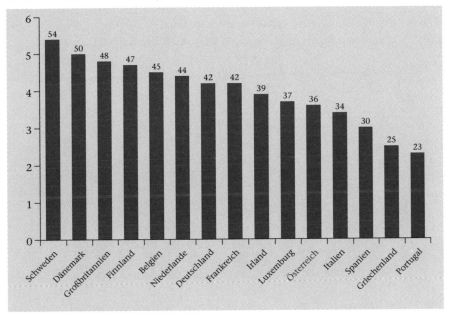

Quelle: Eurostat, Stand 2001; OÖN

Inwiefern ist das heimische Ausbildungssystem verbesserungswürdig?

Ein hoher Wissens- und Ausbildungsstand bildet die Basis eines modernen Industriestaats. Daher wird in Österreich fast ein Fünftel der Budgetausgaben für Forschung und Entwicklung (F&E), für Unterricht und Bildung bereitgestellt, um im internationalen Wettbewerb bestehen zu können. Aber offenbar ist das zu wenig oder es wird nicht zielgerecht eingesetzt. Denn nach einer im Mai 2003 präsentierten Untersuchung des Wirtschaftsforschungsinstituts (WIFO) weist Österreich einige Defizite in der Ausbildung auf.

Eines der wichtigsten: die mangelnde Hochschulausbildung, besonders in techniknahen Studienfächern. Österreich liegt bei ingenieur- und naturwissenschaftlichen Hochschulabsolventen im unteren Mittelfeld. Nur 7 von tausend Personen kommen aus diesem zukunftsträchtigen Bereich, der EU-Durchschnitt liegt bei 9,5, während die fünf Top-Länder in der EU auf 17,3 kommen. Auch wenn die HTL-Absolventen in Österreich dazuge-

113

zählt werden, erhöht sich der Anteil nur auf 12 von tausend Personen. Konsequenz: Der steigende Bedarf der Wirtschaft in diesen Bereichen dürfte nicht gedeckt werden.

Absolventen in Naturwissenschaften und Technik
pro 1.000 Bevölkerung im Alter zwischen 20 und 29 Jahren, 2001

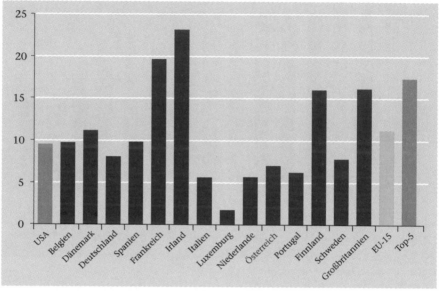

Quelle: Eurostat, Strukturindikatoren

Auch die betrieblichen Weiterbildungsaktivitäten (also der Anteil der weiterbildenden Unternehmen und der Anteil der Teilnehmer an Weiterbildungskursen) fallen im europäischen Vergleich nur durchschnittlich aus. Während die Teilnahme an Weiterbildungsmaßnahmen hierzulande seit 1998 stagniert, hat sie beispielsweise in Großbritannien und den Niederlanden kräftig zugenommen. Das WIFO räumt allerdings ein, dass Vergleiche hier mit Vorsicht zu genießen seien: In Ländern, in denen es im Gegensatz zu Österreich kein duales Berufsausbildungssystem gebe, sei die Bereitschaft zur Weiterbildung naturgemäß höher.

Teilnehmer an Weiterbildungsmaßnahmen
bezogen auf die Bevölkerung in Prozent

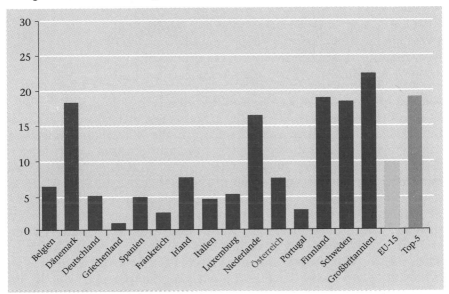

Quelle: Eurostat, Strukturindikatoren

Aufholbedarf herrscht vor allem bei den österreichischen Frauen: Sie haben zwar im Bildungsbereich laut einer Studie des Bildungs- und Sozialministeriums („Geschlechterspezifische Disparitäten") stark aufgeholt: In der AHS war vor 30 Jahren gut ein Drittel der Schüler weiblich, 2000/01 bereits mehr als die Hälfte. Und auch die Akademikerquote ist bei den Frauen in den letzten 30 Jahren von 1 auf 4 Prozent gestiegen (bei den Männern von 4 auf 6 Prozent). Im Europa-Vergleich liegen die österreichischen Frauen aber im Bildungsbereich laut Eurostat unter dem EU-Schnitt.

Um die Ausbildungsdefizite sowohl bei Männern als auch bei Frauen auszugleichen, schlägt das WIFO unter anderem vor,

- individuelle Lernkonten durch staatliche Zuschüsse für Weiterbildungsmaßnahmen zu forcieren;
- die steuerlichen Anreize für berufliche Weiterbildung zu verbessern;
- Freistellungsansprüche für Weiterbildung im betrieblichen Interesse zu vereinbaren und
- die Anerkennung von Weiterbildungszertifikaten zu fördern.

Außenhandel

• Warum gibt es so viel internationalen Handel?
• Wie hat sich der internationale Handel entwickelt?
• Wer gibt das Tempo und die Regeln im weltweiten Handel vor?
• Wie mächtig ist die Handelsmacht USA tatsächlich?
• Welche Rolle spielen Importe und Exporte in Österreich?

Warum gibt es so viel internationalen Handel?

Es stimmt: Österreich ist ein vergleichsweise gesegnetes Land. Obst, Gemüse, Milch und Fleisch gibt es mehr, als die Bevölkerung verzehren kann. Auch für den Bau von Häusern, Wohnungen und Einrichtungen gibt es vor Ort Material und Menschen, die es verarbeiten können. Und selbst der weltweit so heftig begehrte Rohstoff „Öl" sprudelt aus heimischen Quellen und würde unsere Autos und Maschinen auf Trab halten – wenn auch nur kurz, denn die Vorräte auf österreichischem Boden decken nur einen winzigen Teil des gesamten Bedarfs. Und wenn wir uns erst einmal ein paar Wochen lang ausschließlich von heimischen Produkten ernährt hätten, würden wir uns wohl rasch nach etwas Abwechslung in Form von Orangen oder Bananen sehnen. Ganz zu schweigen von der allmorgendlichen Tasse Kaffee, die nun durch warme Milch ersetzt wäre, weil auf unserem Boden nun einmal keine Kaffeebohnen wachsen wollen. Natürlich ginge es im Notfall eine Weile ohne die meisten Importartikel, aber zum einen haben wir uns an einen gewissen Lebensstandard gewöhnt, zum anderen gibt es unter den importierten Gütern etliche, die wir dringend benötigen und selbst nicht in ausreichendem Maße haben, wie eben Erdöl oder andere Bodenschätze.

Umgekehrt gibt es Länder, die aufgrund geografischer, klimatischer oder anderer Gründe bestimmte Güter und Waren nicht selbst herstellen können und sie deshalb von uns beziehen.

Daneben gibt es aber noch eine weitere Erklärung für den weltweiten Warenaustausch, die von Volkswirtschaftlern unter dem Begriff der „komparativen Kostenvorteile" zusammengefasst wird. Gemeint ist damit, dass ein Land bestimmte Produkte besonders kostengünstig herstellen kann, sei es, weil es über die entsprechenden Rohstoffe vor Ort verfügt oder weil es im Laufe der Zeit eine gewisse Spezialisierung auf eine Produktsparte, auf bestimmte Tätigkeiten usw. herausgebildet hat. So gesehen funktioniert die Welt nicht viel anders als ein kleines Dorf: Der eine steuert den Weizen bei, ein anderer hat eine besonders geschickte Methode entwickelt, um daraus Mehl zu machen, und der Dritte versteht sich wie kein anderer darauf, daraus köstliches Brot zu backen – alles zusammen ergibt die Basis der modernen Arbeitsteilung, die sich dank der Fortschritte im Transport- und Kommunikationswesen heute über die ganze Erdkugel erstreckt.

Der Vorteil der globalen Arbeitsteilung: Jedes Land erzeugt, was es am besten kann, wofür es die Produktionsanlagen, ausreichend Energie, die Rohstoffe, das richtige Klima, das Know-how, die geeigneten Arbeitskräfte hat. Aus den Erlösen, die es für seine Produkte und Leistungen erzielt, kann es dann die Güter finanzieren, die von anderen besser, rascher oder effizienter hergestellt werden können. Der Vorteil der internationalen Arbeitsteilung für den Einzelnen: Die Produktvielfalt wird größer und die Preise sind niedriger, weil in größeren Mengen produziert werden kann.

Wie hat sich der internationale Handel entwickelt?

Warenaustausch zwischen Ländern und Regionen gibt es seit Menschengedenken. Der moderne Welthandel mit internationaler Arbeitsteilung entwickelte sich aber erst im 19. Jahrhundert. Ausschlaggebend waren vor allem das Bevölkerungswachstum und die von Großbritannien ausgehende Industrialisierung. So kam es auch nicht von ungefähr, dass die Briten damals den Welthandel dominierten, bis sie zu Beginn des 20. Jahrhunderts allmählich von den USA als weltweiter Handelsmacht abgelöst wurden (siehe die Grafik „Entwicklung des Welthandelsvolumens" auf Seite 21).

Durch die zwei Weltkriege erlitt der Welthandel einen deutlichen Rückschlag. Bereits im Jahr 1948 einigten sich aber 23 Länder (darunter Österreich) im Rahmen des Allgemeinen Zoll- und Handelsabkommens GATT auf die Liberalisierung und Förderung des Welthandels durch gegenseitigen Abbau von Handelshemmnissen. In der Folge bildeten sich immer mehr Wirtschaftsblöcke, wie etwa der Europäische Wirtschaftsraum oder das amerikanische Pendant NAFTA, die sich den Freihandel zum Ziel setzten.

Tatsächlich ist das Volumen des Welthandels zwischen 1950 und 2000 um mehr als das 103-fache angestiegen. Und damit ist noch lange nicht das Ende der Fahnenstange erreicht: In vielen Industrieländern und in den mittel- und osteuropäischen Ländern stehen zahlreiche Liberalisierungsschritte erst bevor. Dazu kommt die Ausdehnung des internationalen Handels auf öffentliche Dienste (GATS), durch die der weltweite Handel weitere Impulse erhalten wird.

Wer gibt das Tempo und die Regeln im weltweiten Handel vor?

Wenn es ums Geld geht, hört sich die Freundschaft auf. Das haben zahlreiche Kriege ehemals verbündeter Länder hinlänglich bewiesen. Darum sollten nach den Weltkriegen neben dem GATT eine Reihe von internationalen Organisationen wie der Internationale Währungsfonds (IWF), die Weltbank oder die Organisation für wirtschaftliche Zusammenarbeit (OECD) den Welthandel nicht nur fördern, sondern faire Spielregeln gewährleisten. Mit der Gründung der Welthandelsorganisation (WTO) im Jahr 1995 wurde schließlich eine rechtsfähige internationale Institution für den weltweiten Handel geschaffen. Die WTO-Vereinbarungen werden bei den mindestens alle zwei Jahre stattfindenden Ministerkonferenzen gefasst und stellen rechtliche Grundsätze für den internationalen Handel unter den 146 Mitgliedstaaten dar.

Schrittmacher bei den WTO-Konferenzen sind oft die USA, die nun schon fast ein Jahrhundert lang den weltweiten Handel dominieren: Mit Importen in Höhe von 1.180 Mrd. Dollar und Exporten von 731 Mrd. Dollar im Jahr 2001 sind sie die unangefochtene Nummer eins vor Deutschland und Japan. Grund genug, um immer wieder einmal Druck auf die „Festung Europa" zu machen. Zuletzt beispielsweise in Sachen Agrarpolitik, wo die USA die EU zu einem raschen Abbau der Agrarsubventionen aufgefordert haben. Dies sei wesentlich für den Erfolg der nächsten Liberalisierungsrunde der WTO, winkte der US-Handelsbeauftragte Robert Zoellick mit dem Zaunpfahl. Die im Sommer 2003 beschlossene EU-Agrarreform wird denn auch als teilweises Zugeständnis an die US-Forderungen gesehen.

Wie mächtig ist die Handelsmacht USA tatsächlich?

Nicht so mächtig, wie es auf den ersten Blick scheint, meint die US-Ökonomin Esther Brimmer, Forschungsdirektorin am Zentrum für transatlantische Studien der Johns Hopkins University. Nachdem es im Zuge des Irak-Kriegs zunächst zu heftigen Spannungen zwischen den USA und einigen europäischen Staaten gekommen war – die sich später wieder legten –, schien für viele bereits das Ende der engen transatlantischen Beziehungen nahe. Die USA würden zunehmend auf den Alleingang setzen, auch den wirtschaftlichen, und könnten sich das weit eher leisten als die Europäische Union und ihre Mitgliedstaaten, meinten Beobachter diesseits und jenseits des Atlantiks. Wirtschaftsforscherin Brimmer sieht das in einem Interview („Standard", 19. April 2003) anders. Dazu sei die US-Wirtschaft viel zu sehr an Europa gebunden. Der Außenhandel mache zwar nur 20 Prozent aus. Oft würde aber übersehen, dass 80 Prozent der amerikanischen Direktinvestitionen in Europa getätigt würden. Amerikanische Firmen würden ihre Güter und Warenleistungen lieber durch ihre ausländischen Tochtergesellschaften verkaufen, als sie direkt zu exportieren. Allein im Jahr 2000 hätten die Verkäufe über die Tochtergesellschaften 2,9 Billionen Dollar (im Originalton: 2,9 trillion dollars, das sind 2.900 Milliarden!) ausgemacht.

Doch auch die EU „kann" nicht ohne den starken Partner im Westen: Mit Ausfuhren von rund 240 Mrd. Euro (2001) stellen die USA den weitaus wichtigsten Absatzmarkt für die EU-Länder dar. Mit seinem großen, kaufkräftigen Binnenmarkt gilt Nordamerika daher als die weltweite Konjunkturlokomotive schlechthin: Wenn dort die Maschine stottert, bekommt das auch der Rest der Welt zu spüren.

Info-Tipp: Mehr zu den transatlantischen Handels- und Wirtschaftsbeziehungen und den Erkenntnissen von Esther Brimmer findet sich auf der Website www.sais-jhu.edu.

Welche Rolle spielen Importe und Exporte in Österreich?

Gerade kleine Länder wie Österreich sind in hohem Maß vom Außenhandel abhängig. Denn für sie stellen Importe eine wichtige Versorgungsquelle dar. Damit die Einfuhren auch bezahlt werden können, muss wiederum viel exportiert werden.

Wie sich die Warenexporte entwickeln, das wird zu einem Gutteil von der internationalen Konjunktur, vor allem von der Nachfrage auf den wichtigsten Absatzmärkten (Deutschland, Italien, Osteuropa) sowie der Wettbewerbsfähigkeit der österreichischen Exportwirtschaft bestimmt.

Wie sich die Warenimporte entwickeln, das hängt wiederum von der Binnenkonjunktur ab, also einerseits vom privaten Konsum der Österreicher und andererseits von der Nachfrage importintensiver Branchen und Unternehmen. Auch der Fremdenverkehr, über den Devisen zur Finanzierung von Importen ins Land kommen, wird unter anderem durch die Konjunktur im Ausland (aus österreichischer Sicht insbesondere in Deutschland, aus dem der überwiegende Teil der heimischen Touristen kommt) bzw. im Inland beeinflusst.

Dank boomendem Tourismus und dank seiner Ostorientierung liegt Österreich entgegen dem internationalen Trend im Außenhandel gut im Rennen. Im Jahr 2002 konnte das Exportvolumen um mehr als 4 Prozent gesteigert werden, während es im EU-Durchschnitt um 1 Prozent zurückging. Die Exporte hätten damit verhindert, dass Österreich in eine Rezession verfallen sei, meint Wirtschaftskammer-Präsident Christoph Leitl. Wie wichtig Exporte seien, zeige die Tatsache, dass jeder Prozentpunkt mehr Exportwachstum das Bruttoinlandsprodukt um etwa 0,5 Prozent erhöhe und 7.000 Arbeitsplätze schaffe. Schon heute würde eine Million Arbeitsplätze in Österreich direkt durch den Export gesichert.

2002 wies die Handelsbilanz – also die Gegenüberstellung von Einfuhren und Ausfuhren – erstmals auch seit Bestehen der Zweiten Republik einen Überschuss auf. Das heißt, es wurde mehr exportiert als importiert. Die Exporte wuchsen 2002 um 4,2 Prozent, die Importe gingen wegen der schwachen Konsumnachfrage und der rückläufigen Investitionen in Anlagen um 2,2 Prozent zurück. Um der in weiten Teilen Europas und in den USA stagnierenden Wirtschaft „davonzuwachsen", hat die österreichische Bundesregierung im September 2003 eine Exportoffensive angekündigt. Rund 50 Mio. Euro sollen die Exportquote von derzeit 36 Prozent des Bruttoinlandsprodukts bis 2007 auf 40 Prozent erhöhen. Ein Schwerpunkt der Exportoffensive soll auf den mittel- und osteuropäischen Ländern (MOEL) liegen, in die schon derzeit der Großteil der österreichischen Direktinvestitionen fließt. Außerdem sollen vor allem Mittelbetriebe unterstützt und „Erstimporteure" gefördert werden. Denn wie Wirtschaftskammerpräsident Leitl anmerkt, sind von den 300.000 Unternehmen in der Wirtschaftskammer erst 5 Prozent im Export tätig. Diese Zahl soll bis 2007 auf 30.000 verdoppelt werden.

Die meistexportierten Waren

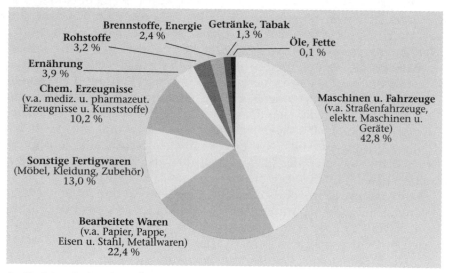

Quelle: Wirtschaftskammer Österreich

Die positive Entwicklung der Ausfuhren ist umso erfreulicher, als die Exporteure neben der flauen Wirtschaftslage noch eine weitere Hürde zu bewältigen hatten: Der Euro hat gegenüber dem Dollar an Stärke zugelegt – eine für Exporteure unerfreuliche Entwicklung, weil damit ihre Produkte im Ausland teurer werden. Ein Grund dafür, dass sich der harte Euro nicht so sehr auf die Exportquote niederschlug, liegt darin, dass 60 Prozent der heimischen Exporte in den EU-Raum gehen, mehr als 17 Prozent bereits nach Ost- und Südosteuropa (mit stark steigender Tendenz) und nur rund 15 Prozent in Dollar-dominierte Regionen wie Asien und Nordamerika.

Wichtigster Handelspartner Österreichs ist seit Jahrzehnten unverändert Deutschland: Ein Drittel der heimischen Exporte ging 2002 zu unserem engsten Handelspartner, und wir beziehen auch einen Großteil unserer Importe von dort: Rund 40 Prozent der gesamten heimischen Einfuhren sind „Made in Germany". An zweiter Stelle der österreichischen Exportmärkte liegt – ebenfalls seit Jahren – Italien und an dritter Stelle die Schweiz. Neben den USA hat sich China als zweitwichtigster Exportmarkt in Übersee für Österreich entwickelt. 2002 legten die Ausfuhren dorthin um fast 38 Prozent zu.

Die wichtigsten Handelspartner 2002

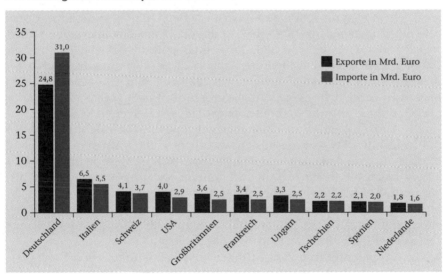

Quelle: Wirtschaftskammer Österreich

Banken

- Welche Aufgaben haben Kreditinstitute?
- Was passiert mit dem Geld auf Konten und Sparbüchern?
- Was passiert, wenn eine Bank Pleite geht?
- Müssen alle Banken alle Leistungen anbieten?
- Worin unterscheiden sich die verschiedenen Bankinstitute?
- Inwiefern hat sich der Bankensektor in den vergangenen Jahrzehnten verändert?
- Wie wirken sich die Erfolge in Osteuropa und die Konjunkturschwäche aus?

Welche Aufgaben haben Kreditinstitute?

An Banken führt heute praktisch für niemanden mehr ein Weg vorbei: Berufstätige erhalten ihre Löhne und Gehälter auf ihr Konto überwiesen, Pensionisten beziehen ihre Rente über die Bank, und selbst Kinder und Jugendliche haben oft schon einen persönlichen Draht zu einem Bankinstitut – sei es über ein Jugendkonto, auf das die Eltern das Taschengeld überweisen, oder über ein Sparbuch, das von Oma und Opa bei der Geburt eröffnet wurde. Die Kreditinstitute haben sich immer unentbehrlicher gemacht – zunächst fast kostenlos, wie etwa mit den Girokonten, die zu Beginn unentgeltlich eingerichtet wurden, und nun gegen immer kräftigere Gebühren, wie die Verbraucherschützer seit längerem kritisieren.

Die Banken begründen die wachsende Spesenbelastung ihrer Kunden mit steigenden Verwaltungskosten und nicht zuletzt mit dem Argument, dass sie als erste Anlaufstelle bei Geld- und Anlagefragen dienen. Tatsächlich mussten die Kreditinstitute mit zunehmendem Wohlstand der privaten Haushalte in den vergangenen Jahrzehnten ihre Dienstleistungsfunktionen deutlich ausbauen: Beratung und Service im Spar- und Wertpapierbereich zählen heute ganz selbstverständlich zum üblichen Leistungspaket.

In erster Linie sind die Aufgaben der Banken aber

- die **Entgegennahme von Einlagen** (also das Sammeln von Geld),
- die **Vergabe von Krediten**,
- die **Abwicklung des Zahlungsverkehrs** (also Überweisungen, Daueraufträge usw.),
- die **Abwicklung des Wertpapiergeschäfts** (also sämtliche Tätigkeiten, die im Zusammenhang mit dem An- und Verkauf von Wertpapieren anfallen, vor allem für Privatpersonen, die ja nicht direkt an der Börse handeln können und daher Banken als Vermittler brauchen; die Verwahrung und Verwaltung von Aktien und Anleihen, die Betreuung von Unternehmen, die an die Börse gehen, usw.).

Was passiert mit dem Geld auf Konten und Sparbüchern?

Die wichtigste Aufgabe der Banken ist zweifelsohne das Sammeln und Verteilen von Geld. Die Banken sind gewissermaßen die Drehscheibe zwischen Geldgebern und Geldnehmern. Als Geldgeber und somit Gläubiger fungieren private Haushalte ebenso wie die öffentliche Hand und Unternehmen, wobei die Privaten den größten Anteil der Einlagen beisteuern, während die Unternehmen den weitaus größeren Teil an Kreditnehmern stellen. Die privaten Anleger und Sparer borgen also auf dem Umweg über die Bank den Betrieben Geld für den Auf- und Ausbau ihrer Geschäfte. Im Endeffekt dienen die vielen zusammengelegten Spargroschen somit dazu, Löhne zu bezahlen, Arbeitsplätze mit Computern auszustatten oder neue Firmen zu gründen. Aber nicht nur Unternehmen müssen sich Geld ausleihen: Auch Privatpersonen brauchen oft auf die Schnelle größere Beträge, sei es zum Wohnungskauf, zum Hausbau, zur Finanzierung eines Autos oder einer Kücheneinrichtung. So wie bei den Unternehmenskrediten fließt auch hier das Geld direkt in die Wirtschaft: in die Löhne der Bauarbeiter, in die Provisionen der Autohändler, in die Kassen der Baustoffhändler, der Autohäuser und Möbelgeschäfte.

Die Rolle der Banken wiederum besteht darin, das Geldangebot der Sparer mit der Kreditnachfrage zu bündeln. Die Bank verdient an diesem Geschäft, indem sie für Kredite deutlich höhere Zinsen verrechnet, als sie den Sparern für ihre Einlagen gutschreibt. Beim Zahlungsverkehr und bei den Wertpapiergeschäften müssen die Dienste der Banken über Spesen und Gebühren bezahlt werden.

Was passiert, wenn eine Bank Pleite geht?

Einlagen sind die wichtigste Finanzierungsquelle für Kreditinstitute. Da aber wohl kaum jemand sein Geld auf die Bank tragen würde, wenn es dort nicht sicher wäre, gibt es eine Reihe von Sicherungsmaßnahmen. Sie sollen dafür sorgen, dass die Gläubiger der Banken (also die Kontoinhaber und Anleger) jederzeit über ihr Geld verfügen können.

So ist etwa das Betreiben von Bankgeschäften an eine staatliche Konzession gebunden. Sie wurde früher in Österreich vom Finanzministerium erteilt, heute ist dafür die im Jahr 2002 gegründete Finanzmarktaufsicht (FMA) zuständig. Banken und andere Finanzdienstleister, die bereits in einem anderen EU-Land zugelassen sind, dürfen aufgrund der EU-weiten Niederlassungsfreiheit auch ohne neuerliche staatliche Bewilligung in Österreich tätig werden.

Weiters gibt es im Bankwesengesetz – dem maßgeblichen Regelungswerk für österreichische Kreditinstitute – zahlreiche Bestimmungen, die die Sicherheit der den Banken anvertrauten Gelder gewährleisten, wie etwa Vorgaben über ausreichende Eigenmittel oder über das Kreditgeschäft. Unter anderem dürfen Kreditinstitute einen bestimmten Prozentsatz der Einlagen nicht weiterverleihen, um so liquide zu bleiben und Einlagen bei Bedarf jederzeit wieder auszahlen zu können.

Und schließlich gibt es Einlagensicherungsrichtlinien. Es passiert zwar selten, aber doch: Seit dem 2. Weltkrieg sind immerhin acht österreichische Banken Pleite gegangen, wie etwa die Bank für Handel und Industrie in Graz oder die Trigon Bank. Damit vor allem kleinere Sparer und Girokontenbesitzer in so einem Fall nicht gänzlich um ihr Geld kommen, sind ihre Guthaben bis 20.000 Euro gesichert, weil alle Kreditinstitute in Österreich, aber auch im EU-Raum einer Einlagensicherungsgesellschaft angehören müssen. Die Sicherung gilt allerdings nur für Euro-Einlagen, Spareinlagen in anderen Währungen sind nicht gedeckt.

Müssen alle Banken alle Leistungen anbieten?

An der Spitze der heimischen Banken steht die Oesterreichische Nationalbank (OeNB). Sie ist nicht nur zuständig für die Umsetzung der von der Europäischen Zentralbank festgelegten Geldpolitik, sondern auch für die Versorgung der österreichischen Banken mit Geld. Die Kreditinstitute decken dort ihren Bargeldbedarf und können sich bei der OeNB auch Geld in Form von Krediten ausborgen.

Die Banken selbst unterteilen sich in Universalbanken und Spezialbanken.

■ **Universalbanken** betreiben alle gängigen Bankgeschäfte. Sie führen Konten, vergeben Kredite, wickeln Börsengeschäfte ab, helfen bei der Vermögensveranlagung usw. In Österreich zählt dazu die Mehrzahl der großen Institute wie BA-CA, Erste, BAWAG/P.S.K. usw., aber auch die Sparkassen, die Volks- und Raiffeisenbanken und die Landes-Hypothekenbanken.

■ **Spezialbanken** betreiben nur bestimmte Bankgeschäfte, auf die sie sich spezialisiert haben. Dazu zählen beispielsweise

 • Bausparkassen – zur Finanzierung von Wohnraumschaffung;

 • Kapitalanlagegesellschaften (KAG) – zur Verwaltung von Investmentfonds;

 • Kreditkartengesellschaften – zur Verwaltung des Plastikgeld-Zahlungsverkehrs;

 • die Österreichische Kontrollbank – zur Finanzierung und Haftungsübernahme von Exportgeschäften.

Je nach selbst gesetztem Aufgabenbereich können sich Banken also an eine bestimmte Klientel wenden. Sie müssen auch keineswegs allen Kunden ihre Pforten öffnen. So setzen beispielsweise kleinere Bankhäuser oft bestimmte Mindestanlagesummen fest. Damit wird von vornherein die Sparer-Streu vom Anleger-Weizen getrennt. Aber auch große Universalbanken können unliebsame Kunden mehr oder weniger höflich hinauskomplimentieren: etwa wenn jemand auf der Schwarzen Liste der Schuldner steht. Dann gibt es keinen Kredit, ja nicht einmal mehr ein Girokonto – eine fatale Sackgasse, denn oft ist ein Konto unerlässlich, um überhaupt einen neuen Job antreten zu können.

Worin unterscheiden sich die verschiedenen Bankinstitute?

Bei der Struktur des Bankensektors werden drei Formen unterschieden:

- **Einstufiger Sektor:** Darunter fallen
  - Aktienbanken und Bankiers, wie etwa die Schoellerbank oder auch die Creditanstalt vor ihrer Fusion mit der klassischen Sparkasse Bank Austria, die vor allem große Industrievorhaben und Exportgeschäfte der österreichischen Wirtschaft finanzieren;
  - Hypothekenbanken, wie die Landeshypothekenbanken, die Hypothekar- und Kommunaldarlehen gewähren sowie Pfand- und Kommunalbriefe ausgeben;
  - Bausparkassen (S-Bausparkasse, Wüstenrot, LBA LandesBausparkasse, Allgemeine Bausparkasse und Raiffeisen Bausparkasse);
  - Sonderbanken, wie etwa die Kommunalkredit AG, die Oesterreichische Kontrollbank, Kreditkarten- und Leasinggesellschaften, aber auch die P.S.K. Sonderbanken haben nur eine eingeschränkte Konzession und sind somit – mit Ausnahme der P.S.K. – nicht befugt, Einlagen anzunehmen. Sie spezialisieren sich auf bestimmte Bereiche, wie mittel- oder langfristige Investitionskredite, die Verwaltung von Investmentfonds usw. (siehe auch weiter oben unter „Spezialbanken").

- **Mehrstufiger Sektor:** Darunter versteht man einen zwei- oder dreistufigen Aufbau – an der Spitze steht das jeweilige Zentralinstitut, das für die angeschlossenen Institute Koordinierungs- und Ausgleichsfunktionen wahrnimmt. Dazu zählen
  - Sparkassen mit dem Spitzeninstitut Erste Bank; ihr Schwerpunkt liegt im Sammeln von Spareinlagen, in der Gewährung von Darlehen an Industrie, Handel und Gewerbe und in der Bereitstellung von Geldern für den Wohnbau;
  - Volksbanken – so wie Sparkassen zweistufig aufgebaut – mit dem Spitzeninstitut Österreichische Volksbanken AG (ÖVAG), auch als Kreditgenossenschaften bezeichnet. Hier steht wie in der Anfangsphase dieses Sektors die Kreditversorgung des Handels und der Gewerbetreibenden im Mittelpunkt;

- Raiffeisenbanken – ebenfalls genossenschaftlich organisiert, aber mit dreistufigem Aufbau. Die Gelder fließen hier von den einzelnen Raiffeisenbanken zu den Raiffeisen-Landesbanken und von dort zum Spitzeninstitut Raiffeisen Zentralbank Österreich. Der Schwerpunkt der Tätigkeit lag ursprünglich in der Finanzierung der ländlichen Betriebe. Heute werden allerdings bereits deutlich mehr Kredite an Industrie und Gewerbe vergeben als an die Landwirtschaft.

Die historischen Unterschiede und Eigenheiten der verschiedenen Kreditinstitutstypen haben sich in den vergangenen Jahrzehnten immer mehr verwischt. Die Entwicklung ging eindeutig in Richtung Universalbanken, die eine umfassende Palette an Bankdienstleistungen anbieten. Es ist aber durchaus möglich, dass sich in Zukunft wieder eine stärkere Spezialisierung entwickeln wird und nicht mehr alle alles und überall anbieten werden. So haben beispielsweise deutsche Großbanken bereits angekündigt, sich aus dem Bereich „Klein- und Mittelbetriebe" mehr und mehr zurückzuziehen.

Dem durchschnittlichen Bankkunden sind üblicherweise nur die zehn bis 20 größten Kreditinstitute in Österreich namentlich bekannt. Tatsächlich sind in Österreich rund 900 Banken angesiedelt. Den Großteil davon machen zwar die jeweils eigenständigen Raiffeisen-Institute aus, aber daneben besteht immer noch eine ganze Reihe von kleineren, der breiten Öffentlichkeit nahezu unbekannten Kreditinstituten, darunter so elitäre Institute wie die Privatbank Sal. Oppenheim, die sich vornehmlich auf vermögende Klientel konzentriert, aber auch geheimnisumwitterte Einrichtungen wie die nordkoreanische Golden Star Bank, von der nicht einmal die Finanzmarktaufsicht so recht weiß, welche Geschäfte sie tätigt.

Die größten Banken weltweit und in Österreich

Top 15 der Welt			Top 15 in Österreich		
Rang welt- weit*	Bank	Land	Rang welt- weit*	Rang in Österr.*	Bank
1.	Citigroup	USA	88	1.	BA-CA**
2.	Bank of America	USA	100	2.	Erste Bank
3.	HSBC	Großbritannien	171	3.	Raiffeisen Zentralbank
4.	Crédit Agricole	Frankreich	209	4.	BAWAG/P.S.K.
5.	J.P. Morgan Chase	USA	290	5.	Österr. Volksbanken AG (ÖVAG)
6.	Mizuho	Japan	451	6.	Raiffeisen-LB OÖ
7.	Royal Bank of Scotland	Großbritannien	495	7.	Raiffeisen-LB NÖ-W
8.	Sumitomo Mitsui	Japan	516	8.	Oberbank
9.	Mitshubishi Tokyo	Japan	530	9.	Stmk. Bank und Sparkasse
10.	BNP Paribas	Frankreich	559	10.	Investkredit
11.	Bank One	USA	611	11.	Hypo Tirol
12.	Deutsche Bank	Deutschland	614	12.	Raiffeisen-LB Stmk.
13.	HBOS	Großbritannien	623	13.	Hypo-Alpe-Adria Bank
14.	Barclays Bank	Großbritannien	691	14.	Allgemeine Sparkasse OÖ
15.	Bank of China	China	694	15.	Hypo Vorarlberg

* Reihung nach Kernkapital
** Die BA-CA wird im offiziellen „Banker"-Ranking nicht angeführt, da ihre Werte bereits in denen der deutschen Muttergesellschaft HypoVereinsbank enthalten sind.
Quelle: Financial-Times-Fachmagazin „The Banker", 2003

Inwiefern hat sich der Bankensektor in den vergangenen Jahrzehnten verändert?

In den vergangenen Jahrzehnten wurde der österreichische Bankensektor stark umstrukturiert. Im Zuge der Liberalisierung wurden Zugangsbeschränkungen aufgehoben und der freie Wettbewerb zwischen den einzelnen Institutstypen wurde gefördert. Im Gegensatz zu vielen anderen Ländern ging der Reformprozess in Österreich ohne ernsthaftere Finanzkrisen über die Bühne.

Nach außen hin machten sich die großen Umstrukturierungen in erster Linie durch Aufsehen erregende Fusionen bemerkbar. Seit 1992 schloss sich eine ganze Reihe von österreichischen Großbanken, aber auch von kleineren Raiffeisenbanken oder Sparkassen zusammen oder ging in einem anderen Institut auf. Seit damals hat sich die Zahl der Banken (also der eigenständigen Bankinstitute, Filialen noch nicht mitgezählt!) um 200 verringert.

Für die Kunden war der Konzentrationsprozess im Bankenbereich vor allem durch die abnehmende Zahl an Bankstellen spürbar. Zwischen 1992 und 2002 wurden österreichweit 329 Hauptstellen und Filialen geschlossen. Trotzdem hat Österreich mit rund 5.400 Bankstellen im internationalen Vergleich noch immer eine sehr hohe Filialdichte: Eine Filiale bedient im Schnitt rund 1.500 Einwohner; vor zehn Jahren waren es noch um circa 100 Personen pro Bank weniger.

Für die Mitarbeiter der Banken gingen die Fusionen ohne große Kündigungswellen vonstatten. Seit 1992, wo mit über 77.000 Bankmitarbeitern der Höchststand erreicht wurde, hat sich ihre Zahl bis Ende 1992 nur um 1,8 Prozent (das sind 1.350 Mitarbeiter) verringert. Statt Kündigungen wurde die Zahl der Mitarbeiter eher durch natürlichen Abgang wie Pensionierung oder Jobwechsel abgebaut. Der relativ geringe Rückgang hängt unter anderem damit zusammen, dass die Kreditinstitute ihre Tätigkeitsfelder erweitert haben und sich der Beratungsaufwand für die verschiedensten Formen der Geldanlage erhöht hat. Gleichzeitig gab es umfangreiche Expansionen in andere Länder, vor allem in Richtung Osten, die qualifizierte Beschäftigte im Stammland voraussetzten.

Zusammenschlüsse im Bankenbereich seit 1990

1990	Zentralsparkasse und Länderbank fusionieren zur Bank Austria
1992	Girozentrale und ÖCI fusionieren zur GiroCredit
1994	Bayerische Landesbank beteiligt sich an der BAWAG
1996	Deutsche Genossenschaftsbank beteiligt sich an der Österreichischen Volksbanken AG (ÖVAG)
1997	Bank Austria erwirbt Aktienmehrheit an der Creditanstalt
	P.S.K. wird in eine Aktiengesellschaft umgewandelt
	Erste österreichische Spar-Casse und GiroCredit fusionieren zur Erste Bank
1998	Bank Austria Creditanstalt International AG wird gegründet
2000	Integration der Bank Austria in die Bayerische HypoVereinsbank-Gruppe
	BAWAG erwirbt P.S.K.
	Bank Austria Creditanstalt International AG und Bank Austria fusionieren miteinander
2001	Bank Austria und Creditanstalt fusionieren zur Bank Austria Creditanstalt AG (BA-CA)

Am österreichischen Bankenmarkt dominieren nunmehr vier Institutsgruppen: BA-CA, Erste, Raiffeisen und BAWAG/P.S.K. Sie nehmen zusammen rund 50 Prozent des heimischen Kreditmarktes ein, wobei die Erste Bank als zweitgrößtes Institut nur rund die Hälfte des Branchenführers BA-CA erreicht.

Auch wenn die Zusammenschlüsse der Großen am meisten Wirbel

machten, spielte sich der überwiegende Teil der Fusionen bei den kleineren Instituten aus dem zwei- und dreistufigen Sektor ab. Immer mehr Sparkassen-, Raiffeisen- oder Volksbankeninstitute schlossen sich in den vergangenen Jahrzehnten mit einem oder zwei anderen kleinen Instituten ihres Sektors zusammen. Das heißt nicht unbedingt, dass dann jeweils ein oder zwei Banken geschlossen wurden. Vielmehr legten zwei oder mehrere Institute ihre Geschäfte auf dem Papier zusammen, um nicht in allen Bereichen „doppelt zu moppeln" und somit kostensparender wirtschaften zu können.

Fusionen bei Sparkassen, Raiffeisen und Volksbank
(Anzahl der Hauptanstalten)

	1965	2001
Sparkassensektor	173	67
Raiffeisensektor	1.758	617
Volksbankensektor	159	70

Quelle: OeNB

Wie wirken sich die Erfolge in Osteuropa und die Konjunkturschwäche aus?

Die in Europa und den USA seit 2001 anhaltende Konjunkturschwäche mit vielen Firmenpleiten und die Börsenturbulenzen haben sich natürlich auch auf den Bankenbereich ausgewirkt. Vom „schwierigsten Bankenjahr seit Kriegsende" sprach der damalige Chef der bayerischen HypoVereinsbank, Albrecht Schmidt, im November 2002. Insbesondere in Deutschland, aber auch in anderen Ländern sei die Situation für Finanzinstitute derzeit alles andere als erfolgreich. Aber selbst wenn so große Geldhäuser, wie die HypoVereinsbank, wegen tiefroter Zahlen ins Gerede gekommen sind, droht kein Zusammenbruch einzelner Kreditinstitute oder gar weiter Teile der Branche, wie das in den 30er-Jahren des vorigen Jahrhunderts der Fall war. Nicht einmal von einer „Bankenkrise" könne man sprechen, meint unter anderem der deutsche Branchenexperte Wolfgang Gerke von der Universität Nürnberg. Es bestehe zwar eine Ertrags- und Strukturkrise. Ein Kollaps sei aber nicht in Sicht. Sollte ein großes Institut in Schwierigkeiten geraten, würde es sofort Stützungsaktionen durch die anderen Geldinstitute geben, damit nicht die ganze Branche in Mitleidenschaft gezogen werde.

Auch die österreichische Kreditbranche musste im Jahr 2002 erstmals seit langem wieder deutliche Gewinnabschläge in ihren Bilanzen verbuchen. Allerdings waren dem mehrere „fette Jahre" vorausgegangen: So ist

die Bilanzsumme der österreichischen Kreditwirtschaft im gesamten vergangenen Jahrzehnt (1991 bis 2001) laufend stärker gewachsen als das nominelle Bruttoinlandsprodukt. Und im Vergleich mit Deutschland, beispielsweise, hat die österreichische Kreditbranche die Konjunktureinbrü-
che bisher noch immer vergleichsweise gut weggesteckt. Ein Grund dafür
wird darin gesehen, dass Österreichs Banken die Liberalisierung des heimischen Finanzsektors gut und ohne größere Krisen bewältigt haben. Die
Kreditinstitute stehen durchweg solide da und verfolgen eher langfristige
Geschäftsstrategien statt kurzfristiger Gewinnmaximierung. Dadurch lassen sich kurzfristige Finanzschocks leichter abfedern. Besonders gilt das
für die Genossenschaftsbanken und Sparkassen, die im OECD-Vergleich
den höchsten Anteil in Österreich einnehmen.

Ein zweiter Grund: Während sich beispielsweise die deutschen Kreditinstitute vornehmlich darauf konzentriert haben, auf den stark umkämpf-
ten Märkten in den USA und in Europa Marktanteile zu erobern, haben
sich die heimischen Institute erfolgreich eher nach Südosteuropa orientiert. In Polen, Tschechien, der Slowakei, Ungarn und Kroatien haben die
österreichischen Banken eine führende Stellung. Nach einer Studie der
Wirtschaftsuniversität Wien (veröffentlicht im Mai 2003) haben BA-CA,
Erste Bank, Raiffeisen Zentralbank und Österreichische Volksbanken AG
in diesen Ländern mehr als 2.600 Geschäftsstellen mit mehr als 50.000
Mitarbeitern und einer Bilanzsumme von 60 Mrd. Euro, was einem Marktanteil von 13 Prozent entspricht. Auch ein großer Teil des Jahresüber-
schusses – zwischen 16 und 55 Prozent – kommt aus diesen Ländern und
soll weiter wachsen. Nicht in der Studie ist etwa die Hypo Alpe-Adria-Ban-
ken-Gruppe, die in sieben Ländern des Alpe-Adria-Raums auch über 200
Standorte verzeichnet (Stand April 2003) und dort kräftig expandiert. Die
heimischen Banken haben ihre Chancen also ausgezeichnet wahrgenommen.

Da die weltweit größten Banken, wie die Citibank, J.P. Morgan oder die
Deutsche Bank, in Südosteuropa noch eine nur sehr geringe Präsenz haben, wird in Studien aber bereits auf die in Zukunft härtere Konkurrenz
für österreichische Banken in diesem Raum hingewiesen.

Beschäftigung

• Was drückt die Beschäftigungsquote aus?
• Ist Beschäftigung überhaupt ein Thema in der EU?
• Was unternimmt Österreich zur Ankurbelung der Beschäftigung?
• Was sind atypische Beschäftigungen?
• Welche Trends sind für die nächsten Jahre zu erwarten?

Was drückt die Beschäftigungsquote aus?

Die Beschäftigungsquote, oft auch als Erwerbsquote bezeichnet, steht für den Anteil der Erwerbspersonen an der Gesamtbevölkerung. Gezählt werden also alle erwerbsfähigen Männer und Frauen zwischen Schulabschluss und Pensionsantritt (15 bis 64 Jahre). Das heißt: Bei einer Beschäftigungsquote von 68 Prozent haben von 100 Österreichern im erwerbsfähigen Alter 68 Personen tatsächlich einen Job oder suchen Arbeit.

Durch die zunehmende Erwerbstätigkeit der Frauen ist besonders die Beschäftigungsquote der 15- bis 60-jährigen Frauen seit 1970 kontinuierlich gestiegen. 2003 erreichte sie einen Anteil von 60 Prozent, während sie 1970 erst bei 50 Prozent lag. Bei den gleichaltrigen Männern ist sie hingegen seit Mitte der 70er-Jahre durch längere Schulbildung und steigende Inanspruchnahme der Frühpension leicht gesunken (von fast 87 Prozent im Jahr 1970 auf circa 78 Prozent).

Beschäftigungsquote in der EU 2003
(Prozent der Beschäftigten zwischen 15 und 64 Jahren)

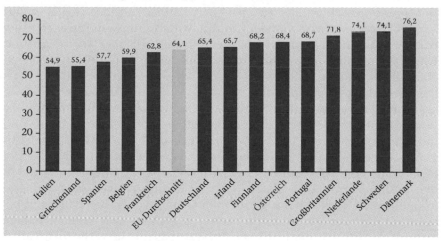

Quelle: WIFO-Berechnungen, EU-Strukturindikatoren

Männer und Frauen zusammengenommen, liegt die österreichische Beschäftigungsquote bei über 68 Prozent. Damit hat Österreich gemeinsam mit Portugal und Finnland bereits das Zwischenziel von Lissabon für 2005 erreicht. Als „Vorzugsschüler" gelten Dänemark, die Niederlande, Schweden und Großbritannien, die schon jetzt die 70-Prozent-Vorgabe der EU für das Jahr 2010 erfüllen.

Sieht man sich die durchschnittliche österreichische Beschäftigungsquote im Detail an, dann zeigt sich folgendes Bild: Die Österreicher fangen im europäischen Vergleich früh zum Arbeiten an, hören aber auch früh wieder auf:

- **Früher Einstieg in die Arbeit:** Obwohl sich der Arbeitsantritt sowohl bei Männern als auch bei Frauen im Durchschnitt um etwa fünf Jahre nach hinten verschoben hat, gehen mehr als 56 Prozent der 15- bis 24-Jährigen bereits einem Job nach, EU-weit sind es 40 Prozent.
- **Früher Ausstieg aus der Arbeit:** Schlecht schneidet Österreich dafür bei der Beschäftigung Älterer ab, wo es im EU-Vergleich auf Platz 11 landet. Noch weiter zurück fällt es bei der Beschäftigung von Frauen über 50. Die niedrige Erwerbsquote älterer Arbeitnehmer spielte zuletzt in den Diskussionen über die Finanzierbarkeit der staatlichen Pensionen eine wichtige Rolle. Ein Eckpunkt der Pensionsreform 2003 war daher auch die Abschaffung der Frühpension bis 2017 und Pensionsabschläge bei früherem Ausstieg, um ältere Arbeitnehmer länger im Berufsleben zu halten.

Ist Beschäftigung überhaupt ein Thema in der EU?

Der Zusammenschluss der europäischen Länder zu einer Gemeinschaft basierte zwar zunächst vorwiegend auf wirtschaftlichen Beweggründen wie der Abschaffung von Handelshemmnissen. Da aber Wirtschaft und Beschäftigung eng miteinander verbunden sind, wurde diesem Bereich ebenfalls ein hoher Stellenwert zugeordnet wie anderen zentralen Themen der EU-Wirtschaftspolitik.

Auch wenn es weiterhin Sache der Mitgliedstaaten bleibt, wie sie die Beschäftigung im Detail erhalten und erhöhen, haben sich die Staats- und Regierungschefs bereits 1997 auf eine gemeinsame Europäische Beschäftigungsstrategie geeinigt. Zu diesem Zweck legt der Rat auf Vorschlag der EU-Kommission jedes Jahr beschäftigungspolitische Leitlinien fest, die in den Nationalen Aktionsplänen (NAP) zu berücksichtigen sind. Rat und Kommission bewerten dann jährlich im Gemeinsamen Beschäftigungsbericht, ob die Mitgliedstaaten ihre selbst gesteckten Ziele erreicht haben. Danach richten sich die Leitlinien für das folgende Jahr. Die vier Säulen der Europäischen Beschäftigungsstrategie:

- Beschäftigungsfähigkeit verbessern: Entwickeln einer aktiven Arbeitsmarktpolitik; Integration benachteiligter Menschen
- Unternehmertum stärken: günstige Rahmenbedingungen zur Unternehmensgründung, Schaffung von Anreizen für die Einstellung zusätzlichen Personals
- Anpassungsfähigkeit erhöhen: Fördern der Sozialpartnerschaft, Modernisieren der Arbeitsorganisation, Investieren in Humanressourcen (Aus- und Weiterbildung u. Ä.)
- Gleiche Chancen schaffen: die Chancen von Frauen am Arbeitsmarkt verbessern, Familie und Beruf vereinbar machen

Um die Beschäftigungsrate EU-weit auf 70 Prozent zu erhöhen, wurde eine eigene „Task-force" (eine Art Arbeitsgruppe) unter der Leitung des ehemaligen niederländischen Premiers Wim Kok eingerichtet. Sie soll Strategien für mehr Arbeitsplätze und mehr Arbeitsplatzqualität erarbeiten.

Gender Mainstreaming: nur ein neues Modewort?
Gleiche Bedingungen für Frauen und Männer auch im Beruf – das ist eines der Ziele der EU. Doch die Praxis sieht nach wie vor anders aus: Nach Berechnungen von Eurostat verdienen Frauen in Europa um ein Drittel weniger als Männer. Dabei wird der im EWG-Vertrag festgehaltene Grundsatz „Gleicher Lohn für gleichwertige Arbeit" nach Untersuchungen der EU überwiegend eingehalten. Ursache für die Lohndiskrepanz ist jedoch: Frauen sind selten in (gut bezahlten) Führungspositionen anzutreffen. Im EU-Durchschnitt hat jeder zehnte Mann eine Führungsposition inne, bei den Frauen ist es etwa jede Zwanzigste. Deutschland und Österreich rangieren hier unter den Schlusslichtern. Das gilt auch bei den Lohnkosten: Selbst bei gleichem Alter und gleicher Ausbildung kommen Frauen in Österreich nur auf rund 75 Prozent des Lohns, den ihre männlichen Kollegen erhalten. Als ein Grund dafür wird beispielsweise der Ausfall wegen Kindererziehung genannt, der viele Karrieren bremst und den Zugang zu höheren Gehältern erschwert.
Um dieses Ungleichgewicht auszubügeln, wird vermehrt auf „Gender Mainstreaming" gesetzt, also auf die systematische Berücksichtigung der unterschiedlichen Lebensbedingungen, Situationen und Bedürfnisse von Männern und Frauen und die Integration des Zieles Chancengleichheit in sämtliche Felder des politischen und gesellschaftlichen Lebens. Dazu wurde etwa die „Rahmenstrategie der Gemeinschaft für die Gleichstellung von Frauen und Männern" für

die Jahre 2001 bis 2006 festgelegt, die sich im Jahr 2002 etwa den Schwerpunkt „Vereinbarkeit von Familie und Beruf" gesetzt hatte. Die österreichische Bundesregierung hat den EU-Vorgaben insofern Rechnung getragen, als Gender Mainstreaming im Regierungsprogramm 2003 Erwähnung fand. Um die Erwerbsquote von Frauen in den nächsten Jahren deutlich anzuheben, soll die Vereinbarkeit von Kind und Karriere erhöht werden. Folgende Schwerpunkte werden dazu angepeilt:

- Länder und Gemeinden sollen verstärkt dazu angehalten werden, den Bedarf an Kinderbetreuung für die Unter-Drei-Jährigen sowie die 6- bis 14-jährigen Schulkinder am Nachmittag und in den Ferien zu decken.
- Die Flexibilisierung der Arbeitszeit soll vorangetrieben werden. Konkret geht es hier um den Anspruch auf Teilzeit bis sechs Jahre.
- Als dritter Schwerpunkt ist geplant, Anreize für Unternehmen zu schaffen, familenfreundliche Maßnahmen zu setzen.
- Auch die Inanspruchnahme der Karenz durch Männer soll gefördert werden. Sie liegt derzeit bei zwei Prozent.

Was unternimmt Österreich zur Ankurbelung der Beschäftigung?

Österreich hat – so wie jeder Mitgliedstaat – beginnend mit 1998 einen auf mehrjährige Sicht ausgerichteten Nationalen Aktionsplan für Beschäftigung (NAP) erstellt. Der Maßnahmenplan, der ursprünglich auf fünf Jahre begrenzt war und somit 2002 ausgelaufen wäre, wurde mit einigen Änderungen verlängert und soll jeweils im Oktober eines Jahres in Form eines Umsetzungsberichts der EU vorgelegt werden.

Teil der bisherigen NAP-Maßnahmen waren beispielsweise die bereits umgesetzte Abfertigung neu oder auch das Kinderbetreuungsgeld, das die Vereinbarkeit von Familie und Beruf erleichtern sollte, das Konjunkturbelebungsgesetz, die Arbeitszeitflexibilisierung oder die Gewerbeordnungsreform. Zu den Programmpunkten innerhalb der aktiven Arbeitsmarktpolitik zählen unter anderem die Erhöhung des Weiterbildungsgelds, Frauenförderprogramme und Maßnahmen zur Erhöhung der Attraktivität technisch-naturwissenschaftlicher sowie technisch-handwerklicher Berufsfelder für Frauen.

Einige der im Nationalen Aktionsplan für Beschäftigung (NAP) für das Jahr 2002 festgelegten Ziele wurden allerdings in diesem Jahr nicht erreicht – insbesondere wegen der schlechten Konjunkturlage und der ungünstigen Arbeitsmarktentwicklung des vergangenen Jahres, wie es heißt: Die Zahl der aktiv Beschäftigten stieg zwischen 1997 und 2002 nicht wie beabsichtigt um 100.000, sondern um 95.000, und die Arbeitslosenquote lag (nach Eurostat) bei 4,3 statt 3,5 Prozent.

Und auch was die vermehrte Beschäftigung älterer Arbeitnehmer betrifft, ist noch offen, wie die „Oldies, but Goldies" bei steigender Arbeitslosigkeit im Berufsleben gehalten werden sollen. Das Wirtschaftsforschungsinstitut verzeichnete zwar für das Jahr 2002 bereits eine zweiprozentige Steigerung der Beschäftigungsquote in der Altersklasse ab 55 Jahren. Der Anstieg ist aber überwiegend auf das zuvor angehobene Pensionsantrittsalter zurückzuführen.

Was sind atypische Beschäftigungen?

Die Arbeitswelt hat sich in den vergangenen Jahrzehnten drastisch verändert. Einerseits gab es starke Verschiebungen innerhalb der einzelnen Wirtschaftssektoren: Die Landwirtschaft beschäftigt nur noch ein paar Tausend Österreicher, und der Industrie- und Gewerbebereich baut langfristig mehr Arbeitsplätze ab, als neue entstehen. Umso stärkere Beschäftigungszuwächse verzeichnet seit den 70er-Jahren der Dienstleistungssektor, in dem in den vergangenen 30 Jahren fast 1 Million neue Jobs entstanden sind (mehr dazu in Teil II, Seite 75).

Andererseits haben sich auch die Arbeitsverhältnisse stark gewandelt: Den fixen Job von der Lehre bis zur Rente bei ein und demselben Chef gibt es nur noch in Ausnahmefällen. Das durchschnittliche Berufsleben ist immer mehr von unterschiedlichen Beschäftigungsformen geprägt – von mehr oder weniger langen Anstellungen über eine Teilzeitbeschäftigung bis hin zu kurzen Intermezzos oder vollständigem Wechsel in die Selbstständigkeit. Vor allem die so genannten atypischen Beschäftigungsverhältnisse nehmen seit den 70er-Jahren europaweit zu. Nach einer im Juli 2003 präsentierten Studie des ÖGB und der Arbeiterkammer sind von den rund 3,2 Millionen Arbeitnehmern in Österreich bereits 850.000 atypisch beschäftigt, wobei die Frauen mit 87 Prozent den überwiegenden Teil der atypisch Beschäftigten stellen.

Während das Normalarbeitsverhältnis durch eine unbefristete, sozialrechtlich abgesicherte Vollzeitbeschäftigung mit regelmäßigen täglichen Arbeitszeiten geprägt ist, zeichnet sich die atypische Beschäftigung unter anderem durch unregelmäßige Arbeitseinsätze, durch ein geringeres oder höheres Arbeitsstundenausmaß und in vielen Fällen vor allem durch fehlende sozialrechtliche Absicherung aus. Nach einer Studie des Österreichischen Instituts für Raumplanung (ÖIR) im Auftrag des AMS-Niederösterreich zählen zu den atypisch Beschäftigten vor allem:

- **Teilzeitbeschäftigte:** Die Arbeitszeit liegt unter der gesetzlichen Normalarbeitszeit, teilweise gibt es hier auch enge Verknüpfungen oder

Überschneidungen mit geringfügiger bzw. befristeter Beschäftigung. Laut Mikrozensus 2000 gibt es bereits 626.110 Teilzeitbeschäftigte (1997 waren es erst 410.000). Die Branchen mit dem höchsten Teilzeitanteil: Handel, Gesundheits-, Veterinär- und Sozialwesen, Realitätenwesen und Sachgütererzeugung.

- **Geringfügig Beschäftigte:** Ihre Entlohnung liegt unter der Geringfügigkeitsgrenze (2003: 301,54 Euro) bzw. die Arbeitszeit unter 12 Stunden pro Woche. Allein zwischen 1998 und 2003 stieg die Zahl der geringfügig Beschäftigten von 162.000 Personen auf 220.000. Nach Angaben des ÖIR eine gefährliche Entwicklung, da etwa die Hälfte der geringfügig Beschäftigten nur dieses Arbeitsverhältnis hat und daher stark von Armut bedroht ist. Auch hier dominieren zu mehr als zwei Drittel Frauen. Die wichtigsten Branchen: Handel, unternehmensbezogene Dienstleistungen, Gaststätten- und Beherbergungsgewerbe.
- **Befristet Beschäftigte:** Das Arbeitsverhältnis wird auf begrenzte Dauer festgelegt. Auch ihr Anteil an den Erwerbstätigen erhöhte sich: von 3,7 Prozent im Jahr 1995 auf 4,1 Prozent 1998. In konkreten Zahlen waren es laut Mikrozensus 1999 fast 117.000 befristete Beschäftigungsverhältnisse. Der Anteil an Männern und Frauen ist gleich hoch, Unterschiede gibt es vor allem nach dem Alter (vor allem junge Menschen unter 25 Jahren erhalten befristete Arbeitsverhältnisse) und nach dem Beruf: Die meisten befristeten Dienstverhältnisse finden sich unter Lehrern/ Erziehern, Büro- und Verwaltungsberufen, Hotel-, Gastgewerbe- und Gesundheitsberufen und unter Jungakademikern.
- **Freie Dienstnehmer:** Sie sind gewissermaßen „ein bisschen selbstständig, aber nicht ganz", denn im Gegensatz zu den angestellten Kollegen haben sie theoretisch das Recht, auch für andere Arbeitgeber zu arbeiten, und können sich frei einteilen, wo und wann sie ihre Arbeit erledigen, und sie sind auch nicht an Weisungen ihres Dienstgebers gebunden. Dafür gibt es aber auch weniger Rechte: kein Kranken- und Urlaubsgeld, keinen Anspruch auf Arbeitslosengeld und kollektivvertragliches Mindestentgelt, kein Kündigungs- und Entlassungsschutz. Der Unterschied zu echten Selbstständigen: Freie Dienstnehmer schulden nicht einen Erfolg, sondern nur ihre Arbeitsleistung. Selbst wenn also ihre Arbeit mangelhaft oder gar unbrauchbar ist, haben sie – im Gegensatz zu Selbstständigen – Anspruch auf Bezahlung. Nach Angaben des Hauptverbands der Sozialversicherungsträger gab es mit Stand Juni 2003 rund 23.800 freie Dienstverträge (1998: 7.700 freie Mitarbeiter), wobei die Aufteilung zwischen Männern und Frauen relativ ausgeglichen ist.
- **Neue Selbstständige:** Sie arbeiten (oft in enger Abhängigkeit von einem Auftraggeber) auf Werkvertragsbasis. Im Unterschied zu den „richtigen",

gewerblichen Selbstständigen können sie ohne Gewerbeberechtigung arbeiten, zum Beispiel als Journalist, Gutachter, Sachverständiger usw. Nach Angaben von ÖGB und Arbeiterkammer gab es Anfang 2003 fast 31.000 Neue Selbstständige – fast viermal mehr als noch 1998, und ihre Zahl dürfte in den nächsten Jahren kontinuierlich zunehmen, denn laut ÖIR gibt es eine steigende Tendenz, Beschäftigungsverhältnisse durch Werkverträge zu ersetzen, vor allem in den Bereichen Unterricht und Forschung, Wirtschaftsdienste sowie Geld- und Kreditwesen.

Weitere atypisch Beschäftigte sind Heimarbeiter, deren Zahl tendenziell eher abnimmt, Telearbeiter, also gewissermaßen Heimarbeiter mit Schwerpunkt EDV, und Leiharbeiter, die bei Leasingfirmen angestellt sind und von diesen an andere Arbeitgeber verliehen werden.

Atypische Beschäftigungsverhältnisse

Vorteile	Nachteile
• erweiterte Handlungsspielräume für Unternehmen und Beschäftigte • mehr Gestaltungsspielraum bei Arbeitszeiten • schnellere Anpassungsfähigkeit bei strukturellen Änderungen • erleichterter Wiedereinstieg nach Erwerbspausen	• weitgehender Ausschluss von innerbetrieblichen Karriere- und Weiterbildungsmöglichkeiten • schwankendes Einkommen • geringe soziale Absicherung • Wegfall von Weihnachts- und Urlaubsgeld • keine Entgeltfortzahlung im Krankheitsfall • höheres Maß an Eigenverantwortung (bei Sozialversicherung und Steuern) • höherer Erfolgsdruck

Der Boom hinter den atypischen Beschäftigungsverhältnissen beruht nicht darauf, dass die Österreicher im Berufsleben nun immer mehr auf modische Schlagwörter wie „Flexibilität" und „Mobilität" setzen. Die Mehrzahl der atypisch Beschäftigten wählt ihre Dienstform nicht freiwillig, wie die ÖGB/AK-Studie ergab, sondern wurde durch die Arbeitsmarktsituation in die atypische Beschäftigung gezwungen. Die Hälfte der Befragten gab daher auch an, ein Normalarbeitsverhältnis anzustreben. Was nicht weiter verwundert, wenn man sich den Lohnschnitt ansieht: Der Stundenlohn von atypisch Beschäftigten liegt mit durchschnittlich 7,73 Euro (netto) deutlich unter den 10 Euro eines Normalarbeitsverhältnisses.

Um die rasant steigende Zahl an Beschäftigten außerhalb von Normalarbeitsverhältnissen sozial- und versicherungsrechtlich abzusichern, fordern ÖGB und AK daher eine verpflichtende Arbeitslosenversicherung, aber vor allem auch eine Ausdehnung des Arbeitnehmer-Begriffs. Er soll sich künftig nur mehr an der wirtschaftlichen Abhängigkeit orientieren, und nicht an Arbeitszeit, Arbeitsort oder Arbeitsweise. Somit würde ein Großteil der Freien und Neuen Selbstständigen unter ein echtes Arbeitsverhältnis fallen.

Welche Trends sind für die nächsten Jahre zu erwarten?

Ziemlich sicher, weil aus der Bevölkerungsstatistik herauslesbar ist, dass in der Entwicklung des Arbeitskräfteangebots eine Trendwende bevorsteht: Die Bevölkerung im erwerbsfähigen Alter wird ab 2004 nicht mehr weiter zunehmen. Das klingt zwar auf den ersten Blick gut, weil dann für die vorhandenen Arbeitskräfte mehr Jobs zur Verfügung stehen. Allerdings sind nicht alle, die eine Stelle suchen, entsprechend geeignet für das, was die Wirtschaft sucht.

Außerdem ist im Zuge der EU-Erweiterung mit einem – wenn auch beschränkten – Zuwachs an günstigen, qualifizierten Arbeitskräften zu rechnen. Schon in den vergangenen Jahren wurde ein wesentlicher Teil der Arbeitskräftenachfrage durch zeitlich begrenzt beschäftigte Arbeitskräfte aus dem Ausland (so genannte Saisonniers) befriedigt. Es kommt daher nicht von ungefähr, dass nun vor allem Frauen, aber auch ältere Arbeitskräfte vermehrt die entstehenden Lücken auffüllen sollen. Auch hier wird allerdings kein Weg um das Problem der (mangelnden) Qualifizierung herumführen. Gute Ausbildung, Fort- und Weiterbildung werden allein schon angesichts dieser Aussichten nicht bloße Schlagwörter bleiben können.

Börse

- Wozu sind Börsen notwendig?
- Wer entscheidet, welche Unternehmen an der Börse notieren?
- Haben alle Anleger die gleichen Chancen?
- Wie sehr interessieren sich die Österreicher für Aktien?
- Welche Auswirkungen hat das weltweite Börsentief?
- Wie stark sind die heimischen Betriebe vom Börsentief betroffen?
- Wie sieht die Zukunft für die Wiener Börse aus?

Wozu sind Börsen notwendig?

Wenn von der Börse die Rede ist, dann ist meist die Wertpapierbörse gemeint, also jene Einrichtung, an der Aktien, Anleihen, Optionen, Futures und andere Wertpapiere gehandelt werden. Daneben gibt es aber auch Devisenbörsen als zentralen Handelsort für ausländische Währungen sowie

Warenbörsen, an denen Rohstoffe, landwirtschaftliche Produkte oder andere Waren gehandelt werden. Der Sinn dieser Einrichtungen besteht darin, die potenziellen Käufer mit den Anbietern dieser Güter zusammenzubringen – so wie das auch auf dem Gemüsemarkt, bei Edelsteinbörsen, Kunstauktionen oder Industriemessen geschieht. Das hat den unschätzbaren Vorteil, dass jemand, der ein Wertpapier anzubieten hat, nicht erst mühsam eventuell Interessierte anschreiben oder anrufen muss, und umgekehrt muss einer, der eine Aktie wieder verkaufen will, sich nicht die Füße nach einem Käufer wundlaufen. Außerdem können an einem gemeinsamen Handelsmarkt die einzelnen Preise (im Fall von Aktien die Kurse) rasch und einfach miteinander verglichen werden.

Wer entscheidet, welche Unternehmen an der Börse notieren?

Ein weiterer Vorteil eines zentralen Ortes für den Wertpapierhandel besteht darin, dass für die Anleger zumindest ein gewisser Schutz gegeben ist. Wie sich der Kurs einer Aktie entwickelt, hängt natürlich weit gehend von der Nachfrage und dem Geschick des dahinter stehenden Unternehmens ab. Die Kontrollorgane und -bestimmungen rund um den Wertpapiermarkt sollen aber zumindest dafür sorgen, dass sich dort nicht unseriöse Anbieter tummeln, die nichts anderes im Sinn haben, als bei den Investoren auf die Schnelle abzukassieren. Deshalb gibt es Zulassungsbestimmungen, die je nach Börse variieren und davon abhängen, in welchem Segment ein Wertpapier gehandelt werden soll. Im Prinzip steht es jedem Unternehmen frei, an die Börse zu gehen. Bestimmte Grundvoraussetzungen müssen aber erfüllt sein:

- So muss es sich bei dem Unternehmen um eine Aktiengesellschaft (AG) handeln;
- es muss ein bestimmtes Grundkapital aufweisen und
- eine Mindestzahl an Aktien emittieren, also an die Börse bringen;
- außerdem muss ein Börsenprospekt aufgelegt werden, der strengen Vorschriften entsprechen muss und potenzielle Aktienkäufer über das Unternehmen informieren soll.

Über die Zulassung entscheidet letztlich die Wertpapierbörse, bei der der Antrag auf Börsenzulassung gestellt wird.

Haben alle Anleger die gleichen Chancen?

Der Handel mit Wertpapieren ist eine heikle Sache. Deshalb gibt es auch nur eine begrenzte Zahl an Personen – registrierte Makler und Händler der Banken –, die offiziell für den Handel an der Börse zugelassen sind. Anders als noch vor wenigen Jahren üben sie ihre Tätigkeit nun aber nicht mehr auf dem edlen Parkett des ehemaligen Wiener Börsengebäudes am Ring aus, sondern von ihren jeweiligen Büros mittels Computer. Denn so wie an den meisten Börsen der Welt findet der Aktienhandel heute überwiegend oder ausschließlich vollelektronisch statt.

Da für alle Anleger die gleichen Chancen gelten sollen, unterliegen die Makler (aber auch alle anderen Aktionäre) strengen Insiderregeln: Niemand darf seine Position im Aufsichtsrat einer AG, als Mitarbeiter eines Kreditinstituts oder einer Kontrollbehörde (also als „Insider") dazu nutzen, vorzeitig auf besonders gute oder schlechte Nachrichten einer Aktiengesellschaft zu reagieren. Besteht Verdacht auf einen derartigen Missbrauch, beginnt die österreichische Finanzmarktaufsicht (FMA) als oberstes Kontrollorgan für den Kredit- und Wertpapiermarkt den Fall zu untersuchen. Da sämtliche Transaktionen elektronisch erfasst sind, lässt sich relativ gut nachvollziehen, wer was wann gekauft oder verkauft hat. Trotzdem gibt es immer wieder mehr oder weniger spektakuläre Fälle von Insiderhandel, wie zuletzt jenen von voestalpine-Vorstand Franz Struzl, dem im Sommer 2003 Insider-Trading beim privaten Kauf von Aktien des Anlagenbauers VAE vorgeworfen wurde. Um einen Prozess zu vermeiden, wurde die Angelegenheit außergerichtlich geregelt: Struzl, der die Vorwürfe bis zuletzt vehement von sich wies, zahlte als Tatausgleich ein Bußgeld in Höhe von 50.000 Euro und spendete den Gewinn aus dem Aktiengeschäft in der Höhe von 250.000 Euro an eine karitative Vereinigung.

Wie sehr interessieren sich die Österreicher für Aktien?

Was die Kursverluste an den internationalen Börsen und das Platzen der Spekulationsblase betrifft, so sind die Österreicher gewissermaßen noch einmal mit einem blauen Auge davongekommen. Jahrelang als Börsenmuffel und Sparbuchfanatiker verschrien, lachen sich viele nun heimlich ins Fäustchen, nach dem Motto: „Besser das niedrig verzinste Sparbuch in der Hand als die wertlose Aktie an der Börse". Dabei hätte es mit etwas Pech ganz anders ausgehen können. Ein paar Jahre mehr Börsen-Euphorie, und das Zusammenbrechen der Aktienmärkte hätte auch in Österreich deutlich mehr Menschen betroffen. Denn die Kurssteigerungen auf den internationalen Finanzmärkten in der zweiten Hälfte der Neunzigerjahre veranlassten auch Familie Österreicher, vermehrt vom Sparbuch zu riskanteren Anlagen zu wechseln. Nachdem die Zahl der Aktienbesitzer lange Zeit bei 4,5 Prozent gelegen war, stieg sie 2001 auf 8 Prozent. Von 100 Österreichern waren also plötzlich 8 Aktionäre. (Zum Vergleich: in Deutschland 9, in den USA 25 und in der Schweiz 32.) Doch kaum hatten die frisch gebackenen Börsefans die ersten Gewinne verzeichnet, da setzte auch schon der Kursverfall ein. Das bis zum Jahr 2000 aufgebaute Vermögen in Markttiteln wird seither „einer deutlichen Bewertungskorrektur unterzogen", wie Banker den Vermögensverlust der privaten Haushalte dezent umschreiben.

Welche Auswirkungen hat das weltweite Börsentief?
Die Auswirkungen der Flaute an den Börsen auf den privaten Konsum waren gering, wie die Oesterreichische Nationalbank feststellte. Die Gründe dafür:

- **Wenig Aktienvermögen.** Im Unterschied zu den USA, wo ein Großteil des Geldvermögens in Aktienmärkten angelegt ist und sich Vermögenseinbußen daher viel stärker auf die gesamtwirtschaftliche Nachfrage auswirken, ist das in Österreich – wie generell im Euroraum – von privaten Anlegern gehaltene Aktienvermögen deutlich geringer.
- **Finanzstarke Aktionäre.** Dazu kommt, dass hierzulande vorwiegend einkommensstärkere Anleger in Aktien investieren. Sie sind natürlich auch besser in der Lage, die damit verbundenen Risiken zu tragen, sprich: Ein Verlust bei ihrer Wertpapierveranlagung führt noch lange nicht dazu, dass sie nun jeden Cent zweimal umdrehen und ihren Konsum drastisch einschränken müssen.
- **(Noch) kaum Pensionsvorsorge.** Und schließlich hat die zu einem großen Teil über Wertpapiere finanzierte private Pensionsvorsorge in Österreich bei weitem noch nicht den Stellenwert, den sie etwa in Großbritannien oder den USA hat. Die Österreicher mussten also – anders als viele Kleinverdiener in den angelsächsischen Ländern – zumindest bislang nicht fürchten, dass sie in der Pension nahezu mittellos dastehen würden und daher schon jetzt alle Ausgaben drastisch einschränken.

Sehr wohl am eigenen Leib verspürt haben die Kursverluste allerdings die Bezieher von Zusatzrenten aus Pensionskassen. Sie mussten und müssen durch den Einbruch an den Aktienmärkten Kürzungen an den laufenden Leistungen hinnehmen. Auch wenn das für die jeweiligen einzelnen Betroffenen natürlich eine schmerzhafte Einbuße darstellt, bleiben die Folgen auf die Gesamtwirtschaft derzeit noch gering, weil davon „nur" einige tausend Bezieher betroffen sind.

Wie stark sind die heimischen Betriebe vom Börsentief betroffen?
Auch die heimischen Unternehmen waren von den Kursverlusten nicht in dem Ausmaß betroffen, wie es in vielen anderen Ländern der Fall war. Das hat vor allem damit zu tun, dass in Österreich nach wie vor Klein- und Mittelbetriebe dominieren. Für sie spielt der Aktienmarkt beim Aufbringen von Kapital naturgemäß eine unvergleichlich geringere Rolle als für Großunternehmen oder Multis. Die an der österreichischen Börse notierten, größeren Unternehmen waren zwar ebenfalls von dem Kursverfall

an den internationalen Finanzmärkten betroffen, der Kursrückgang an der Wiener Börse fiel aber gemäßigter aus als etwa bei den großen „Schwestern" in Frankfurt, London und New York. Während die fallenden Aktienkurse also für viele Unternehmen weltweit zu steigenden Kapitalkosten führten, wurde die Investitionsnachfrage der heimischen Unternehmen davon weniger belastet.

Vergleich Aktienkurse 1993 bis Juli 2003
(Börse Wien, New York, Frankfurt, London, Tokio)

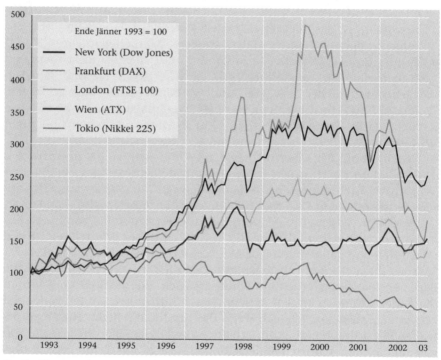

Quelle: Thomson Financial Datastream, Wiener Börse AG,
Österr. Gesellschafts- u. Wirtschaftsmuseum 2002/2003

Wie sieht die Zukunft für die Wiener Börse aus?

Auch wenn es im Frühsommer 2003 erste Anzeichen dafür gab, dass sich die internationalen Aktienmärkte erholen würden, warnten viele Börseanalysten weltweit vor allzu großer Euphorie. Sprunghafte Steigerungen seien demnach nicht zu erwarten, bestenfalls ein langsamer Aufwärtstrend mit vielen Seitwärtsbewegungen, also mehr oder weniger gleich bleibenden Kursen. Neben der international eher gedeckten Stimmung zeichnen sich für die Wiener Börse dennoch kleine Hoffnungsschimmer ab. So betrachten die Verantwortlichen des heimischen Kapital- und Aktienmarkts, wie etwa der Chef der Wiener Börse, Stefan Zapotocky, und der Regierungsbeauftragte für den Kapitalmarkt, Richard Schenz, vor allem drei Bereiche als Hoffnungsmärkte für die nächsten Jahre:

- Das große Engagement heimischer Unternehmen in den mittel- und osteuropäischen Staaten und die positive Entwicklung in diesen Ländern sollen auch der Wiener Börse und deren Investoren zugute kommen.
- Eine weitere Belebung soll die neue Zukunfts- bzw. Altersvorsorge bringen. Die im September 2002 präsentierte prämienbegünstigte Zukunftsvorsorge hat ausdrücklich die Belebung des österreichischen Kapitalmarktes zum Ziel. Dabei müssen mindestens 40 Prozent des eingezahlten Kapitals in Aktien veranlagt werden; diese Aktien müssen an Börsen im Europäischen Wirtschaftsraum notieren, deren Marktkapitalisierung (also mit dem Aktienkurs bewertetes Grundkapital) unter 30 Prozent des jeweiligen Bruttoinlandsprodukts liegt. Diese Bedingungen erfüllen derzeit nur Österreich, Griechenland und Portugal. Die heimische Börse erwartet sich also hier wahrscheinlich nicht zu Unrecht ein Zusatzgeschäft – sofern die Anleger mitspielen und in Zukunft vermehrt auf die private Vorsorge für die Pension setzen. Schätzungen über die mit Pensionsfonds, -versicherungen und Ähnlichem zu erwartenden Investitionen in österreichische Aktien belaufen sich nach Analysen der Erste Bank auf 500 Mio. Euro jährlich.
- Und schließlich stehen noch einige Privatisierungen staatlicher Großbetriebe wie der Telekom an, die dem Aktienmarkt zusätzlichen Auftrieb verleihen sollen.

Unabhängig von den nationalen Rahmenbedingungen wird das Geschehen an der Wiener Börse aber natürlich auch maßgeblich davon abhängen, wie sich die Aktien- und Finanzmärkte weltweit entwickeln werden. Denn nur wenn die Nachfrage an den großen Börsen steigt, werden die Großinvestoren der Pensionskassen und Anlagegesellschaften auch wieder vermehrt nach attraktiven „Nischenmärkten" wie der Wiener Wertpapierbörse Ausschau halten.

Info-Tipp: Informationen zur Börse, zu den Aktienkursen und zu Echtzeit-Angaben finden Sie unter www.wienerboerse.at. Nähere Informationen zur Tätigkeit der Finanzmarktaufsicht bietet die Homepage www.fma.gv.at.

Bruttoinlandsprodukt (BIP)

• Was ist das Bruttoinlandsprodukt?
• Warum braucht man für internationale Vergleiche das BIP pro Kopf?
• Wie unterscheiden sich BIP und BSP?
• Warum ist das BIP alleine kein Maßstab für den Wohlstand eines Landes?

Was ist das Bruttoinlandsprodukt?

Das Bruttoinlandsprodukt zeigt, wie viele Güter und Dienstleistungen in einer Volkswirtschaft in einem Jahr erzeugt werden. Es spiegelt somit die gesamte wirtschaftliche Leistung innerhalb eines Landes wider, unabhängig davon, ob diese Leistungen nun von Inländern oder im Inland lebenden Ausländern erbracht wurden.

Anhand des Bruttoinlandsprodukts lässt sich feststellen, um wie viel die Wirtschaft eines Landes von einem Jahr zum anderen gewachsen ist. Der Unterschied zum Vorjahr wird in Prozent angegeben, und genau diese Prozentzahlen sind es auch, von denen man in den Medien immer wieder hört, wenn es um die Entwicklung der Konjunktur geht. Alle Vierteljahre veröffentlichen Wirtschaftsforschungsinstitute wie WIFO oder IHS auch Prognosen, wie sich das Wirtschaftswachstum über das Jahr gesehen entwickeln wird. Seit 2001 mussten diese Prognosen immer wieder nach unten korrigiert werden, weil die gesamtwirtschaftliche Leistung, also das BIP, im Endeffekt geringer ausfiel als erwartet.

Warum braucht man für internationale Vergleiche das BIP pro Kopf?

Das Gesamt-BIP ermöglicht also Vergleiche über die wirtschaftliche Entwicklung innerhalb eines Landes. Aussagekräftige Vergleiche mit anderen Ländern wären aber nicht möglich, da die Größe des BIP ja auch davon abhängt, wie groß ein Land ist. So hat zum Beispiel Indien im Jahr 2001 ein mehr als doppelt so großes Bruttoinlandsprodukt erwirtschaftet wie Österreich. Aufgeteilt auf die Bevölkerung ergab sich aber für jeden einzelnen Inder ein 65-mal geringeres Bruttoinlandsprodukt als für jeden Österreicher.

Daher wird das BIP für internationale Vergleiche durch die Bevölkerungszahl eines Landes dividiert. Dadurch erhält man das BIP pro Kopf. Auch dabei muss für einen wirklich aussagekräftigen Vergleich noch einmal unterschieden werden, ob es sich um das nominelle oder das reale Bruttoinlandsprodukt handelt. Eine Steigerung des BIP kann nämlich zwei Ursachen haben: entweder eine tatsächliche Zunahme der Güterproduktion und des Dienstleistungsangebots oder gestiegene Preise (also Inflation). Und deshalb werden sowohl nominelles als auch reales BIP errechnet.

- Das nominelle (oder auch nominale) BIP wird in Preisen des jeweiligen Jahres berechnet. Das heißt, es enthält auch Preissteigerungen und wird daher oft mit dem Zusatz „in jeweiligen Preisen" angegeben.
- Das reale BIP wird zu konstanten Preisen berechnet. Dabei wird ein Basisjahr gewählt (zum Beispiel 1995 oder 2000) und der Wert der Leistungen so berechnet, als hätten sich die Preise seit diesem Jahr nicht mehr verändert. Dabei findet sich oft der Zusatz „zu konstanten Preisen" oder „in Preisen von 1995".
- Der Zusatz „Kaufkraftparität" (oft abgekürzt als PPP, Purchasing Power Parity) steht für einen fiktiven Wechselkurs, zu dem die Kaufkraft der Währungen in den verschiedenen Ländern gleich hoch ist. Sie wird anhand eines bestimmten Warenkorbes mit verschiedenen Güterpreisen bemessen und ermöglicht eine bessere Vergleichbarkeit der jeweiligen Länder.

BIP pro Kopf in der EU 2003
(in Euro zu Kaufkraftparität)

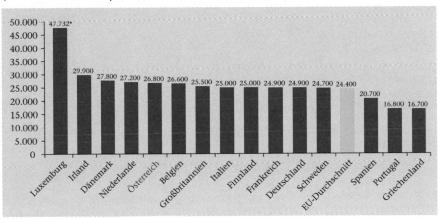

* Zahl aus 2002

Quelle: WIFO-Berechnungen; AMECO

Wie unterscheiden sich Bruttoinlandsprodukt und Bruttosozialprodukt?

Beim Bruttosozialprodukt (BSP), auch Bruttonationalprodukt (BNP) genannt, wird zum BIP einerseits das Erwerbs- und Vermögenseinkommen hinzugezählt, das Österreicher im Ausland erzielen (beispielsweise durch

Erträge aus Besitz und Unternehmungen, durch Patente, Autorenrechte oder Lizenzzahlungen).

Gleichzeitig wird das Erwerbs- und Vermögenseinkommen abgezogen, das Ausländer in Österreich erzielen. Das BSP ist also die Summe der wirtschaftlichen Leistungen in einem Land, die von Inländern erbracht wird, unabhängig davon, ob die Leistung im Inland oder im Ausland erbracht wird.

Während früher häufig das Bruttosozialprodukt (BSP) als Maßstab für die wirtschaftliche Leistung eines Landes herangezogen wurde, wird heute meist das Bruttoinlandsprodukt (BIP) als realistischerer Wertmaßstab eingesetzt. Das deshalb, weil das BIP die Leistung an der Produktion misst, während das BSP vor allem die Einkommen widerspiegelt. Außerdem wird damit internationalen Vereinbarungen mit der OECD, dem IWF, der Weltbank und der UNO entsprochen, die eine allgemein gültige Berechnungsmethode des BIP festlegten.

Vom BIP zum Volkseinkommen

Vom Bruttoinlandsprodukt ausgehend, kann man das Bruttosozialprodukt ausrechnen und darauf basierend das Volkseinkommen. Darunter versteht man alle Erwerbs- und Vermögenseinkommen, die Inländern nach Abzug von Steuern und Hinzurechnung von Subventionen aus dem In- und Ausland innerhalb eines Jahres zufließen, also Löhne und Gehälter, die Gewinne der Selbstständigen, Zins, Miete, Pacht usw.

Bruttoinlandsprodukt
+ Erwerbs- und Vermögenseinkommen von Österreichern im Ausland
− Erwerbs- und Vermögenseinkommen von Ausländern in Österreich

= **Bruttosozialprodukt** (zu Marktpreisen)
− Abschreibungen

= **Nettosozialprodukt** (zu Marktpreisen)
− indirekte Steuern
+ Subventionen

= **Volkseinkommen**

Warum ist das BIP alleine kein Maßstab für den Wohlstand eines Landes?

Das BIP als alleiniges Wohlstandsmaß eines Landes ist aus mehreren Gründen problematisch:

Zum einen, weil es viele in einer Volkswirtschaft erbrachten Leistungen nicht umfasst. Zum Beispiel die gesamte unentgeltliche Haus- und Gartenarbeit, Reparaturarbeiten, Nachbarschaftshilfe, aber auch den gesamten Bereich der Schwarzarbeit.

- Weiters sagt es nichts über die tatsächliche Einkommensverteilung aus. Meistens ist es zwar so, dass in Ländern mit einem hohen BIP auch ein hoher Lebensstandard besteht. Aber das muss nicht zwangsläufig so sein. Beispiel Saudi-Arabien, das durch seine Petro-Dollars ein relativ hohes Bruttoinlandsprodukt pro Kopf erzielt: 2001 lag es laut Angaben der Weltbank im internationalen Staatenvergleich beispielsweise vor dem BIP Ungarns und nur knapp hinter Portugal; gleichzeitig haben aber 64 Prozent der ländlichen Bevölkerung in Saudi-Arabien noch nicht einmal Zugang zu sauberem Trinkwasser.

- Und schließlich wird das BIP oft durch Umstände erhöht, die alles andere als Lebensqualität bringen. So vergrößert zum Beispiel ein Öltankerunglück vor der Küste eines Landes über die Beseitigungskosten des Ölteppichs das BIP. Ein Verkehrsunfall mit mehreren Toten steigert über die Leistungen der Einsatzkräfte, der Aufräum- und Abschlepparbeiten das Inlandsprodukt. Und ein starker Tornado in den USA hebt das dortige BIP um 0,5 bis 0,6 Prozentpunkte, weil alle Schäden als Reparatur und somit als Wirtschaftsleistung verbucht werden, meint Helmut Karner, Mitglied des Föhrenbergkreises, einer Runde von hochrangigen Vordenkern und Entscheidungsträgern aus Politik und Wirtschaft. Der Irak-Krieg habe das US-BIP um 0,8 Prozentpunkte angehoben, der Vietnam-Krieg in den 60er-Jahren sogar um 40 Prozent.

Um einen umfassenderen und realistischeren Eindruck von der Wirtschaftsleistung eines Landes zu erhalten, seien daher nach Ansicht Karners andere Messsysteme einzusetzen, etwa der so genannte Genuine Progress Indicator (GPI), der beispielsweise unbezahlte Hausarbeit einrechne und so ein wirklichkeitsgetreueres Bild liefere.

Da auch der EU das Problem einer genauen Erfassung des BIP bewusst ist, hat sie unter anderem Volkswirtschaftsprofessor und WIFO-Konsulenten Stefan Schleicher den Auftrag erteilt, eine europaweite Alternative zur Berechnung des BIP zu entwickeln.

Info-Tipp: Nähere Informationen zum Genuine Progress Indicator und aktuelle Daten zum Download finden Sie auf der in Englisch gehaltenen Website www.redefiningprogress.org.

Die Vereinten Nationen, genauer gesagt das Entwicklungsprogramm der Vereinten Nationen UNDP, wiederum berechnet seit 1990 jährlich den Human Development Index, der neben dem Pro-Kopf-Einkommen auch die Wohlfahrt und Lebenszufriedenheit in einem Land wiedergibt. (Den aktuellen Index und weitere Informationen dazu finden Sie auf Seite 118.) Auch hier bleiben aber einige wichtige Faktoren unberücksichtigt, wie Umwelt, Möglichkeiten der Teilnahme am kulturellen oder politischen Leben oder die Menschenrechtssituation.

Trotzdem: Immer häufiger wird für eine Abkehr vom herkömmlichen Maßstab plädiert, da damit ein rein quantitatives Wirtschaftswachstum gemessen wird, das aber nicht zwangsläufig mehr Qualität mit sich bringt.

Budget

• Wie und weshalb wird ein Haushaltsplan erstellt?
• Wie kann über das Budget Einfluss auf die Wirtschaft genommen werden?
• Wieso sind dem Staat beim Budgetdefizit die Hände gebunden?
• Wer legt das EU-Budget fest?

Wie und weshalb wird ein Haushaltsplan erstellt?

So wie eine Familie, wie eine Gemeinde oder eine Sozialversicherungsanstalt muss auch der Staat im Vorhinein planen, wie viele Einnahmen er innerhalb einer bestimmten Zeitspanne haben wird und wie viel er deshalb ausgeben kann. Meist wird dieser Haushaltsplan, also das Budget, auf ein Jahr im Voraus erstellt. Es sind aber auch längere Zeiträume möglich – wie zuletzt beim Doppelbudget für 2003/2004 der Fall. Wie bei allen Schätzungen kann es natürlich auch beim Budget passieren, dass die Planung wegen unvorhergesehener Ereignisse (zum Beispiel Hochwasserschäden, Epidemien wie das vor allem in Asien grassierende SARS oder einem starken Ölpreisanstieg) daneben liegt. In der Regel können die Finanzminister aber von relativ klaren Fixkosten und Fixausgaben ausgehen. Und sie können damit verhindern, dass ein Land in eine Schuldenspirale hineinschlittert. Denn ohne Vorausplanung würde mit ziemlicher Sicherheit weitaus mehr ausgegeben, als im Endeffekt vorhanden ist.

Für den Budgetentwurf schätzen zuerst einmal die einzelnen Minister, wie hoch der Geldbedarf für ihr Ressort sein wird. Der Finanzminister muss dann in gemeinsamen Regierungsverhandlungen die Budgetwünsche der Ministerien mit den tatsächlich verfügbaren Geldmitteln in Einklang bringen. Welche Ressorts dabei stärker berücksichtigt werden, hängt davon ab, welche Aufgaben aktuell anstehen oder welche Schwerpunkte in der Regierungspolitik gesetzt werden sollen.

Hat sich die Bundesregierung auf ein Budget geeinigt, wird der Budgetentwurf dem Parlament zur Behandlung und Genehmigung vorgelegt. Nach der Beschlussfassung durch den Nationalrat ist der Haushaltsplan verbindlich und muss von der Regierung vollzogen werden.

Nach Ablauf des Budgetjahres erstellt der Rechnungshof als unabhängige Kontrollinstanz des Staates einen Rechnungsabschluss, indem er die tatsächlichen Einnahmen und Ausgaben gegenüberstellt. Vor allem wird geprüft, ob die politischen Maßnahmen sparsam und effizient umgesetzt wurden und ob bei der Haushaltsführung ordnungsgemäß vorgegangen wurde. Beispiel: Der Rechnungshof muss nicht kommentieren, ob der Kauf von Abfangjägern sinnvoll ist. Aber er muss überprüfen, ob sie zu den geringstmöglichen Kosten beschafft, finanziert und gewartet wurden.

Der abschließende Rechnungshofbericht wird dann dem Nationalrat zur Genehmigung vorgelegt.

Das Bundesbudget

Einnahmen des Bundes	Ausgaben des Bundes
• Steuern (Lohnsteuer, Einkommensteuer, Umsatzsteuer, Mehrwertsteuer, Mineralölsteuer usw.) • Gebühren (zum Beispiel zur Ausstellung eines Reisepasses oder Mautgebühren) • Dienstgeberbeiträge zum Familienlastenausgleichsfonds, Arbeitslosenversicherungsbeiträge usw. • Einnahmen der Bundesbetriebe • Erlöse aus dem Verkauf von Bundesvermögen (Privatisierungen)	• Finanzausgleich an Länder und Gemeinden • Personalkosten • Staats- und Rechtssicherheit, Landesverteidigung • Erziehung, Unterricht, Kunst, Kultur, Forschung, Wissenschaft • Wirtschaft, Landwirtschaft, Verkehr (Erhalt und Ausbau der Infrastruktur) • Soziale Wohlfahrt (Pensionen, Arbeitslosengeld usw.), Gesundheit, Wohnungsbau • Kreditrückzahlungen und Zinsen

Wie kann über das Budget Einfluss auf die Wirtschaft genommen werden?

Über die Budgetpolitik kann eine Regierung bestimmte gesellschaftliche Entwicklungen fördern oder verhindern. Deshalb spielt die Haushaltsplanung auch in der Sozialpolitik eine entscheidende Rolle. Denn hier geht es darum, in welcher Weise die vorhandenen Mittel verteilt werden und inwieweit damit ein Schutz vor Armut gewährleistet ist. Die Ausgaben für Soziales betragen fast ein Drittel der Gesamtausgaben. Besonders ins Gewicht fallen dabei Pensionen, Familienförderung und Arbeitsmarktpolitik.

Gleichzeitig kann der Staat mit Hilfe des Budgets auf verschiedene Weise in das Marktgeschehen eingreifen und die Konjunktur beeinflussen.

Zu den wichtigsten Lenkungsmitteln zählen Steuern und Abgaben.

■ In Zeiten florierender Wirtschaft kann die Regierung sie anheben, um so für magere Zeiten anzusparen. In der Praxis passiert das aber meist nicht, denn Politiker sind auf die Stimmen der Wähler angewiesen, und um diese zu erhalten, wird in den fetten Jahren das meiste gleich wieder ausgegeben.

■ Kränkelt die Konjunktur, können beispielsweise Lohn- und Einkommenssteuern oder auch unternehmensbezogene Abgaben gesenkt werden, um so die Kaufkraft der Bevölkerung zu stärken und die Investitionsbereitschaft der Unternehmen zu fördern. In Österreich ist für 2004 eine kleine Steuerreform geplant, die vor allem kleinere Einkommensbezieher zu höheren Ausgaben motivieren soll, für 2005 hat der Finanzminister eine umfangreichere Steuersenkung versprochen. Bis dahin soll weiterhin eisern gespart werden. Dieser Kurs ist allerdings umstritten. Vor allem die Oppositionsparteien sehen darin eine Konjunkturabwürgungspolitik. Die Steuerreform komme angesichts der schwachen Konjunktur zu spät und würde zu wenige Menschen erfassen, um die Wirtschaft spürbar zu beleben. In Deutschland, wo die Wirtschaft noch stärker kränkelt als in Österreich, wurde die Steuerreform aus diesen Gründen vorgezogen.

Eine weitere Möglichkeit für den Staat, konjunkturpolitische Maßnahmen zu setzen, liegt darin, Kredite aufzunehmen, also sich zu verschulden. Meist geschieht das durch die Begebung von Anleihen. Diese Form der Budgetpolitik wurde vor allem in den 70er- und 80er-Jahren eingesetzt, um Arbeitsplätze zu sichern. Doch das führt zu einem Budgetdefizit und in der Folge zu einer Erhöhung der Staatsverschuldung. So stiegen die Staatsschulden von 37 Prozent des Bruttoinlandsprodukts im Jahr 1980 auf fast 63 Prozent im Jahr 1993, und 2002 lagen sie bei fast 68 Prozent. Vor allem die mit den Schulden verbundene Zinsenlast vermindert den Handlungsspielraum des Finanzministers bei allen weiteren Budgetentwürfen immer mehr. Um überhaupt noch eigene Programme und Ideen einfließen lassen zu können, müssen dann weitere Kredite aufgenommen werden – oder es werden die Einnahmen (sprich: Steuern) erhöht oder die Ausgaben zurückgeschraubt (Stichwort „Sparpaket").

Vor allem durch die von der Europäischen Union vorgegebenen Konvergenzkriterien zur Teilnahme an der Europäischen Währungsunion wurde in den 90er-Jahren ein ausgeglichener Staatshaushalt zum erklärten Ziel der Wirtschaftspolitik.

Wieso sind dem Staat beim Budgetdefizit die Hände gebunden?

Ein Nulldefizit, wie es in Österreich 2001 erzielt wurde, ist „etwas Attraktives", wie Notenbank-Gouverneur Klaus Liebscher meint, aber es ist keine zwingende Notwendigkeit. Wenn es die wirtschaftliche Lage erfordert, kann es sinnvoller sein, ein gewisses Defizit in Kauf zu nehmen, wenn dadurch die Konjunktur belebt wird. Allzu tief darf der Finanzminister dabei aber nicht in den Kredittopf greifen. Denn als der Europäischen Währungsunion hat sich Österreich wie alle anderen Euroländer verpflichtet, sowohl das Budgetdefizit als auch die Staatsverschuldung in streng festgelegten Grenzen zu halten (siehe Kasten „Wachstums- und Stabilitätspakt").

Wachstums- und Stabilitätspakt

Der Wachstums- und Stabilitätspakt wurde im Juni 1997 von den Staats- und Regierungschefs der EU in Amsterdam vereinbart – vor allem auf Drängen Deutschlands, das damals noch einen soliden Haushalt aufwies und befürchtete, dass manche Mitgliedstaaten (wie Italien und Portugal) nicht konsequent genug gegen ihre Defizite und Staatsschulden vorgehen würden. Der Stabilitätspakt soll die Haushaltsdisziplin in der Eurozone sichern. Ziel ist es vor allem, die Haushalte in allen Euro-Staaten auszugleichen. Außer in einer schwer wiegenden Rezession (siehe Stichwort Konjunktur) oder bei außerordentlichen Ereignissen wie Naturkatastrophen sind die Staaten verpflichtet, ihr Budgetdefizit nicht über 3 Prozent und ihren Schuldenstand nicht über 60 Prozent des Bruttoinlandsprodukts (BIP) steigen zu lassen. Bei Nicht-Einhaltung kann der Rat die Hinterlegung einer unverzinslichen Einlage zwischen 0,2 und 0,5 Prozent des BIP verlangen (bisher war das nicht der Fall). Hat sich der Haushalt nach zwei Jahren noch immer nicht verbessert, wird die Einlage in eine Geldbuße umgewandelt.

Als erstes Land wurde Portugal mit einem Defizit von 4,2 Prozent (2001) ermahnt. Für 2002 erhielten Deutschland und Frankreich einen blauen Brief von der EU-Kommission, weil ihr Defizit über 3 Prozent lag. Bei den Staatsschulden lag Österreich 2002 mit fast 68 Prozent über der 60-Prozent-Verschuldungsgrenze.

Die EU setzt konsequent darauf, dass ein Wirtschaftswachstum nicht ohne Sanierung der Haushalte stattfindet. Deshalb wird an den Kriterien des Wachstums- und Stabilitätspakts mehr oder weniger festgehalten, auch wenn im Frühjahr 2003 angesichts des Irak-Krieges, der unsicheren Entwicklung des Ölpreises und einer möglichen Rezession bereits Stimmen aus Brüssel laut wurden, die sich für eine nachsichtige Auslegung des Stabilitätspaktes aussprachen. Der Stabilitätspakt sieht nämlich vor, dass „bei außergewöhnlichen Ereignissen" Ausnahmen von den strengen Vorgaben gemacht werden können.

Ganz anders die Auffassung in den USA: Dort wurde in den Jahren 1998 bis 2001 unter der Regierung Clinton jeweils ein satter Budgetüberschuss von bis zu 2,40 Prozent des BIP erwirtschaftet. Seit 2002 geht es steil nach unten, für 2003 werden bereits 4 Prozent minus prognostiziert. Und auch der Schuldenberg wächst rasant und liegt im Jahr 2003 bei 6,4 Billionen Dollar (also unvorstellbaren 6.400 Milliarden Dollar). Um das Haushaltsdefizit abzubauen, verfolgt die Regierung Bush ein umstrittenes Rezept: mehr Steuersenkungen als Wachstumsanreiz, mehr Arbeitsplätze durch den Konjunkturschub, mehr Steuereinnahmen durch den Wirtschaftsboom. Zahlreiche amerikanische Volkswirte, aber auch die Haushaltsbehörde des Kongresses zweifeln allerdings am Erfolg: Mit den Steuersenkungen explodiere das Haushaltsdefizit trotz Ankurbelung der Wirtschaft. Zudem würde die Steuersenkung, mit der zum großen Teil die Abschaffung der Dividendensteuer finanziert würde, vor allem reiche Aktienbesitzer entlasten. Die Ende Oktober 2003 veröffentlichten US-Konjunkturdaten gaben Bush aber zunächst einmal Recht: Die Wirtschaft hatte mit einem Quartalswachstum von 7,2 Prozent kräftig zugelegt.

Budgetdefizite und -überschüsse in EU und USA
2002 und Prognose 2003, in Prozent des Bruttoinlandsprodukts

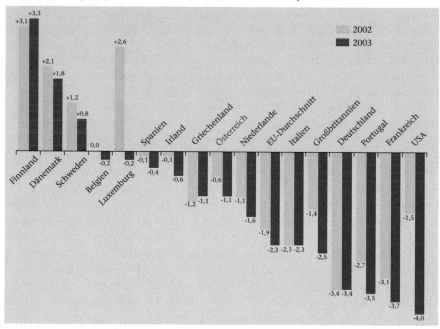

Quelle: Eurostat, Office of Management and Budget

Verschuldung der EU-Länder
2002, in Prozent des Bruttoinlandsprodukts

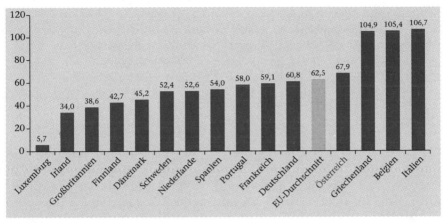

Quelle: Eurostat

Wer legt das EU-Budget fest?

So wie jedes einzelne Mitgliedsland erstellt auch die Europäische Union einen jährlichen Haushaltsplan. Darüber hinaus wird in Absprache zwischen Europäischem Parlament, dem Rat der Union und der Kommission ein längerfristiger Finanzrahmen festgelegt, derzeit von 2000–2006. Darin sind die Obergrenzen für die wichtigsten Ausgabekategorien wie Landwirtschaft, Vorbereitung der Erweiterung, Verwaltungsaufgaben usw. festgelegt.

Auch bei der Erstellung des Jahresbudgets sind einerseits die Kommission und andererseits der Rat sowie das Europäische Parlament beteiligt.

Der größte Einnahmeposten sind dabei die Mittel, die die Mitgliedsländer bereitstellen, damit die EU-Kommission den gemeinsamen Aufgaben nachkommen kann. Der Anteil richtet sich nach der Wirtschaftskraft des jeweiligen Mitgliedstaats und liegt für Österreich bei rund 0,3 Prozent des Bruttoinlandsprodukts. Im Schnitt sind das circa 2 Mrd. Euro pro Jahr, von denen ein Teil in Form von Agrar- und Strukturförderungen wieder zurückfließt.

Letztere stellen die beiden größten Ausgabeposten im EU-Budget dar: Rund 45 Prozent entfallen auf den Agrarbereich und 35 Prozent auf strukturelle Maßnahmen zur Gestaltung und Veränderung des europäischen Wirtschaftsgefüges.

Das EU-Budget

Einnahmen der EU	Ausgaben der EU
• BIP-Anteile der Mitgliedstaaten	• Agrarpolitik
• Mehrwertsteuer-Anteile (= fester Anteil an einer für alle Länder gleichen Bemessungsgrundlage)	• Strukturmaßnahmen
	• Außenpolitische Maßnahmen
	• Verwaltungsausgaben
• Zölle, die beim Import an den EU-Außengrenzen anfallen	• Forschung und Entwicklung
	• Entwicklungshilfe
• Agrar-Zölle und Zuckerabgaben	• Sonstige
• Sonstige	

Ein Jahresbudget der EU beträgt rund 98 Mrd. Euro (zum Vergleich: Das österreichische Jahresbudget bewegt sich um die 60-Mrd.-Euro-Marke). Im Zuge der EU-Erweiterung wird der EU-Haushalt erstmals die 100-Milliarden-Grenze überschreiten. Ab 2004 beträgt der Umfang des EU-Etats rund 111 Mrd. Euro.

2002 erwirtschaftete die Union einen Überschuss von 7 Mrd. Euro. Um diesen Betrag wird der laufende Mitgliedsbeitrag der Länder gekürzt. Österreich muss daher 2003 um rund 160 Mio. Euro weniger als geplant nach Brüssel überweisen. Das Budgetplus stammt vor allem aus Einsparungen im Agrarbereich sowie aus Infrastrukturprojekten, die nicht umgesetzt wurden. Auch die Beitrittsländer haben 200 Mio. Euro an Hilfsgeldern nicht ausgeschöpft. Im Jahr 2001 war der Überschuss mit 15 Mrd. Euro mehr als doppelt so hoch. Budgetexperten kritisieren dies als schlechte Finanzplanung, EU-Haushaltskommissarin Michaele Schreyer verweist jedoch unter anderem darauf, dass insbesondere der Agrarsektor schwer vorausplanbar sei.

Info-Tipp:

■ Mehr über das österreichische Budget und die budgetpolitischen Zielsetzungen erfahren Sie unter der Internet-Adresse www.bmf.gv.at/budget/.

■ Detaillierte Informationen zum EU-Budget finden sich auf der Homepage http://europa.eu.int/comm/budget.

Direktinvestitionen

- Was sind aktive und passive Direktinvestitionen?
- Warum investieren Unternehmen im Ausland?
- Was sind die wichtigsten Standortfaktoren?
- Welche Vor- und Nachteile haben Direktinvestitionen?
- Wer investiert in Österreich, wo investieren die Österreicher?

Was sind aktive und passive Direktinvestitionen?

Von Direktinvestitionen spricht man, wenn ein Unternehmen in einem anderen Land ein Grundstück oder einen Betrieb erwirbt, eine Tochtergesellschaft gründet oder sich an einem ausländischen Betrieb beteiligt. Die Produktion oder zumindest die Erzeugung einzelner Teile findet dann also im Ausland statt. Je nachdem, ob ein inländisches Unternehmen im Ausland investiert oder ein ausländischer Betrieb im Inland, unterscheidet man zwischen aktiven und passiven Direktinvestitionen:

- Als aktive Direktinvestition gilt zum Beispiel, wenn der Grazer Maschinen- und Anlagenbauer Andritz einen Herstellungsbetrieb in Deutschland aufkauft oder wenn sich die OMV an einer Ölförderanlage in Libyen beteiligt.

- Ein Beispiel für eine passive Direktinvestition ist der Fertigungsbetrieb des deutsch-amerikanischen Automobilkonzerns DaimlerChrysler in der Steiermark oder die Beteiligung der deutschen HypoVereinsbank an der Bank Austria-Creditanstalt.

Direktinvestitionen umfassen also die Kapitalströme, die von ausländischen Unternehmen ins Inland fließen und von inländischen Unternehmen ins Ausland. Nicht zu den Direktinvestitionen zählen Importe und Exporte, also der Außenhandel mit Waren und Dienstleistungen. Nicht dazu zählen auch Finanzinvestitionen im Ausland, die nicht unternehmerischen Zwecken dienen, sondern rein aus Anlage- und Renditegründen vorgenommen werden. Und auch Immobilien, die zu privaten Zwecken im Ausland erworben werden, sind keine Direktinvestitionen.

Warum investieren Unternehmen im Ausland?

Die wichtigsten zwei Gründe für einen Betrieb, seine Fühler ins Ausland auszustrecken, entsprechen ganz den ureigenen Prinzipien eines Unternehmens: Erträge zu erhöhen und Kosten zu senken. Auch die Nähe zu einem neuen Absatzmarkt und dessen Erschließung sind oft ausschlaggebend. Meist führt aber ein ganzes Bündel von Motiven dazu, dass ein Betrieb ins Ausland geht. Dazu zählen etwa: die Umgehung von Handelsbeschränkungen, Preisvorteile bei Arbeits- und Produktionskosten sowie bei der Rohstoffbeschaffung, die Verkürzung von Transportwegen, steuerliche Vorteile, staatliche Förderungen für Betriebsansiedlungen, geringe Grundstückspreise, niedrigere Umweltauflagen, niedrigere Löhne und Lohnnebenkosten, manchmal aber auch höher qualifizierte Arbeitskräfte oder der notwendige direkte Kontakt zu den Kunden. Gegen eine Investition im Ausland können vor allem das politische Risiko (Krisenherde, Streiks) oder auch Unsicherheiten über die Entwicklung des Wechselkurses, der Inflation oder der Steuern im Gastland sein.

Was sind die wichtigsten Standortfaktoren?

Im Zusammenhang mit ausländischen Direktinvestitionen wird immer wieder darauf verwiesen, dass der Wirtschaftsstandort Österreich attraktiv für ausländische Investoren bleiben muss. Zu diesem Zweck müssten eine Reihe von Standortfaktoren vorhanden sein bzw. erfüllt werden. Die Austrian Business Agency (ABA), die als Beratungsunternehmen der Republik Österreich Anlaufstelle für internationale Investoren ist und daher schon ihrer Natur nach das Land in einem guten Licht präsentieren soll, nennt als Vorteile für Österreich als Wirtschaftsstandort vor allem folgende Faktoren:

- Brückenkopf nach Osteuropa
- Erstklassiger Forschungsstandort
- Sinkende Lohnstückkosten
- Qualifizierte und motivierte Mitarbeiter
- Hohe Streiksicherheit (auch nach den Pensionsstreiks im Vergleich zu vielen anderen Ländern nach wie vor gültig)
- Moderate Unternehmensbesteuerung

Neben diesen allgemein gehaltenen Faktoren hängt die Standortwahl sehr stark von den jeweiligen Bedürfnissen der Betriebe ab. Eine ausländische Parfümerie- oder Textilkette wird sich trotz hoher Mieten und Lohnkosten eher in einem hoch entwickelten Land ansiedeln, weil sie zahlungskräftige Kundschaft braucht. Ein Fertigungsbetrieb wählt vielleicht ausschließlich nach den Lohnkosten und den Umweltauflagen aus. Ein anderer Produktionsbetrieb achtet wieder vermehrt auf eine günstige Infrastruktur, also ein gut ausgebautes Straßen- und Schienennetz, über das er dann seine Erzeugnisse in alle Welt liefern kann.

Das Institut für Höhere Studien (IHS) streicht als wichtige Faktoren vor allem die Verfügbarkeit und Qualifikation von Arbeitskräften, die Energiekosten und das steuerliche Umfeld heraus. 2002 lag Österreich unter Berücksichtigung dieser Faktoren bei der Ansiedelungswahrscheinlichkeit unter den 15 EU-Ländern auf dem drittletzten Platz, gefolgt nur von Portugal und Griechenland. Irland, Schweden, die Niederlande und Großbritannien können dagegen jeweils mehr als 10 Prozent der gesamten ausländischen Direktinvestitionen in der EU auf sich konzentrieren. Durch die EU-Erweiterung könnte sich die Situation für Österreich laut IHS-Chef Bernhard Felderer in den nächsten Jahren sogar noch verschlechtern. Wegen der Neuverteilung der EU-Regionalförderungsmittel zu Gunsten der zentral- und osteuropäischen Beitrittswerber würde Österreich jährlich um 28 Prozent weniger EU-Mittel erhalten als bisher. Um als Wirtschaftsstandort weiterhin attraktiv zu bleiben, drängt das IHS daher gemeinsam mit der Wirtschaftskammer vor allem auf Steuer- und Abgabensenkungen, unter anderem bei den Lohnnebenkosten und der Körperschaftsteuer.

Vergleicht man die EU-Länder hinsichtlich ihrer Wettbewerbsfähigkeit als Wirtschaftsstandort, scheinen Abgaben und Steuern aber eine untergeordnete Rolle zu spielen. So verweist etwa WIFO-Chef Kramer auf Finnland und Schweden, die eine deutlich höhere Abgabenquote als Österreich hätten und dennoch in den internationalen Bewertungen der Standortqualität durch Managerbefragungen nicht nur besser als Österreich, sondern überhaupt als führend in der Welt eingestuft würden.

Welche Vor- und Nachteile haben Direktinvestitionen?

Niederlassungen von ausländischen Konzernen und Betrieben sind in den meisten Ländern heiß begehrt. Sie schaffen Arbeitsplätze im Gastland und fördern das Wirtschaftswachstum, weil sie einerseits die Kapitalbasis eines Landes verbreitern und andererseits oft zu einer Steigerung der Produktivität beitragen. Aber sie können auch Nachteile mit sich bringen. Speziell wenn die Situation umgekehrt liegt und ein heimischer Betrieb im Ausland investiert, wird damit oft ein Verlust von Arbeitsplätzen im Inland und ein Kapitalabfluss befürchtet. Ob das zutrifft, hängt davon ab, inwieweit und in welcher Weise der Betrieb seine Tätigkeiten ins Ausland verlagert. Verbleibt beispielsweise die Entwicklungsabteilung im Inland und werden im Stammhaus weiterhin viele Mitarbeiter für hoch qualifizierte Vor- oder Nacharbeiten eingesetzt, kann sich die Expansion auf einen neuen Absatzmarkt auch für das Heimatland als Gewinn bringend erweisen.

Ein Hauptmotor der ausländischen Direktinvestitionen sind multinationale Unternehmen. Viele der mit Direktinvestitionen einhergehenden Vorteile und Probleme gelten daher gleichermaßen für Multis.

Mögliche Vorteile von Direktinvestitionen	Mögliche Nachteile von Direktinvestitionen
• Beitrag zur Konjunkturbelebung • Schaffung von Arbeitsplätzen • Zufluss von Kapital • Erhöhtes Steueraufkommen • Weniger Importe, sofern die produzierten Güter am Inlandsmarkt angeboten werden, und dadurch Verbesserung der Zahlungsbilanz • Import von Know-how und Technologie • Erweiterung des Zuliefermarktes • Steigerung des Wettbewerbs im Gastland und dadurch Druck auf ansässige Unternehmen, zu modernisieren	• Verdrängung lokaler Firmen • Dominante Marktstellung starker ausländischer Unternehmen • Bei großen Umstrukturierungen und verstärkter Marktkonzentration höhere Arbeitslosigkeit • Wichtige Wirtschaftsbereiche können unter ausländischen Einfluss geraten • Benachteiligung ansässiger Betriebe durch steuerliche Förderung oder Subventionierung ausländischer Anbieter • Minderung oder Aushöhlung des betrieblichen Mitspracherechts

Insbesondere Direktinvestitionen in Entwicklungsländer werden häufig kritisiert, weil sie sich nicht an den Grundbedürfnissen der Bevölkerung orientierten. Oft würde dabei eine hoch entwickelte Technologie eingesetzt, die das ansässige Gewerbe verdränge, die Arbeitslosigkeit erhöhe und letzten Endes nur dazu führe, dass sich die Bevölkerung in einen wachsenden modernen und einen stagnierenden traditionellen Markt zweiteile. Wirklich profitieren könnten von solchen Investitionen nur die jeweiligen Unternehmen und deren Herkunftsländer, die dafür zum Teil Finanzhilfe erhielten. Nach Untersuchungen der OECD und der UNCTAD (der UNO-Handels- und Entwicklungskonferenz, die den Handel mit Entwicklungsländern fördern soll) trifft diese Ansicht aber nicht generell zu. Je nach der Form und dem Einsatz einer Direktinvestition und den gegebenen Bedingungen in einem Entwicklungsland kann sie auch einen Wohlstandszuwachs bringen.

Zum Großteil spielen sich Direktinvestitionen laut UNCTAD aber ohnehin innerhalb der Industrieländer ab. Über 90 Prozent aller Direktinvestitionen gehen von den 30 Mitgliedstaaten der OECD aus, allen voran von den USA. Und etwa drei Viertel aller Investitionen fließen wieder in OECD-Länder.

Wer investiert in Österreich, wo investieren die Österreicher?

„Österreich ist anders", hieß es im April 2003 in einer Aussendung der Oesterreichischen Nationalbank. Denn obwohl auch die UNCTAD in ihrem World Investment Report angesichts der unsicheren Lage der Weltkonjunktur und der anhaltenden Schwäche der Börsen eine verhaltene Entwicklung der Direktinvestitionen prognostiziert hatte, boomten die österreichischen Auslandsinvestitionen entgegen dem internationalen Trend. In den ersten drei Quartalen des Jahres 2002 wurden um 2 Mrd. Euro mehr Auslandsengagements als im Vergleichszeitraum des Vorjahrs verzeichnet. Während die heimischen Investitionen im Jahr 2000 noch überwiegend in den Euroraum gingen, konzentrierte sich ab 2001 der Hauptanteil (60 Prozent) auf den mittel- und osteuropäischen Raum, und dabei vor allem auf die florierenden EU-Beitrittsländer Tschechien, Ungarn, Slowakei und Slowenien. Aber auch in Kroatien, das bei der Erweiterungsrunde der EU 2004 noch nicht dabei ist, stellt Österreich den größten ausländischen Investor. Dominierende Branche bei den Auslandsinvestitionen der Österreicher war 2002 wie schon in den Jahren davor der Finanzsektor. Innerhalb des Produktionssektors investierten vor allem die Chemie- und Metallindustrie im Ausland.

Insgesamt steckten österreichische Unternehmen nach Angaben der Nationalbank im Jahr 2002 5,7 Mrd. Euro in ausländische Standorte.

Im europäischen Trend lag dafür der deutliche Rückgang bei den Direktinvestitionen, die Ausländer in Österreich tätigten. Mit 1,8 Mrd. Euro wurde 2002 der geringste Wert seit 1995 verzeichnet. Dennoch wurden durch rund 400 Unternehmen neue Standorte in Österreich begründet oder bestehende ausgeweitet. Bei den Ausländern, die in Österreich investieren, liegt in der Regel Deutschland an der Spitze. Großfusionen und -investitionen können aber die Statistik oft deutlich verzerren. So geschehen im Jahr 2000, als die HypoVereinsbank die Bank Austria-Creditanstalt übernahm und der deutsche Anteil an den Direktinvestitionen in Österreich plötzlich fast 8-mal höher war als im Jahr zuvor. Und im Jahr 2001 hatte plötzlich Großbritannien die Nase als bedeutendster Auslandsinvestor vorne. Ein Grund dafür war die Übernahme der Austria Tabak durch den britischen Tabakkonzern Gallaher. Abgesehen von solchen Ausreißern gelten neben Deutschland traditionell die Schweiz, die Niederlande (allerdings nicht 2001 und 2002) und die USA als größte Auslandsinvestoren in Österreich.

Euro

• Warum war es der EU wichtig, eine gemeinsame Währung einzuführen?
• Wie hat sich der Euro seit seinem Start 1999 entwickelt?
• Welche Auswirkungen hat ein starker Euro-Kurs auf die Wirtschaft?
• Warum schwankt der Kurs von Währungen ständig?
• Welche Folgen hat die Auf- oder Abwertung einer Währung?
• Welche Faktoren bestimmen, ob eine Währung hart oder weich ist?

Warum war es der EU wichtig, eine gemeinsame Währung einzuführen?

Mit 1. Jänner 1999 wurde in Österreich und in zehn anderen EU-Mitgliedstaaten – sowie 2001 auch in Griechenland – der Euro als Währung eingeführt, zunächst als Buchgeld und ab 1. Jänner 2002 auch als gesetzliches Zahlungsmittel. Euro und Cent ersetzten damit zu einem zuvor festgelegten und unveränderlichen Kurs die bis dahin bestehenden nationalen Währungen.

Vor allem wirtschaftliche Gründe waren ausschlaggebend für die Schaffung einer einheitlichen Währung.

■ Ein echter Binnenmarkt ist ohne gemeinsamen Währungsraum nicht möglich. Die EU-Staaten wickeln den überwiegenden Teil ihres Außenhandels innerhalb der Union ab. Währungspolitische Störungen, Wechselkursschwankungen und Unruhen an den internationalen Finanzmärkten – wie die noch in den 90er-Jahren durch Währungsspekulationen ausgelösten Wirtschaftskrisen – hätten die innergemeinschaftlichen Wirtschaftsbeziehungen immer wieder schwer beeinträchtigen können.

■ Wettbewerbsnachteile der einzelnen Länder als Folge von unkalkulierbaren, durch weltweite Kapitalbewegungen ausgelöste und damit ungerechtfertigte Aufwertungen sind in der Währungsunion nicht mehr möglich. Damit entfällt die dadurch immer wieder ausgelöste Bedrohung für Tausende von Arbeitsplätzen. Im Jahr 1995 beispielsweise haben die Währungsturbulenzen das Wirtschaftswachstum in Österreich durchschnittlich um einen halben Prozentpunkt verlangsamt.

■ Um zuverlässig planen zu können, brauchen Unternehmen kalkulierbare Wechselkurse. Kursverluste durch Wechselkursschwankungen müssen sonst an den Devisenterminbörsen abgesichert werden, und das verursacht einen Aufwand, der auf den Gewinn drückt. Nach Schätzungen der EU-Kommission machten Kosten wie diese sowie Wechselgebühren früher rund 22 Mrd. Euro pro Jahr aus.

■ Ähnlich wie amerikanische Unternehmen besitzen die europäischen

Unternehmen seit Bildung der Währungsunion einen großen Markt und einheitlichen Währungsraum, der auch dann innere Stabilität garantiert, wenn die gemeinsame Währung durch Auf- oder Abwertungen gegenüber Drittländern ihren Außenwert verändert.

■ Investmentgesellschaften und Pensionsfonds können sich an den Börsen der anderen Mitgliedsländer engagieren, ohne dass ihnen Wechselkursrisiken drohen oder sie diese teuer absichern müssen. Das gilt ebenso für private Anleger.

■ Daneben bietet eine gemeinsame Währung auch noch eine Reihe von kleineren Annehmlichkeiten:

• Urlauber und Geschäftsreisende sparen sich die Mühen und Kosten des Geldwechselns bei Reisen innerhalb der Währungsunion.

• Preisvergleiche mit den Nachbarländern werden einfacher.

• Auch Geldabheben bei Urlaubs- oder Geschäftsreisen im Euroraum und Überweisen werden durch eine Einheitswährung leichter und günstiger.

• Unternehmen mit Niederlassungen oder Tochtergesellschaften im Euroraum können nun mit einem einzigen Rechnungswesen auskommen und sie können die Zahl ihrer Bankverbindungen in den Partnerländern reduzieren, weil überall mit der gleichen Währung gezahlt wird.

Die gemeinsame Währung hat allerdings auch einen gewichtigen Nachteil mit sich gebracht: Durch die Währungsunion und den damit verbundenen Stabilitätspakt können die einzelnen Mitgliedstaaten nicht mehr länger eine eigenständige und bedarfsorientierte Wirtschaftspolitik betreiben. Länder, die aus welchen Gründen auch immer mit vergleichsweise ungünstigen Kosten- und Preisentwicklungen bzw. mit sonstigen Wirtschafts- oder Budgetproblemen konfrontiert sind, haben nicht mehr länger die Möglichkeit, auf das Hilfsmittel Abwertung zurückzugreifen, denn die geldpolitische Entscheidungsgewalt liegt seit 1999 ausschließlich bei der Europäischen Zentralbank in Frankfurt. Die nationalen Notenbanken können somit beispielsweise nicht mehr durch Zinserhöhungen oder -senkungen auf die Preisentwicklung einwirken.

Wie hat sich der Euro seit seinem Start 1999 entwickelt?
Der Euro war erst ein paar Monate alt, da wurde er schon mitleidig belächelt: Die neue Währung war am 4. Jänner 1999 mit einem Einstandskurs von 1,17 Dollar an den Börsenmärkten gestartet, und bis auf einen leichten Kursanstieg am darauf folgenden Tag war es in der Folge ständig bergab gegangen.

Der vorläufige Tiefstand war Ende Oktober 2000 erreicht, als für einen Euro gerade einmal 0,82 Dollar zu erhalten waren. Die Euro-Skeptiker fühlten sich in ihrer Kritik bestätigt: Die neue Einheitswährung tauge nichts und würde vom internationalen Markt nicht angenommen, die Währungsunion sei somit zum Scheitern verurteilt. Und auch viele europäische Bürger erfüllte der sinkende Wechselkurs ihrer neuen Währung mit Sorge.

Dabei hatte der schwache Euro-Wechselkurs durchaus seine Vorteile: Reisen in Dollar-Länder wurden zwar damit teurer, und auch die Preise von Importen aus den USA oder Asien, wo gern in Dollar fakturiert wird, stiegen. Die europäischen Exporteure freuten sich aber über den schwachen Euro, der ihre Produkte auf dem großen US-Absatzmarkt günstig machte, und auch die Tourismusindustrie profitierte von dem regen Zustrom amerikanischer Gäste, die in Europa billig urlauben konnten.

Die Befürchtungen der Europäer, dass sie ihre nationalen Währungen gegen einen richtigen Schwächling eingetauscht hatten, stellten sich aber auch so bald als unbegründet heraus, denn ab Juli 2001 zeigte der Euro Muskeln und legte beständig zu. Im Mai 2003 wurde mit 1,18 Dollar sogar kurzfristig der bisher höchste Wert in Euro-Zeiten erzielt.

Wechselkurs Dollar/Euro 2001–2003 (September)

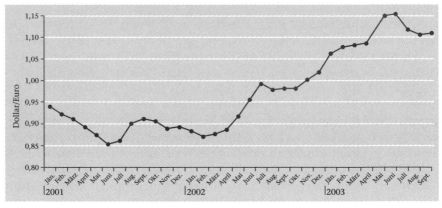

Quelle: EZB Monatsbericht Oktober 2001-Mai 2003

Nun hatte sich der Spieß also umgedreht: Der Euro zeigte Stärke und der Dollar war schwach. Dazu beigetragen haben nach Meinung von Devisenexperten gleich mehrere Faktoren – am allerwenigsten aber Europa und seine Geldpolitik. Vielmehr wurde der starke Euro-Kurs in den USA „gemacht", damit die Währungsschwäche, die für einige Jahre den Euroländern Vorteile im Außenhandel verschaffte, nun der flauen US-amerikanischen Wirtschaft zugute kommt. Denn, wie US-Finanzminister John Snow mehrfach betonte, durch den schwachen Dollar würden US-Waren billiger und verkauften sich somit besser.

Als eine Maßnahme, um den Dollar nach unten zu drücken, wurde der Leitzinssatz in den USA mehrmals gesenkt. Die Zinsen haben im Juni 2003 mit 1 Prozent den tiefsten Stand seit 40 Jahren erreicht und sind in Europa noch immer doppelt so hoch.

Der Effekt: Immer mehr Anleger und Sparer legen ihr Geld in Euro an, nicht zuletzt auch aus Sorge um die weitere Entwicklung der US-Konjunktur und der weiterhin schwachen japanischen Währung Yen. Denn neben den niedrigen Zinsen sorgen auch das riesige Leistungsbilanzdefizit und der enorme Schuldenberg im US-Budget für Unsicherheit. Die Investoren sehen sich nach Alternativen um – und finden im Euro einen relativ sicheren Hafen. Anders als die US-Währung unterliegt die europäische Währung strengen Stabilitätskriterien, die starke Wertschwankungen unterbindet. Die Europäische Bankenvereinigung EBF, in der 4.000 Banken aus den 15 EU-Mitgliedstaaten sowie aus Island, Norwegen und der Schweiz vertreten sind, hält den Anstieg des Euro-Wechselkurses deshalb auch vielmehr als Vertrauensbeweis des Marktes für die europäische Währung und geht davon aus, dass die Attraktivität des Euro als Reserve- und internationale Handelswährung eher noch zunehmen wird. (Zur Herstellung und Sicherheit des Euro siehe auch unter dem Stichwort Oesterreichische Nationalbank.)

Welche Auswirkungen hat ein starker Euro-Kurs auf die Wirtschaft?

So wie in den Zeiten, wo der Euro gegenüber dem Dollar schwach notierte, gibt es auch bei einem starken Euro-Kurs Vorteile und Nachteile:

- **Billige Importe:** Für die Verbraucher bringt der starke Euro gegenüber Yen und Dollar kurzfristig Vorteile mit sich. Importe aus den USA, aus Südostasien und Japan (etwa Computer, Kameras oder Textilien und Sportschuhe) werden billiger und damit auch die Preise in den Regalen – sofern die Händler den Einkaufsvorteil an die Kunden weitergeben und den Zusatzgewinn nicht in die eigene Kasse fließen lassen.
- **Billige Urlaube:** Auch Urlauber, die in Dollar-dominierte Länder fahren, erhalten mit einem starken Euro mehr fürs selbe Geld. Und nicht nur das: Flugreisen werden durch die gesunkenen Treibstoffkosten generell günstiger.
- **Billiges Öl:** Erdöl wird traditionell in Dollar abgerechnet. Für die Euroländer verringert sich bei einem schwachen Dollar der Ölpreis – ein

Vorteil für alle Branchen, da unter anderem die Transportkosten sinken, besonders aber für die Verarbeiter des Rohöls. Wie weit sich das für Autofahrer und Heizölkäufer in sinkenden Preisen ausdrückt, hängt von der Geschäftspolitik der Ölkonzerne ab. Da beim Benzinpreis Steuern eine wichtige Rolle spielen, wirken sich Vergünstigungen meist nur in Cent-Größen aus und sind daher nur für Großabnehmer wirklich spürbar.

- **Billige Schulden:** Kreditnehmer, die Schulden in Dollar oder Yen haben, müssen bei starkem Euro-Kurs weniger zurückzahlen.
- **Teure Exporte:** Österreichs Exporteure sind von einem starken Euro-Kurs vor allem über Umwege betroffen. Die heimische Wirtschaft exportiert hauptsächlich in andere Euroländer und nach Osteuropa. Hier macht der schwache Dollar keine Probleme. Der Anteil der Exporte, die in Dollar abgerechnet werden, beschränkt sich nach Angaben der Wirtschaftskammer auf 15 bis 16 Prozent aller Ausfuhren. Aber besonders in der Autozulieferindustrie wirkt sich die Euro-Dollar-Relation negativ aus. Einbußen ergeben sich hier vor allem auf dem Umweg über Deutschland, denn für die deutschen Automobilkonzerne sind die USA ein bedeutender Absatzmarkt. Von den 5,7 Millionen produzierten Einheiten im Jahr 2001 gingen über eine halbe Million in die USA. Im Bereich der Luxuswagen haben deutsche Hersteller wie BMW oder Porsche sogar einen Marktanteil von 30 Prozent. Auch Maschinenbauer und Edelstahlerzeuger sind davon betroffen.
- **Jobabbau:** Sind die Exporte längere Zeit rückläufig, wirkt sich das auf die Arbeitsplätze aus. Entweder werden Produktionsstätten zugesperrt oder in den Dollar-Raum bzw. ein anderes Land verlagert.

Warum schwankt der Kurs von Währungen ständig?

Währungen werden ebenso wie Waren international gehandelt. An den Devisenbörsen bilden sich durch das Aufeinandertreffen von Angebot und Nachfrage Kurse, die sich unter Umständen von Tag zu Tag stark ändern können. Wie viel eine Währung im Verhältnis zu einer anderen Währung wert ist, wird also an den internationalen Börsen entschieden und hängt unter anderem von folgenden Einflussfaktoren ab:

- vom inneren Wert/Kaufkraft/Inflation
- von der Budgetsituation des jeweiligen Landes
- von der Leistungsbilanz (Importe/Exporte)
- von der politischen Situation
- vom internationalen Vertrauen
- von den Erwartungen der Spekulanten

Der innere Wert einer Währung, also das, was sie im jeweiligen Land wert ist, wird vor allem von der Inflation in dem jeweiligen Land bestimmt. Wenn die Inflation hoch ist, sich das Geld rasch entwertet, ist es für die Bevölkerung tatsächlich nicht viel wert, weil sich Ansparen nicht lohnt und für Ausgaben ständig mehr aufgewendet werden muss. Die unterschiedlichen Inflationsraten in den EU-Ländern sind auch der Grund dafür, dass der Euro in manchen Mitgliedstaaten mehr wert ist oder – im Gegenteil – weniger dafür zu haben ist als im Heimatland. Niedrigere Preise für öffentliche Verkehrsmittel oder für Wohnungen bei gleichzeitig niedrigerem Lohnniveau machen den Unterschied aus. Dieses Phänomen existiert aber auch innerhalb der Landesgrenzen: So sind Wohnungen und Lebensmittelpreise in Städten meist teurer als in wenig attraktiven Regionen auf dem Land. Da die Inflationsraten innerhalb der EU-Länder, die sich der Währungsunion angeschlossen haben, in engen Grenzen gehalten werden, fallen die Unterschiede innerhalb des Euroraums aber nicht sehr groß aus.

Der Außenwert einer Währung, also das, was sie im Vergleich zu anderen Währungen wert ist, hängt von der Entwicklung des Wechselkurses ab und wird auf den Devisenmärkten frei gebildet. Auch der Euro wird an den internationalen Devisenbörsen gehandelt. Als großer, stabiler Binnenmarkt hat die Europäische Währungsunion allerdings im internationalen Währungssystem ein größeres Gewicht bekommen, als es zuvor jede einzelne nationale Währung für sich haben konnte. Das Ziel der Währungsstabilität kann deshalb gegenüber den anderen großen „Mitspielern" Yen und Dollar nachdrücklicher vertreten werden.

Für die innere Stabilität des Euro und damit letztlich auch für dessen Außenwert sorgen die strengen Vorschriften für die einzelnen Mitgliedstaaten der Währungsunion sowie der Wachstums- und Stabilitätspakt (siehe Seite 151). So müssen EU-Länder, die an der Währungsunion teilnehmen, stabile Preise, gesunde öffentliche Finanzen und niedrige langfristige Zinsen aufweisen.

Welche Folgen hat die Auf- oder Abwertung einer Währung?

Bei Aufwertung ...	Bei Abwertung ...
... wird die inländische Währung im Vergleich zu anderen Währungen teurer; die Exporte nehmen ab, weil sie für die ausländischen Käufer zu teuer werden.	... wird die inländische Währung im Vergleich zu anderen Währungen billiger; die Exporte steigen, weil die Produkte für die ausländischen Käufer günstiger werden.
... werden die anderen Währungen im Vergleich zur inländischen Währung billiger; die Importe steigen, weil die Waren aus dem Ausland günstiger werden.	... werden die anderen Währungen im Vergleich zur inländischen Währung teurer; die Importe sinken, weil die Waren aus dem Ausland teurer werden.
= **passive Handelsbilanz** (es wurde mehr importiert als exportiert)	= **aktive Handelsbilanz** (es wurde mehr exportiert als importiert)
... reisen die Inländer vermehrt ins Ausland, weil sie dort billig urlauben können.	... sinkt die Zahl der Auslandsreisen, weil sie teurer werden.
... kommen weniger ausländische Besucher, weil der Aufenthalt für sie teurer wird.	... steigt die Zahl der ausländischen Gäste, weil sie hier billig urlauben können.
= **passive Fremdenverkehrsbilanz** (es gibt mehr Reisen ins Ausland als Reisen von Ausländern ins Inland)	= **aktive Fremdenverkehrsbilanz** (die Inländer bringen weniger Devisen ins Ausland als die Ausländer ins Inland bringen)
... fließt mehr Kapital ins Ausland. ... fließt weniger ausländisches Kapital ins Inland.	... fließt weniger Kapital ins Ausland. ... fließt mehr ausländisches Kapital ins Inland.
= **passive Kapitalbilanz** (es gibt einen stärkeren Kapitalstrom ins Ausland als von dort ins Inland	= **aktive Kapitalbilanz** (es gibt einen stärkeren Kapitalstrom ins Inland als ins Ausland)
= **passive Zahlungsbilanz/Abfluss von Währungsreserven**	= **aktive Zahlungsbilanz/Zufluss von Währungsreserven**

Welche Faktoren bestimmen, ob eine Währung hart oder weich ist?

Geld dient als Tauschmittel („Ware gegen Geld"), als Recheneinheit, um Preise für Waren und Leistungen einheitlich ausdrücken zu können, und als Wertaufbewahrungsmittel. Damit es all diese Funktionen erfüllen kann, müssen die Menschen, die es verwenden, entsprechendes Vertrauen in seine Stabilität haben. Und die bieten natürlich Währungen, die sich nur langsam entwerten, weitaus mehr als so genannte weiche Währungen.

Als Weichwährung gilt ein nationales Zahlungsmittel, das im internationalen Vergleich eine überdurchschnittlich hohe Inflation aufweist und dessen Wechselkurs gegenüber den führenden Währungen sich ständig verschlechtert. Als Hartwährung gilt umgekehrt, wenn das Geld sich kaum oder langsamer als andere wichtige Vergleichswährungen entwertet.

Das war lange Zeit beim Schilling der Fall, der an die Hartwährung D-Mark gebunden war: Beide galten von den 70er-Jahren weg bis zur Einführung des Euro 1999 als harte Währungen, weil die Geldentwertungsrate in Österreich und der Bundesrepublik Deutschland viele Jahre lang deutlich unter dem internationalen Durchschnitt lag und gleichzeitig der Wert des Schilling und der Mark gegenüber der internationalen Leitwährung Dollar und anderen wichtigen Währungen gestiegen war.

Eine wichtige Rolle bei der Stabilität einer Währung spielen die Notenbanken, im Fall Österreichs und der anderen Länder der Europäischen Währungsunion die Europäische Zentralbank, die bestimmt, wie viel Geld in Umlauf gebracht werden soll. Zu rasche und starke Veränderungen des Geldumlaufs können die Stabilität des Geldwerts beeinflussen. Steht einer gewissen Menge an Waren und Produkten plötzlich eine stark erhöhte Geldmenge gegenüber, so kommt es zu einer Preissteigerung oder Geldentwertung (Inflation), anderenfalls zu einem Geldwertanstieg (Deflation). Im Europäischen System der Zentralbanken werden daher für die zwölf an der Wirtschafts- und Währungsunion teilnehmenden Länder aufeinander abgestimmte Geldmengen berechnet, um die Liquiditätssituation im Euroraum stabil zu halten. In die Berechnungen fließen unter anderem die Wachstumsrate des vorhandenen Geldvolumens und Aussichten für die künftige Preisentwicklung ein, wobei verschiedene Messgrößen der Wirtschaft (wie etwa Preise, Löhne usw.) berücksichtigt werden.

Europäische Union (EU)

- Wie ist die EU entstanden?
- Was sind die vier Grundfreiheiten?
- Wer entscheidet in der EU?
- Was hat der Binnenmarkt gebracht?
- Wie schneidet die EU im Vergleich zu den USA ab?
- Wie wird es mit der EU weitergehen?

Wie ist die EU entstanden?

Am Beginn der Europäischen Union stand nicht ein ausgefeilter Plan zur Bildung einer Wirtschaftsunion, sondern vielmehr die Absicht der Friedensbildung: Nach den bitteren Erfahrungen durch die Weltkriege sollten auf deutsch-französische Initiative hin jahrhundertealte Rivalitäten, insbesondere zwischen den ehemaligen Erzfeinden Frankreich und Deutschland, abgebaut werden. Ein wirksamer Schritt in diese Richtung schien damals die gemeinsame Kontrolle kriegswichtiger Industrieprodukte wie Kohle und Stahl. Dass sich daraus innerhalb von rund 40 Jahren eine umfassende Wirtschafts- und Währungsgemeinschaft entwickeln würde, hätten damals wohl nicht einmal die größten Optimisten zu träumen gewagt. Mittlerweile ist der Einigungsprozess in Europa – trotz der Ängste und Befürchtungen, die in den Bevölkerungen mancher Staaten gegenüber dem „Koloss in Brüssel" herrschten oder noch immer herrschen – nicht mehr aufzuhalten: Aus ursprünglich 6 wurden 12 Mitgliedstaaten, die im Jahr 1992 den Gründungsvertrag der Europäischen Union unterzeichneten. 1995 wurden auch Österreich, Schweden und Finnland EU-Mitglieder. Im Mai 2004 stoßen zehn weitere Länder zur EU. Sie alle geben einen Teil ihrer Souveränität – also ihrer nationalen Eigenständigkeit – an die Staatengemeinschaft ab, um im Gegenzug vom wachsenden europäischen Binnenmarkt zu profitieren. Neben einer erleichterten Zusammenarbeit innerhalb Europas soll damit auch die Wettbewerbsfähigkeit gegenüber anderen großen Weltmärkten, wie vor allem den USA oder Asien, erhöht werden.

Die bis heute gültigen Gründungsmotive der Europäischen Gemeinschaft gehen aber über rein wirtschaftliche Aspekte hinaus. Demnach richten sich die Ideale und Ziele der EU auf die Förderung des Friedens, der Stabilität, der Demokratie und des Wohlstands in Europa durch eine einheitliche Geld- und Währungspolitik und eine zunehmend stärkere Koordinierung der allgemeinen Politiken in den Bereichen Wirtschaft, Soziales, Außenbeziehungen, Verteidigung, Justiz und innere Sicherheit.

Was sind die vier Grundfreiheiten?

Basis der Europäischen Union ist die Durchsetzung der vier Grundfreiheiten durch alle Mitgliedstaaten:

- **Freier Personenverkehr:** Alle EU-Bürger haben das Recht, sich in jedem Land der EU aufzuhalten, dort zu arbeiten und zu leben; Studien- und Berufsnachweise sind gegenseitig anzuerkennen.

- **Freier Dienstleistungsverkehr:** Personen und Unternehmen dürfen EU-weit ihre Dienstleistungen ohne Beschränkungen anbieten (zum Beispiel Bankdienstleistungen, Versicherungsabschlüsse, Beratertätigkeiten usw.).

- **Freier Warenverkehr:** Normen und Vorschriften sind zu harmonisieren oder gegenseitig anzuerkennen, die Kontrolle der Produkte findet im Herkunftsland statt, ansonsten dürfen sie in jedem EU-Land angeboten werden; Handelshemmnisse wie Binnenzölle oder Grenzkontrollen fallen weg.

- **Freier Kapitalverkehr:** Geld- und Kapitalbewegungen unterliegen keinen Beschränkungen; alle EU-Bürger und -Unternehmen dürfen ihr Geld anlegen oder investieren, wo es ihnen innerhalb der EU am vorteilhaftesten erscheint.

Wer entscheidet in der EU?

Mit einer Bevölkerung von 370 Millionen und einem Bruttoinlandsprodukt von mehr als 8.000 Mrd. Euro bildet die Europäische Union den größten integrierten Markt in der Weltwirtschaft (siehe auch Wirtschaftsblöcke weltweit). Als weltweit führender Exporteur von Waren und Dienstleistungen sowie als Hauptexportmarkt für 130 Länder auf der ganzen Welt entfällt auf die EU mehr als ein Fünftel des Welthandels. Der Euro ist nach dem Dollar die wichtigste Reservewährung der Welt geworden. Durch die EU-Erweiterung wächst die EU auf 450 Millionen Menschen an und ihr wirtschaftliches Gewicht hinsichtlich Bruttoinlandsprodukt und Handel nimmt weiter zu. Sie stellt damit den größten Wirtschaftsraum der Welt mit dem größten Binnenmarkt dar und überholt das bisherige wirtschaftliche Schwergewicht USA deutlich. Da Handelsbeziehungen in den Zuständigkeitsbereich der EU-Kommission fallen, verhandelt die EU auch im Namen der Mitgliedstaaten über die meisten Handelsfragen in der Welthandelsorganisation (WTO) und in anderen führenden internationalen Wirtschafts- und Finanzinstitutionen. Doch wer bestimmt, wie die Kommission entscheiden soll, und wie viel Mitspracherecht haben dabei die einzelnen Länder?

- **Europäischer Rat**
  Den größten direkten Einfluss auf die EU-Politik haben die einzelnen Mitgliedstaaten über den Europäischen Rat und den Ministerrat. Im Europäischen Rat, dem höchsten Gremium der Gemeinschaft, kommen die Staats- und Regierungschefs der einzelnen Mitgliedsländer sowie der Präsident der Kommission mindestens zweimal pro Jahr zu Beratungen („EU-Gipfeltreffen") zusammen. Unterstützt werden sie durch ihre Außenminister und jeweils ein weiteres Mitglied der Kommission. Der Rat fällt politische Grundsatzentscheidungen und gibt die allgemeinen Zielvorstellungen für die Gemeinschaft vor.

- **Ministerrat**
  Die Detailfragen werden im Ministerrat bzw. Rat der Europäischen Union erörtert und verhandelt. Hier findet also das eigentliche Gerangel zwischen den einzelnen Mitgliedsländern statt. Wie der Name schon sagt, kommen hier die jeweils zuständigen Minister der Mitgliedsländer zusammen. Je nach dem auf der Tagesordnung stehenden Thema wird in unterschiedlicher Zusammensetzung getagt: beim Rat „Wirtschafts- und Finanzfragen" (dem so genannten „Ecofin-Rat") etwa die zuständigen Wirtschafts- oder Finanzminister, beim Rat „Landwirtschaft" die jeweiligen Landwirtschaftsminister usw.
  Der Ministerrat fasst Beschlüsse, indem er über die Vorschläge der Kommission entscheidet. Das Parlament hat darauf nur begrenzten Einfluss, weshalb immer wieder eine intensivere Kontrolle des Rats durch das Parlament diskutiert wird. Die Verordnungen des Ministerrates gelten in den EU-Staaten wie Gesetze, deshalb wird bei strittigen Fragen oft sehr lange verhandelt, bis es zu einem einstimmigen Ergebnis kommt. Es sind aber auch Mehrheitsentscheidungen möglich. Mit zunehmender Größe der EU wird der Grundsatz der Einstimmigkeit immer schwerer einzuhalten sein. Ab 2005 wird daher ein geändertes Abstimmungsverfahren eingeführt (siehe dazu die Tabelle auf Seite 176).

- **Kommission**
  Die Kommission ist gewissermaßen die Regierung der EU: Sie verwaltet die Einrichtungen der Gemeinschaft und ihre finanziellen Mittel, überwacht die Einhaltung der Verträge und schlägt neue Rechtsvorschriften vor, die dann dem Ministerrat zur Beschlussfassung vorgelegt werden. Der Kommission obliegt es auch, das Budget der EU zu erstellen und zu verwalten. Im Gegensatz zum Ministerrat vertritt die Kommission ausschließlich die Interessen der Gemeinschaft und kann daher auch von keiner Regierung Weisungen entgegennehmen. Deshalb handeln die 20 Kommissäre und der Präsident, die von den nationalen

Regierungen entsandt werden, auch nicht im Auftrag ihres jeweiligen Landes, sondern ausschließlich im Interesse der EU. Sie werden auf vier Jahre gewählt und können weder vom Ministerrat noch von einzelnen Mitgliedstaaten abgesetzt werden.

- **Europäisches Parlament**
  Die 626 Abgeordneten des EU-Parlaments werden alle fünf Jahre direkt von den EU-Bürgern gewählt. Sie vertreten nicht nur ihr jeweiliges Land, sondern auch die Anliegen der politischen Fraktion, zu der sie im Parlament zählen. Anders als das österreichische Parlament hat das EU-Parlament keine gesetzgeberische, sondern vor allem kontrollierende und beratende Befugnisse.

- **Europäischer Gerichtshof**
  Der EuGH überwacht die Einhaltung der Gemeinschaftsverträge und regelt alle Streitigkeiten zwischen den Mitgliedstaaten. Er setzt sich aus Richtern, die von den Regierungen der Mitgliedstaaten auf sechs Jahre ernannt werden, und aus Staatsanwälten zusammen. Seine Entscheidungen sind für die Organe und Mitgliedstaaten der EU verbindlich und haben Vorrang vor nationalem Recht.

- **Europäischer Rechnungshof**
  Der EU-Rechnungshof ist für die finanzielle Kontrolle des EU-Haushalts zuständig und muss jährlich einen Bericht über die ordnungsgemäße und rechtmäßige Verwendung der Budgetmittel erstellen.

- **Wirtschafts- und Sozialausschuss**
  Die Ausschüsse sind keine Organe der EU, sondern haben lediglich beratende Funktion. Im Wirtschafts- und Sozialausschuss sind die verschiedenen Gruppen des wirtschaftlichen und sozialen Lebens vertreten.

- **Ausschuss der Regionen**
  Dieser Ausschuss umfasst lokale und regionale Vertreter und soll vor allem eine stärkere Bürgernähe der EU sicherstellen.

Funktionsweise der EU

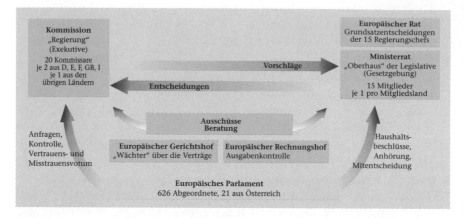

Wofür stehen „EU-15", „EU-19" und „EU-25", wofür „Eurozone"?

In den Medien ist oft von den EU-15 oder von der Eurozone (auch Euroraum, Eurogebiet oder Euroländer genannt) die Rede. Die Unterscheidung ist notwendig, weil nicht alle Länder, die zur Europäischen Union gehören, die gemeinsame Währung „Euro" einführen konnten oder wollten.

■ EU-15 = sämtliche 15 Mitgliedstaaten der Europäischen Union: also Belgien, Dänemark, Deutschland, Finnland, Frankreich, Griechenland, Großbritannien, Irland, Italien, Luxemburg, Niederlande, Österreich, Portugal, Schweden und Spanien.

■ Eurozone = alle EU-Länder mit Ausnahme von Schweden, Dänemark und Großbritannien.

■ EU-19 = die EU-15 plus Island, Liechtenstein, Norwegen und die Schweiz (also die EFTA-Staaten, mit denen weit gehende Assoziierungsabkommen bestehen).

■ EU-25 = die bisherigen EU-Länder plus die zehn neuen Mitgliedstaaten

Was hat der Binnenmarkt gebracht?

Im Jahr 2002 war es zehn Jahre her, dass die damals zwölf Länder der Europäischen Gemeinschaft in der holländischen Stadt Maastricht den Vertrag über die Europäische Union (auch Maastricht-Vertrag genannt) unterzeichnet hatten. Viel war damals, zum Teil überhastet, vereinbart worden, unter anderem die Schaffung der Wirtschafts- und Währungsunion, einer gemeinsamen Sicherheits- und Außenpolitik einschließlich einer gemeinsamen Verteidigungspolitik, einer Unionsbürgerschaft und engerer justizieller Zusammenarbeit. Außerdem wurde mit diesem Vertrag aus der EG die EU.

Zehn Jahre EU – Grund genug für die EU-Kommission, einmal Bilanz zu ziehen und nachzurechnen, was der grenzenlose Binnenmarkt seinen Bürgern bisher gebracht hatte. Demnach konnten die privaten Haushalte durch den neu entstandenen, grenzenlosen Markt einen zusätzlichen Wohlstandsgewinn von jährlich jeweils 5.700 Euro oder insgesamt 877 Mrd. Euro verbuchen. Das Bruttoinlandsprodukt (BIP) der EU war laut EU-Kommission im Jahr 2002 um 1,8 Prozent oder 164,5 Mrd. Euro höher, als es ohne den Binnenmarkt ausgefallen wäre. Dazu kämen seit der Schaffung des grenzenlosen Binnenmarktes vor zehn Jahren rund 2,5 Millionen zusätzliche Arbeitsplätze, von denen der Großteil – etwa eine Million – im Hightech-Sektor der Informationsindustrien entstanden sei.

Eine eindrucksvolle Bilanz, die aber die Entscheidungsträger in der EU noch nicht wirklich zufrieden stellt: So müssten nach Ansicht von EU-Kommissar Frits Bolkestein etwa im Dienstleistungssektor, der zwei Drittel des BIP und der Beschäftigung in der EU ausmacht, noch zahlreiche Hindernisse beseitigt werden. Als Schwachstelle ortete die EU-Behörde vor allem die mangelnde Bereitschaft der Mitgliedstaaten, EU-Binnenmarktrichtlinien zügig in nationales Recht zu übernehmen. Derzeit laufen rund 1.500 Vertragsverletzungsverfahren gegen Mitglieder, die bei der Umsetzung der EU-Richtlinien säumig sind.

Wie schneidet die EU im Vergleich zu den USA ab?

Kritik an der bisherigen Leistung der europäischen Mitgliedstaaten entsteht aber oft auch im direkten Vergleich mit dem starken Konkurrenten USA. So wiesen die Vereinigten Staaten beispielsweise im Jahr 2002 nach Schätzungen der EU-Kommission ein Wirtschaftswachstum von immerhin noch 2,3 Prozent auf, während der EU-Durchschnitt in diesem Jahr bei 0,9 Prozent lag. Und obwohl die USA im Jahr 2003 einen Krieg zu finanzieren hatten und im Inland – so wie die europäischen Staaten – mit einer gedämpften Kauf- und Investitionslust kämpfen, prognostizieren ihnen die Wirtschaftsforscher durch die Bank weiterhin ein um 1 Prozentpunkt höheres Wachstum als der EU.

Echter Aufholbedarf oder eine Frage der Sichtweise? Der US-Ökonom Robert J. Gordon von der Northwestern University kommt im Rahmen einer Studie (siehe nachfolgenden Info-Tipp) zu dem Ergebnis, dass der Rückstand der Europäer gegenüber den Amerikanern bei Lebensstandard und allgemeiner Wohlstandsentwicklung geringer sei, als offizielle Wirtschaftsdaten vermuten lassen. Zwar sei die Produktivität pro Kopf im Durchschnitt der europäischen Länder tatsächlich niedriger als in den USA. Das liege aber ausschließlich an der kürzeren Jahresarbeitszeit, die nicht nur auf Unterbeschäftigung und Arbeitsmangel zurückzuführen sei.

Europäer hätten sich für mehr Freizeit und damit im Vergleich zu den „überarbeiteten Amerikanern" (Gordon) für mehr Lebensqualität entschieden.

Zudem würde das amerikanische BIP durch verschiedene Faktoren aufgebläht, ohne dass für den Einzelnen dadurch der Wohlstand gesteigert wird. Gordon zählt dazu den höheren Energieverbrauch wegen der extremen Klimabedingungen in den USA (etwa die Hitze in Texas und Florida bzw. die Kälte in den nördlichen Bundesstaaten), die langen Autofahrten in den zersiedelten Großstädten, in denen es an öffentlichen Verkehrsmitteln mangelt, und auch den verschwenderischen Umgang mit Energie. Dazu kämen beispielsweise noch der Aufwand an Kapital und Arbeit, mit dem Firmen und Privathaushalte wegen der hohen Kriminalität ihr Eigentum schützen müssten, sowie der Unterhalt der Haftanstalten mit ihren zwei Millionen Gefangenen.

In der Vergangenheit habe auf lange Sicht ein europäisches Land nach dem anderen die Vereinigten Staaten in der Produktivität überholt. Deshalb kann sich der Wissenschaftler sogar vorstellen, dass sich amerikanische Universitäten in zehn Jahren mit der Frage beschäftigen müssten, welche Ursachen die europäische Überlegenheit habe.

Info-Tipp: Die Studie „Two Centuries of Economic Growth: Europe Chasing the American Frontier" von Robert J. Gordon findet sich im Internet unter http://faculty-web.at.northwestern.edu/economics/gordon/research.html.

Unbestritten bleibt aber, dass die USA nach wie vor großen Einfluss auf die Konjunktur in den Industriestaaten haben. Springt der Wachstumsmotor in den USA an, dann wirkt sich das aufgrund der starken wirtschaftlichen Verflechtungen auch in Europa, insbesondere in Deutschland, positiv aus. Und wenn der deutsche Markt boomt, dann hat das auch positive Auswirkungen auf die österreichische Wirtschaft, für die Deutschland nach wie vor der wichtigste Partner im Außenhandel ist.

Wie wird es mit der EU weitergehen?

Die Vergrößerung der Europäischen Wirtschafts- und Währungsunion um die zehn mittel- und osteuropäischen Staaten sowie Malta und Zypern im Jahr 2004 ist festgelegt. Damit ist die EU-Erweiterung jedoch noch nicht abgeschlossen: Nach dem derzeitigen Fahrplan soll 2007 die nächste Erweiterungsrunde stattfinden, weitere aufnahmewillige Staaten warten vor allem im ex-jugoslawischen Raum. Die Erweiterung bringt auch strukturelle Änderungen in der Europäischen Union mit sich. Das werden aber nicht die einzigen Herausforderungen sein, denen sich die EU in den nächsten Jahren stellen wird müssen.

Trotz Renovierung geöffnet

Um zu verhindern, dass der Koloss EU durch den Sprung von 15 auf 25 Mitglieder unmanövrierbar wird, sind Umbauarbeiten notwendig. Die Systeme der Entscheidungsfindung müssen renoviert werden, weil es sonst immer schwieriger werden könnte, überhaupt zu Resultaten zu kommen. Beispiel Einstimmigkeit: Ein aus 15 Mitgliedern bestehender Ministerrat kann nach langen, zähen Verhandlungen eventuell noch zu einem einstimmigen Ergebnis kommen, mit 25 Teilnehmern wird das immer unwahrscheinlicher.

Weiteres Beispiel: EU-Präsidentschaft. Bis jetzt übernahmen die einzelnen Länder jeweils im Rotationsverfahren für sechs Monate den Vorsitz. Bei einer Erweiterung auf 25 Mitglieder, später eventuell noch mehr, würde das bedeuten, dass jedes Land höchstens alle 12 Jahre die Präsidentschaft übernehmen könnte.

Der so genannte Vertrag von Nizza beinhaltet bereits wesentliche Änderungen im Hinblick auf die Straffung der Entscheidungsverfahren in einer erweiterten Union:

- Im Ministerrat: Ausweitung der Mehrheitsbeschlüsse auf zusätzliche Politikbereiche, in denen damit keine Einstimmigkeit mehr erforderlich ist;
- neue Stimmengewichtung der Mitgliedstaaten im Rat, um so dem Beitritt neuer Mitglieder Rechnung zu tragen;
- Neuverteilung der Sitze im Europäischen Parlament;
- Stärkung der Befugnisse des Präsidenten der Europäischen Kommission gegenüber den Kommissionsmitgliedern und ihren Zuständigkeitsbereichen.

Mit dem so genannten „Konvent über die Zukunft Europas" sollen darüber hinaus neue Rahmenbedingungen für ein zukünftiges Europa gesteckt werden. Der Entwurf der neuen Verfassung für Europa, der nach 16-monatiger Arbeit durch 105 Konventsmitglieder aus Parlamenten, Regierungen und EU-Kommission im Juli 2003 vorgelegt wurde, sieht unter anderem weniger einstimmige Entscheidungen der Mitgliedsländer im EU-Rat, aber dafür eine stärkere Einbindung des Parlaments in den Gesetzgebungsprozess vor. Eine wichtige Vorgabe war außerdem die Zusammenfassung der bisherigen Verträge zu einem einheitlichen Verfassungstext. Daneben bietet der Reformentwurf einige Schmankerl, die dem neuen Europa Symbolkraft verleihen sollen, wie etwa Ludwig van Beethovens „Ode an die Freude" als EU-Hymne und einen neuen Feiertag unter dem Motto „Vereinigt in Vielfalt". Nach Plänen des Konvents soll in Hinkunft der 9. Mai als Europatag EU-weit gefeiert werden. An diesem Tag im Jahr 2004 soll auch – wenn es nach Plan geht – die neue EU-Verfassung von allen Mitgliedstaaten unterzeichnet werden. Dann wären nämlich bereits die zehn Länder aus Mittel- und Osteuropa, deren Beitritt für den 1. Mai 2004 vorgesehen ist, mit von der Partie.

Damit die Verfassung in Kraft treten kann, muss sie jedenfalls von allen (dann 25) EU-Staaten bzw. von deren Staats- und Regierungschefs unterzeichnet werden. Die entsprechenden Beratungen der Staatsoberhäupter begannen im Oktober 2003 in Rom, und als frühester Termin für das Inkrafttreten der EU-Verfassung gilt 2006.

Stimmengewichtung im Rat und Sitzverteilung im EU-Parlament ab 2005

Mitgliedstaat	Rats-stimmen	EP-Sitze	Mitgliedstaat	Rats-stimmen	EP-Sitze
Deutschland	29	99	Österreich	10	17
Frankreich	29	72	Slowakei	7	13
Großbritannien	29	72	Dänemark	7	13
Italien	29	72	Finnland	7	13
Spanien	27	50	Irland	7	12
Polen	27	50	Litauen	7	12
Niederlande	13	25	Lettland	4	8
Griechenland	12	22	Slowenien	4	7
Tschech. Rep.	12	20	Estland	4	6
Belgien	12	22	Zypern	4	6
Ungarn	12	20	Luxemburg	4	6
Portugal	12	22	Malta	3	5
Schweden	10	18	Insgesamt	321	682

Aufstand der Zwerge

Der EU-Konvent machte es wieder einmal deutlich: Zwischen den EU-Ländern herrscht beileibe nicht eitel Wonne. Vor allem zwischen den kleinen Mitgliedstaaten der EU und den großen Vier (Deutschland, Frankreich, Italien und Großbritannien) kommt es immer wieder zu Spannungen. So kamen die Regierungschefs der Kleinen und deren Außenminister im Frühjahr 2003 zu einem Mini-Gipfel der „Zwerge" zusammen, weil sie sich unter anderem bei dem in Ausarbeitung befindlichen EU-Konvent unter dem Vorsitz des Franzosen Valéry Giscard d'Estaing von den Großen überrollt fühlten. Die Kleinen wollten insbesondere an der rotierenden EU-Ratspräsidentschaft festhalten und sträubten sich gegen die Einrichtung eines auf Jahre hin gewählten, übermächtigen EU-Präsidenten. Durch die neu hinzukommenden Ost- und Mittelmeerstaaten, von denen nur Polen zu den Großen zählen wird, sind Konflikte dieser Art auch für die nächsten Jahre garantiert.

Nationalismus oder Zentralismus

Daneben wird die Zukunft der EU vor allem davon bestimmt sein, wie weit die Mitgliedstaaten einer weiteren Aufgabenverlagerung an die EU-Organe in Brüssel zustimmen. Konkret geht es vor allem um innen- und außenpolitische Fragen, beispielsweise zu einer gemeinsamen Verteidigungspolitik. Mit dem Militäreinsatz der EU in Mazedonien hat die Union einen ersten, vorsichtigen Vorstoß gewagt: Im Frühjahr 2003 wurden erstmals in der Geschichte der EU eigene Soldaten ins Feld geschickt, wenn auch in friedlicher Absicht, um ein Aufflammen der Kämpfe zwischen Mazedoniern und Albanern zu verhindern. Bei der von der Nato übernommenen Friedensmission waren auch zehn Soldaten aus Österreich dabei.

Die Frage, inwieweit die einzelnen Staaten das Ruder aus der Hand geben und die Entscheidungsbefugnis für die EU vergrößern sollen, ist nicht neu. Sie hat sich praktisch durch den gesamten Werdegang der europäischen Integration gezogen, was nicht weiter verwundert. Schließlich ging und geht es hier darum, nationale Interessen und Handlungsspielraum aus der Hand zu geben. Sobald ein Aufgabenbereich zu den EU-Organen verlagert wird, kann die EU Verordnungen und Richtlinien erlassen, die dann für alle Mitgliedstaaten gültig sind. Beispiele: Verbesserung von Arbeitsbedingungen oder Chancengleichheit im Beruf oder auch – für Österreich besonders heikel – das Thema Transit. Unter bestimmten Bedingungen sind zwar Ausnahme- oder Übergangsregelungen möglich, aber im Großen und Ganzen gilt: Entscheidungen sind für alle Mitgliedstaaten gleichermaßen bindend.

Weltpolitisches Fliegengewicht

Es hätte nicht unbedingt eines derart dramatischen Ereignisses bedurft, um die nach wie vor große Uneinigkeit Europas in vielen Fragen zu zeigen. Der Irak-Krieg hat aber umso deutlicher gemacht, dass die Europäische Union politisch noch keineswegs „mit einer Stimme" spricht. Die EU-Mitglieder waren in dieser Frage tief und sichtbar gespalten – vom Kriegsteilnehmer Großbritannien über das neutrale Österreich bis hin zum Kriegsgegner Frankreich. Während einzelne Mitgliedstaaten eine

Hauptrolle auf der weltpolitischen Bühne übernahmen, war Europa als Ganzes nicht wahrnehmbar. Die EU und ihre außenpolitischen Instrumente kamen so gut wie nicht zum Tragen. Angesichts des wirtschaftlichen Gewichts, das die EU mittlerweile weltweit hat, ein inakzeptabler Zustand, meint der ehemalige niederländische Premierminister Wim Kok in seinem Bericht zur EU-Erweiterung an EU-Kommissionspräsident Romano Prodi. Für die EU wäre es höchst an der Zeit, ihre politische Rolle in der Welt festzulegen. Speziell nach der Erweiterung, mit einer aus 25 Staaten bestehenden Union, müsse die Chance genutzt werden, mehr Autorität und Einfluss auf internationaler Ebene zu erlangen und die Rolle Europas in der Weltpolitik zu stärken. Ein Standpunkt, der nicht von allen Mitgliedstaaten geteilt wird und daher noch für zahlreiche Diskussionen innerhalb der EU sorgen wird.

Das Zusammenwachsen Europas im Überblick

1952   Gründung der Europäischen Gemeinschaft für Kohle und Stahl (EGKS, auch Montanunion genannt) durch Belgien, Niederlande, Luxemburg, Frankreich, Italien und Bundesrepublik Deutschland

1958   Gründung der Europäischen Wirtschaftsgemeinschaft (EWG) und der Europäischen Atomgemeinschaft (EURATOM) durch die Länder der Montanunion

1960   Gründung der Europäischen Freihandelszone (EFTA) durch Länder, für die aus politischen oder wirtschaftlichen Gründen ein Beitritt zur EWG nicht in Frage kam: Dänemark, Finnland, Großbritannien, Island, Liechtenstein, Norwegen, Österreich, Portugal, Schweden und die Schweiz

1967   Gründung der Europäischen Gemeinschaft (EG) durch Zusammenschluss von EGKS, EWG und EURATOM; Schaffung eines gemeinsamen Ministerrates und einer gemeinsamen Kommission

1968   Vollendung der Zollunion: Importe und Exporte zwischen EG-Staaten sind zollfrei

1972   Erweiterung der gemeinsamen Arbeitsbereiche auf Energie, Regional- und Umweltpolitik; Schaffung eines Wechselkursverbunds (= Vereinbarung einer maximalen Schwankungsbreite für die Wechselkurse der Mitgliedsländer)

1973   Beitritt Dänemarks, Großbritanniens und Irlands zur EG; mit den restlichen EFTA-Ländern werden Freihandelsabkommen geschlossen

1979   Das Europäische Währungssystem (EWS) löst den Wechselkursverbund ab

1981   Beitritt Griechenlands zur EG

1986   Beitritt Portugals und Spaniens zur EG

1987   Einheitliche Europäische Akte (EEA) tritt in Kraft; wichtigstes Ziel: die Schaffung eines Binnenmarktes bis Ende 1992

1989 Österreich stellt Antrag auf EG-Mitgliedschaft

1990 Beginn der 1. Stufe der Europäischen Wirtschafts- und Währungsunion (EWWU): Liberalisierung des Geld- und Kapitalverkehrs zwischen den Mitgliedstaaten

1992 Unterzeichnung des Vertrags über die Europäische Union („Vertrag von Maastricht") durch alle EU-Länder

1993 Vollendung des Binnenmarktes

1994 Beginn der 2. Stufe der Europäischen Wirtschafts- und Währungsunion (EWWU): Errichtung des Europäischen Währungsinstituts (EWI) Schaffung des Europäischen Wirtschaftsraums (EWR) durch EU- und EFTA-Staaten (mit Ausnahme der Schweiz)

1995 Beitritt Österreichs, Finnlands und Schwedens zur EU

1997 Unterzeichnung des „Vertrags von Amsterdam": engere und bessere Zusammenarbeit in der Beschäftigungspolitik, in Innenpolitik und Justiz sowie bei der Außen- und Sicherheitspolitik

1999 Beginn der 3. Stufe der Europäischen Wirtschafts- und Währungsunion (EWWU): Beginn der Europäischen Währungsunion, Start der gemeinsamen Währung Euro als Buchgeld innerhalb der EU (mit Ausnahme von Dänemark, Griechenland, Großbritannien und Schweden)

2000 Unterzeichnung des Vertrags von Nizza, durch den der Vertrag über die Europäische Union in Hinblick auf die anstehende Erweiterung überarbeitet wurde

2001 Abschluss einer Beitrittspartnerschaft der EU mit der Türkei

2002 Start des Euro als Bargeld und alleinige Währung innerhalb der EU (mit Ausnahme von Dänemark, Großbritannien und Schweden) Abschluss der Beitrittsverhandlungen mit Zypern, Malta, Slowakei, Tschechischer Republik, Polen, Ungarn, Lettland, Litauen, Estland und Slowenien.

Info-Tipp: Detaillierte Informationen zur Europäischen Union, zu ihrer Funktionsweise und zu den einzelnen Teilbereichen finden Sie auf der EU-Website http://europa.eu/int/.

Europäische Zentralbank (EZB)

- Was ist die EZB?
- Wer hat in der EZB das Sagen?
- Welche Aufgaben hat die EZB?
- Kann Österreich mitentscheiden?
- Welche Änderungen bringt die Erweiterung mit sich?

Was ist die EZB?

Am 1. Jänner 1999 wurde von 12 der 15 EU-Mitgliedstaaten, darunter Österreich, die Europäische Währungsunion begründet. Die wichtigste Einrichtung dieses gemeinsamen Währungsraums ist die Europäische Zentralbank (EZB). Ihr allein obliegt das Recht zur Genehmigung der Ausgabe von Banknoten innerhalb der Europäischen Wirtschafts- und Währungsunion. Mit der Errichtung der EZB wurde deren Vorläufer, das Europäische Währungsinstitut, das keine geldpolitischen Entscheidungsbefugnisse hatte, aufgelöst.

Die EZB bildet gemeinsam mit allen 15 nationalen Zentralbanken (also auch jener drei EU-Länder, die noch nicht den Euro eingeführt haben) das Europäische System der Zentralbanken (ESZB). Die EZB und die zwölf Euroland-Nationalbanken werden intern als „Eurosystem" bezeichnet.

Die wichtigsten Grundsätze der EZB als Teil des Europäischen Zentralbankensystems sind

- die **Aufrechterhaltung der Preisstabilität:** Laut EZB-Definition soll der Anstieg des Verbraucherpreisindex mittelfristig maximal 2 Prozent im Jahresdurchschnitt betragen;
- die **Unabhängigkeit** von allen nationalen Regierungen und gemeinschaftlichen Instanzen: Damit soll die europäische Geldpolitik vor nationalen oder europäischen Weisungen und politischer Einflussnahme bewahrt werden;
- das **Verbot der Staatsfinanzierung:** Die EZB darf öffentlichen Haushalten keine Kredite gewähren. Damit soll verhindert werden, dass Budgetdefizite auf diese Weise finanziert werden und so zu einer Inflation führen.

Wer hat in der EZB das Sagen?

Das wichtigste Gremium innerhalb der Europäischen Zentralbank ist der EZB-Rat, dem der Präsident, sein Stellvertreter, vier Direktoren und die Präsidenten der nationalen Notenbanken, darunter der Gouverneur der Oesterreichischen Nationalbank, Klaus Liebscher, angehören. Sie legen die Geldpolitik im Eurogebiet fest und entscheiden unter anderem über Devisengeschäfte und die Verwaltung von Währungsreserven. Somit kommt den Gouverneuren der einzelnen Notenbanken weiterhin eine entscheidende Rolle bei den Entscheidungsprozessen bei. Sie sind dabei auch an keinerlei Weisungen der jeweiligen Regierungen gebunden.

Der Rat fasst seine Beschlüsse in der Regel mit einfacher Mehrheit, wobei jedes anwesende Mitglied eine Stimme besitzt. Lediglich in Fragen der Kapitalausstattung, der Reserven und der Gewinnverteilung besteht ein gewichtetes Stimmrecht, das sich nach dem Kapitalanteil der jeweiligen Zentralbank an der EZB richtet. Die EZB steht nämlich zur Gänze im Eigentum der nationalen Zentralbanken. Die einzelnen Anteile wurden je nach der Bevölkerungszahl und der wirtschaftlichen Bedeutung des jeweiligen Landes festgelegt. Entsprechend den Kapitalanteilen erfolgt die Verteilung des von der EZB erzielten Jahresgewinns, der in die Haushalte der Mitgliedsländer zurückfließt. Im Jahr 2002 betrug dieser 1,2 Mrd. Euro – ein Rückgang von 600 Mio. Euro gegenüber dem Jahr davor, der vor allem auf das niedrige Zinsniveau in Europa zurückgeführt wurde.

Anteil der nationalen Zentralbanken an der EZB

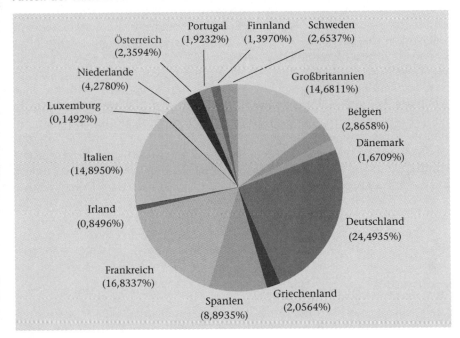

Quelle: OeNB

Während der EZB-Rat die Beschlüsse fasst, ist das Direktorium der EZB für die praktische Umsetzung verantwortlich. Es führt die Geldpolitik gemäß den Leitlinien und Entscheidungen des Rates aus und erteilt den nationalen Notenbanken die erforderlichen Weisungen.

Das Direktorium besteht aus dem EZB-Präsidenten, seinem Stellvertreter und maximal vier Direktoren. Die Mitglieder des Direktoriums werden auf acht Jahre gewählt und dürfen nicht zweimal in dieses Amt berufen werden. Damit soll sichergestellt werden, dass sie unabhängig bleiben und sich bei ihrer Tätigkeit nicht von nationalen Regierungen, Parlamenten oder der EU-Kommission beeinflussen lassen. In diesem hochrangigen Gremium ist auch eine Österreicherin vertreten: die ehemalige Vize-Gouverneurin der Oesterreichischen Nationalbank, Gertrude Tumpel-Gugerell.

Welche Aufgaben hat die EZB?

Geldpolitik

Wichtigste Aufgabe der EZB ist es, die Geldpolitik in der EU festzulegen und auszuführen. Dafür sind der EZB-Rat und das Direktorium in Zusammenarbeit mit den jeweiligen Vertretern aus den Mitgliedstaaten verantwortlich (siehe weiter unten). Daneben obliegt ihr in erster Linie die Steuerung der Geldmenge, also des in Umlauf befindlichen Bargeldes und Buchgeldes der Nichtbanken bei den Kreditinstituten. Vereinfacht gesprochen soll mit der Geldmengensteuerung bewirkt werden, dass gerade so viel Geld in Umlauf gerät, wie zur Verhinderung von Inflation oder Deflation notwendig ist. Das geschieht einmal durch so genannte Offenmarktgeschäfte, bei denen Wertpapiere auf Initiative der EZB am offenen Markt gekauft und verkauft werden. Ein anderes Steuerungsmittel ist die so genannte Mindestreserve. Dabei verpflichtet die EZB die Kreditinstitute dazu, Mindestreserven auf Konten des ESZB zu hinterlegen. In ihrer ursprünglichen Form wollten die Notenbanken damit die Zahlungsfähigkeit der Banken sicherstellen. Heute dienen die Mindestreserven in erster Linie zur Steuerung einer stabilen Nachfrage der Banken nach Zentralbankgeld, wodurch die EZB ihre Zinsvorstellungen leichter verwirklichen kann.

Weitere Aufgaben der EZB bestehen darin, Devisengeschäfte durchzuführen und das reibungslose Funktionieren der Zahlungssysteme zu fördern.

Hüterin der Währungsreserven

Die Währungsreserven der am Euroraum teilnehmenden Mitgliedstaaten werden im Rahmen des Europäischen Zentralbankensystems verwaltet. Ein Teil dieser Reserven, nämlich höchstens 40 Mrd. Euro, wird von der

EZB gehalten. Der größere Teil der Währungsreserven verbleibt bei den nationalen Notenbanken, so auch bei der Oesterreichischen Nationalbank, und wird von diesen nach vom EZB-Rat festgelegten Regeln verwaltet. Auch die an die EZB übertragenen Devisenreserven werden für die EZB anteilsmäßig von den Notenbanken verwaltet. Für die Ausstattung der EZB mit Währungsreserven können nur Währungen von Drittländern (vor allem Dollar und Yen) verwendet werden. Die Beiträge der einzelnen Mitglieder des Euroraumes richten sich nach ihren Anteilen am Kapital der EZB.

Scheine zentral, Münzen national

Das Ausgaberecht für Münzen bleibt bei den Mitgliedstaaten. Das Recht für die Genehmigung der Ausgabe von Banknoten ist jedoch der EZB vorbehalten. Das heißt, die Euro-Scheine werden entweder durch die EZB selbst ausgegeben oder auf Bewilligung der EZB durch die nationalen Zentralbanken gedruckt, wie es im Falle Österreichs ist. Die Euro- und Cent-Münzen stammen ebenfalls komplett aus heimischer Notenbankproduktion. Geprägt werden sie von der Münze Österreich, einer 100-Prozent-Tochter der Nationalbank.

Informationen und Rechenschaftsberichte

So wie die Oesterreichische Nationalbank zuvor legt auch die EZB regelmäßige Berichte über ihre Arbeit vor, in denen sie die Entwicklung der Gesamtwirtschaft innerhalb der EU analysiert und Rechenschaft über ihre Tätigkeit ablegt. Die regelmäßigen Berichte sollen Ökonomen, Geldmarktanalytikern, Finanzmarktteilnehmern und der interessierten Öffentlichkeit Daten zur Geld- und Währungspolitik sowie zur Liquiditätsversorgung im gemeinsamen Währungsraum bereitstellen.

Kann Österreich mitentscheiden?

Auch wenn der Oesterreichischen Nationalbank durch den Beitritt zur Währungsunion im Jahr 1999 ihre Eigenständigkeit in geldpolitischen Entscheidungen abhanden gekommen ist, hat sie bei der Geldpolitik in der EU mehr als ein Wörtchen mitzureden. Schließlich werden die geldpolitischen Entscheidungen der EZB nicht einfach über die Köpfe der nationalen Notenbankgouverneure hinweg getroffen, sondern entscheidend von ihnen mitbestimmt.

Was die Stabilität des Euro betrifft, also seine Stärke gegenüber anderen Währungen, so vertraut die EZB vor allem auf den Grundsatz der Preisstabilität. Die bisherige Praxis hat gezeigt, dass die EZB hier mindestens so vorsichtig vorgeht – und dafür wurde sie auch vielfach kritisiert –, wie wir es von der heimischen Notenbank gewohnt waren. Zu Zinssenkungen kam es trotz des schwierigen wirtschaftlichen Umfeldes mehrfach relativ spät. So war zum Beispiel der Leitzinssatz – also der Zinssatz, der den Geschäftsbanken von der Zentralbank für ihre Refinanzierung abverlangt wird und nach dem dann meist die Zinsen für Kredite und Sparguthaben ausgerichtet werden – im Frühjahr und Sommer 2003 noch immer doppelt so hoch wie der in den USA geltende Leitzins.

Welche Änderungen bringt die Erweiterung mit sich?

Kleinere Staaten, wie Österreich oder Belgien, werden allerdings in wenigen Jahren ein geringeres Gewicht innerhalb der EZB einnehmen: Die Staats- und Regierungschefs haben angesichts der EU-Erweiterung beschlossen, dass es ein Rotationsprinzip im EZB-Rat geben soll, sobald der Währungsunion 16 oder mehr Länder angehören. Mit der Rotation wird die Zahl der stimmberechtigten Mitglieder im Gouverneursrat begrenzt, um die Leistungsfähigkeit auch bei einer größeren Zahl an Euroländern zu gewährleisten. Künftig sollen sich die Notenbankchefs bei den Abstimmungen abwechseln. Vertreter wirtschaftlich starker Länder wie Deutschland und Frankreich können dabei häufiger votieren als Vertreter kleiner Länder. Österreich wird somit an Einfluss auf die geldpolitischen Entscheidungen der EZB verlieren. Eine Abkehr von der Hartwährungspolitik der EZB ist dadurch aber nach derzeitigem Stand nicht zu befürchten. Das verhindert allein schon das strikte Bekenntnis zur Preisstabilität, das als Bedingung für den Beitritt zur Währungsunion gilt.

Noch wird es aber mindestens bis 2007 dauern, bis die ersten Erweiterungsländer zur Währungsunion stoßen werden, dann davor müssen sie die entsprechenden Teilnahmekriterien erfüllen (siehe dazu mehr auf Seite 192).

Info-Tipp: Mehr zur Europäischen Zentralbank finden Sie auf deren Homepage: www.ecb.int, oder auch auf der Homepage der Oesterreichischen Nationalbank unter www.oenb.at.

EU-Erweiterung

- Wer darf der Europäischen Union beitreten?
- Welche Länder sind ab 2004 dabei?
- Was ist das Besondere an dieser Erweiterungsrunde?
- Wie viel kostet die Erweiterung?
- Welche Auswirkungen hat die Erweiterung auf Europa?
- Welche Auswirkungen hat die Erweiterung auf Österreichs Wirtschaft?
- Welche Nachteile werden befürchtet?
- Wird die Erweiterung in jedem Fall erfolgreich sein?
- Ab wann wird in Budapest und Prag mit Euro bezahlt?
- Wie sieht der zukünftige Erweiterungsfahrplan der EU aus?

Wer darf der Europäischen Union beitreten?

Für einen Beitritt zur EU gibt es zwar keine genau vorgegebenen Grenzen, aber dafür Mindeststandards. Im Vertrag über die Europäische Union heißt es, dass „jeder europäische Staat, der die in Artikel 6 (1) genannten Grundsätze achtet, beantragen kann, Mitglied der Europäischen Union zu werden". Und weiter heißt es, dass „die Union auf den Grundsätzen der Freiheit, der Demokratie, der Achtung der Menschenrechte und Grundfreiheiten beruht; diese Grundsätze sind allen Mitgliedstaaten gemeinsam".

Die Europäische Union hat sich also keine streng definierten Grenzen gesetzt. Alle Bewerberländer müssen jedoch bestimmte Grundvoraussetzungen erfüllen. In den so genannten Kopenhagener Kriterien (von 1993) sind die Standards für beitrittswillige Länder festgelegt:

- Stabile Institutionen, demokratische und rechtsstaatliche Ordnung, Wahrung der Menschenrechte sowie Achtung und Schutz von Minderheiten;
- Vorhandensein einer funktionsfähigen Marktwirtschaft und die Fähigkeit, dem Wettbewerbsdruck und den Marktkräften innerhalb der EU standzuhalten;
- die Fähigkeit, die aus einer EU-Mitgliedschaft erwachsenden Verpflichtungen und Ziele der Politik, Wirtschafts- und Währungsunion zu übernehmen.

Das erste, „politische" Kriterium gilt als Vorbedingung für die Eröffnung von Verhandlungen, während die anderen zwei Kriterien bis zum Zeitpunkt des Beitritts erfüllt sein müssen.

Welche Länder sind ab 2004 dabei?

Mit 2004 erweitert sich die Europäische Union um zehn Länder: um die mittel- und osteuropäischen Länder (MOEL) Estland, Lettland, Litauen, Ungarn, Slowakei, Tschechische Republik, Polen und Slowenien sowie um die zwei Mittelmeerländer Malta und Zypern. Die derzeitige Erweiterung ist zwar von der Zahl der beitretenden Länder her die größte in der Geschichte der EU, aber nicht die erste. 1973 traten Großbritannien, Dänemark und Irland der damaligen Europäischen Gemeinschaft bei, 1981 wurden Griechenland und 1986 Spanien und Portugal aufgenommen. 1995 folgte mit Österreich, Finnland und Schweden die vierte Erweiterungsrunde. In den vergangenen Jahren ist die Europäische Union also von sechs Mitgliedern mit einer Bevölkerung von 185 Millionen Menschen auf eine internationale Organisation mit 15 Mitgliedern und rund 370 Millionen EU-Bürgern angewachsen. Mit der neuen Erweiterung steigt die Zahl der Mitglieder auf 25 und die Bevölkerung auf circa 450 Millionen.

Die neuen EU-Mitglieder

	Bevölkerungszahl	BIP-Wachstum 2003*	Inflation 2003*
Estland	1,4 Mio.	4,7 %	3,8 %
Lettland	2,4 Mio.	5,5 %	2,2 %
Litauen	3,5 Mio.	3,5 %	1,0 %
Malta	394.000	3,4 %	2,5 %
Polen	38,6 Mio.	3,2 %	2,5 %
Slowakei	5,4 Mio.	3,9 %	8,2 %
Slowen. Rep.	2,0 Mio.	3,6 %	6,5 %
Tschech. Rep.	10,2 Mio.	3,2 %	1,9 %
Ungarn	10,2 Mio.	4,5 %	4,3 %
Zypern	762.000	3,5 %	4,2 %
EU-15	370 Mio.	2,0 %	1,9 %

*Prognosen

Quelle: EU-Kommission, Wirtschaftskammer Wien, 2002

Was ist das Besondere an dieser Erweiterungsrunde?

Obwohl es auf den ersten Blick so scheinen mag, ist die Zunahme der Bevölkerung (plus 20 Prozent) und der Fläche (plus 23 Prozent) nicht größer als bei vorherigen Erweiterungsrunden. So war etwa die Erweiterung im Jahr 1973 bevölkerungsmäßig proportional größer. Und als Österreich, Schweden und Finnland im Jahr 1995 beitraten, kam eine proportional größere Fläche dazu als dieses Mal. Die Besonderheiten dieser Erweiterung liegen vor allem in folgenden zwei Bereichen:

- Es handelt sich um den wirtschaftlichen Zusammenschluss einer Gruppe von Ländern, die eine große wohlhabende Wirtschaft bilden, mit einer Gruppe von wesentlich ärmeren Ländern. Die neuen Mitglieder weisen ein durchschnittliches Pro-Kopf-Bruttoinlandsprodukt (BIP) von ca. 40 Prozent der bisherigen Mitgliedstaaten auf.

- Ein weiterer Unterschied zu vorherigen Erweiterungen besteht darin, dass die neuen Mitglieder gerade den Übergang von einer Planwirtschaft zu einem marktorientierten System vollziehen und daher – unabhängig von ihren EU-Beitrittsbemühungen – schwierige Wirtschaftsreformen durchlaufen haben. Da der Warenhandel mit der EU in den 90er-Jahren bereits weitestgehend liberalisiert wurde, bedeutet ihr Eintritt in die EU zwar „nur" den Übergang von einer Freihandelszone in eine Zollunion (siehe dazu unter Wirtschaftsblöcke weltweit); die nächsten Jahre werden für die Beitrittsländer aber aufgrund der in vielen Bereichen noch anstehenden Umstrukturierungen und Reformen alles andere als ein „Spaziergang".

Wie viel kostet die Erweiterung?

Seit dem Jahr 2000 hat die Europäische Union jährlich 3 Mrd. Euro in die neuen Beitrittsländer investiert, für den Zeitraum von 2004 bis 2006 werden insgesamt knapp 41 Mrd. Euro bereitgestellt, worin Agrarsubventionen, Infrastruktur- und Finanzhilfen zur Verbesserung der nuklearen Sicherheit, der öffentlichen Verwaltung und des Grenzschutzes bereits inbegriffen sind. Die neuen Mitglieder werden Beiträge in Höhe von ca. 15 Mrd. Euro in den EU-Haushalt einzahlen, und da sie nach Ansicht von Experten aus infrastrukturellen Gründen möglicherweise nicht in der Lage sein werden, die ihnen zugeteilten Gelder voll zu nutzen, betragen die tatsächlich ausgegebenen Mittel der EU für die Erweiterung bis 2006 wahrscheinlich ca. 10 Mrd. Euro. Bezogen auf das Bruttoinlandsprodukt ist das wesentlich weniger, als beispielsweise Deutschland im Rahmen seiner Wiedervereinigung an Mitteln eingesetzt hat.

Aus österreichischer Sicht wird die EU-Erweiterung jeden Staatsbürger insgesamt rund 28 Euro kosten – ein vergleichsweise geringer Betrag, wie Wirtschaftskammerpräsident Christoph Leitl meint, wenn man ihn mit den rund 154 Euro vergliche, die Herr und Frau Österreicher beispielsweise im Jahr 2001 für Glücksspiele ausgegeben hätten. Schließlich, so Leitl, würde es sich hier um eine zukunftsträchtige Investition handeln. Denn nach einer von der Wirtschaftskammer in Auftrag gegebenen WIFO-Studie würde eine Verzögerung der EU-Erweiterung Österreich in den nächsten sechs Jahren

- etwa 0,80 Prozent Wirtschaftswachstum oder 1,66 Mrd. Euro und rund 8.000 Arbeitsplätze kosten;
- allein die weiter bestehen bleibenden Grenzformalitäten samt Grenzwartezeiten würden in den nächsten sechs Jahren Kosten von 470 Mio. Euro verursachen – das wären 5 Prozent des Warenwerts;
- und die heimische Inflationsrate läge jährlich um etwa 0,33 Prozent höher.

Die Kosten der EU-Erweiterung seien demnach wesentlich geringer als die Einbußen durch eine Nicht-Erweiterung, vom positiven Effekt einer erweiterten Friedens- und Stabilitätszone ganz zu schweigen.

Welche Auswirkungen hat die Erweiterung auf Europa?

Für die EU als Ganzes spielt der Beitritt der zehn neuen Länder zumindest wirtschaftlich gesehen eine weitaus geringere Rolle, als es auf den ersten Blick scheinen mag. Zum einen hat die europäische Integration zwischen der EU und Osteuropa bereits ein sehr hohes Niveau erreicht. Der bilaterale Handel setzte bereits vor dem Abschluss von Europaabkommen mit den mittel- und osteuropäischen Ländern Mitte der 90er-Jahre ein, seither konnte der gegenseitige Außenhandel regelmäßig bis zu zweistellige Zuwächse verbuchen. Nach Untersuchungen des britischen Forschungsinstituts Centre for European Reform, das sich im Auftrag der EU unter anderem mit den Aspekten der Erweiterung befasst, liefern die Kandidatenländer mittlerweile bereits zwei Drittel ihrer Exporte in den EU-Raum.

Umgekehrt weiß aber auch die EU die neuen Absatzmärkte zu nutzen: Die Exporte in die neuen Mitgliedstaaten übersteigen regelmäßig die Importe aus diesen Ländern, sodass die EU jeweils mit einem großen Außenhandelsplus abschneidet. Nach Schätzungen des deutschen Osteuropainstituts hat der Außenhandelsüberschuss allein in den 90er-Jahren zur Schaffung von 114.000 neuen Arbeitsplätzen in der EU beigetragen.

Zum anderen handelt es sich bei den „Neuen" im EU-Vergleich um relativ kleine Volkswirtschaften. Wirtschaftlich gesehen entsprechen alle zehn Beitrittsstaaten zusammengenommen etwa einer Volkswirtschaft wie jener der Niederlande. Die von ihnen importierten Produkte in die EU machen gerade einmal 1 Prozent des EU-Bruttoinlandsprodukts aus und entsprechen in ihren wirtschaftlichen Auswirkungen nicht mehr als 5 bis höchstens 10 Prozent der derzeitigen Union – obwohl es sich immerhin um einen Bevölkerungszuwachs von 20 Prozent handelt.

Welche Auswirkungen hat die Erweiterung auf Österreichs Wirtschaft?

Innerhalb der EU sind Österreich und Deutschland jene Länder, die von der Erweiterung am stärksten betroffen sind und auch am meisten von ihr profitieren können. Die Ökonomen gehen aber davon aus, dass sich die positiven Auswirkungen eher erst längerfristig zeigen werden. So erwartet etwa Helmut Kramer, Leiter des Wirtschaftsforschungsinstituts, für Österreich zunächst nur geringe Wachstumseffekte. Mittelfristig wären allerdings im Rahmen eines raschen Aufholprozesses erhebliche Möglichkeiten an Exportsteigerungen und Wirtschaftswachstum vorhanden.

Ein Grund für die zunächst mäßigen Auswirkungen auf die heimische Wirtschaft liegt nicht zuletzt darin, dass die österreichischen Unternehmen die Erweiterung gewissermaßen schon vorweggenommen haben. In vielen MOEL sind österreichische Betriebe bereits mit Tochtergesellschaften oder in Form von Beteiligungen vertreten. Etwa vier Fünftel der heimischen Unternehmen, die an der Börse gelistet sind, haben bereits ein oder mehrere Standbeine in Osteuropa: Der Zucker- und Stärkeproduzent Agrana erzielte dort im Jahr 2001 rund 35 Prozent seiner Umsätze, bei der OMV waren es gut 18 Prozent und beim Kartonhersteller Mayr-Melnhof 15 Prozent. Insgesamt sind derzeit bereits rund 14.000 österreichische Firmen in Zentral- und Osteuropa vertreten. Besonders Banken und Versicherungen haben sich erfolgreich etabliert.

Die enge Zusammenarbeit vor allem mit den Nachbarstaaten Ungarn, Tschechien, Slowakei und Slowenien beweist auch die gesamtösterreichische Statistik: Vor rund zehn Jahren lag der Außenhandel Österreichs mit den MOEL bei 10 Prozent, heute bei über 17 Prozent, wie Ivo Stanek, Berater des Vorstands der Bank Austria-Creditanstalt, die mit 900 Instituten in den MOEL vertreten ist, festhält. Jeder siebente Exporteuro wird also in diesen Ländern verdient. In absoluten Zahlen haben sich die Exporte in diesem Zeitraum verdreifacht und erreichten im Jahr 2001 bereits einen Wert von rund 12,6 Mrd. Euro, was einer Steigerung gegenüber dem Vorjahr von 10,5 Prozent entspricht. Damit ist Mittel- und Osteuropa nach der EU die wichtigste Außenhandelsregion für Österreich.

Die Chancen auf eine weitere Zunahme der Handelsbeziehungen stehen gut, denn die angehenden EU-Länder weisen im Schnitt ein deutlich stärkeres Wirtschaftswachstum auf als die derzeitigen EU-Staaten. Die Kaufkraft stieg dort in den letzten fünf Jahren um 28 Prozent, während sie in Südamerika um 13 Prozent und in Asien um 5 Prozent sank und in der Eurozone nur um vergleichsweise mickrige 4 Prozent stieg.

Als besonders wachstumsfördernde Bereiche für die österreichische Wirtschaft gelten der Dienstleistungssektor und der Nachholbedarf im

Bau- und Umweltbereich. So sollen die zehn Beitrittskandidaten in den nächsten Jahren 120 Mrd. Euro in den aktiven Umweltschutz investieren, um europäische Standards zu erreichen. Österreich mit dem relativ erfolgreichen Wirtschaftszweig Umwelttechnologie rechnet sich dadurch beträchtliche Exportchancen aus. Für den Ausbau der Verkehrswege in Osteuropa werden nach einer Studie des Beratungsunternehmens A.T. Kearney bis 2015 Investitionen in Höhe von 90 Mrd. Euro notwendig sein – auch hier erwarten sich vor allem Deutschland und Österreich einen großen Teil vom Auftragskuchen.

Welche Nachteile werden befürchtet?

Die Euphorie in Hinblick auf die neuen EU-Mitglieder wird allerdings nicht von allen geteilt. So besteht etwa angesichts der eben genannten, erhofften Direktinvestitionen in Osteuropa die Befürchtung, dass die heimischen Betriebe zwar dort investieren, aber dabei ausschließlich die (billigeren) Arbeitskräfte vor Ort einsetzen. Tatsächlich sind in Österreich auch bereits Tausende Arbeitsplätze verloren gegangen, weil Unternehmen ihre Produktion in billigere Staaten verlagert haben – zum Beispiel Semperit oder Philips. Österreich befindet sich hier in einem Strukturwandel: Einfache Produktionen werden in billigere Länder verlagert, punkten kann Österreich bei anspruchsvollen Herstellverfahren. Die Folge: Vor allem kleinere Betriebe, aber auch Arbeitnehmer im Inland fürchten einen Verdrängungswettbewerb durch Billiganbieter und Niedriglohnarbeiter aus den mittel- und osteuropäischen Staaten. Denn sind diese erst einmal Teil der Europäischen Union, gelten für sie theoretisch die gleichen Freiheiten bezüglich Warenverkehr, Niederlassung und Dienstleistung wie für die „Stammländer" der EU. Das heißt, MOEL-Unternehmer dürfen im gesamten Gebiet der EU ungehindert ihre Waren anbieten und Betriebe ansiedeln, und ein Zimmermann aus Polen, ein EDV-Spezialist aus Ungarn oder ein Bäcker aus Lettland darf in Österreich oder Deutschland oder Frankreich wohnen und seine Dienste anbieten.

Praktisch wird das allerdings noch nicht möglich sein, denn Österreich und Deutschland haben sich aufgrund ihrer unmittelbaren Grenzlage zu den neuen EU-Mitgliedern einen Sonderstatus ausverhandelt: Um Nachteile durch die derzeit noch bestehenden, unterschiedlichen Sozialstandards und Arbeitskosten zu verhindern, wurden im Bereich der Personen- und Dienstleistungsfreiheit bis zu siebenjährige Übergangsfristen ausgehandelt. Damit soll gewährleistet werden, dass nur diejenigen Arbeitskräfte und Dienstleister, die der heimische Markt tatsächlich aufnehmen kann, Zugang auf den österreichischen Markt bekommen.

Auch gegen die Befürchtungen, dass durch die neuen Mitgliedsländer eine ungehinderte Zuwanderung aus Drittländern stattfinden könnte, wurden Maßnahmen getroffen. So sollen die Grenzkontrollen zwischen den alten und neuen EU-Ländern erst dann aufgehoben werden, wenn sichergestellt ist, dass die Außengrenzen der neuen Mitglieder wirksam abgesichert sind.

Wird die Erweiterung in jedem Fall erfolgreich sein?

Überzogene Befürchtungen sind aber möglicherweise ebenso fehl am Platz wie übertriebener Optimismus. Denn wie das WIFO einräumt, kann die Erweiterung auch ein Misserfolg werden. Etwa wenn die beitretenden Volkswirtschaften dem erhöhten Wettbewerbsdruck nicht standhalten oder wenn die politischen Spielregeln oder Institutionen nicht adäquat sind. Oder wenn die Erweiterung einfach nicht oder nicht schnell genug die positiven Auswirkungen hat, die man sich heute davon erwartet – und zwar nicht nur auf Seiten der neuen Mitgliedstaaten, sondern auch aus Sicht der EU und hier allen voran Österreichs.

Eine wichtige Rolle wird hier die Attraktivität als Wirtschaftsstandort spielen. So weist etwa das Institut für Höhere Studien darauf hin, dass sich durch die Erweiterung eine starke Verlagerung der ausländischen Direktinvestitionen von Österreich in die neuen Beitrittsländer ergeben könnte. Ausländische Unternehmen würden also neue Produktionsstätten eher in der Slowakei, in Tschechien oder in Polen ansiedeln, weil sie dort – bei mittlerweile annähernd gleichen unternehmerischen Rahmenbedingungen – günstigere Produktionsmöglichkeiten fänden, vor allem was die noch immer um einiges niedrigeren Arbeitskosten betrifft.

Stimmt, heißt es hier von Seiten der EU, allerdings sei die Produktivität noch immer deutlich unter dem EU-Schnitt. Das heißt, die Arbeitsstunde in Tschechien, Polen oder Ungarn ist zwar günstiger, es wird aber in derselben Zeit weniger produziert als etwa in Frankreich, Deutschland oder Österreich, und dieser Faktor spielt bei Unternehmensansiedelungen eine gewichtige Rolle. Inwieweit Länder, Unternehmen und Menschen nach fünf, zehn oder 20 Jahren letztlich auf der Gewinner- oder auf der Verliererseite stünden, hänge somit nicht in erster Linie mit der Erweiterung zusammen, sondern mit ihren eigenen Entscheidungen. So wie der wirtschaftliche Erfolg der Mitgliedstaaten trotz der Bedeutung der EU-Politik bisher schon größtenteils in ihren eigenen Händen lag, werde er das auch in Zukunft tun.

Ab wann wird in Budapest und Prag mit Euro bezahlt?

Wer sich darauf freut, bei seinen Einkäufen in Sopron oder Krumau bald schon mit Euro bezahlen zu können, freut sich zu früh. Denn die neuen

Mitgliedstaaten müssen erst die so genannten Konvergenzkriterien (also die Teilnahmekriterien für die Währungsunion) erfüllen, bevor sie auch an der Währungsunion und somit an der gemeinsamen Währung teilnehmen können. Dazu zählen:

- ein **stabiles Preisniveau**: Die Inflationsrate darf die durchschnittliche Inflationsrate der drei preisstabilsten Länder um nicht mehr als 1,5 Prozent überschreiten;

- ein **niedriges Zinsniveau**: Das Zinsniveau am Kapitalmarkt darf das durchschnittliche Zinsniveau der drei preisstabilsten Länder höchstens um 2 Prozent überschreiten;

- **gesunde Staatsfinanzen**: Die Schuldenquote darf maximal 60 Prozent des Bruttoinlandsprodukts und die jährliche Neuverschuldung nicht mehr als 3 Prozent des BIP betragen;

- **stabile Wechselkurse**: Teilnahme am Wechselkursmechanismus des Europäischen Währungssystems seit mindestens zwei Jahren unter Einhaltung der normalen Bandbreiten des Mechanismus.

Daraus folgt: Nach dem EU-Beitritt im Mai 2004 und zweijähriger Zugehörigkeit zum Wechselkursmechanismus sind die ersten Eurostaaten in Südosteuropa nicht vor 2007 zu erwarten.

Wie sieht der zukünftige Erweiterungsfahrplan der EU aus?

Sind die zehn Neuen erst einmal „unter Dach und Fach", wird der Erweiterungsprozess mit Bulgarien und Rumänien fortgesetzt, unter Umständen auch mit Kroatien. Die Türkei steht zurzeit nicht in Beitrittsverhandlungen. Was Bulgarien und Rumänien betrifft, so hat die EU diesen Prozess als unwiderruflich erklärt, und beide Staaten haben bereits Vorbereitungsmaßnahmen für den Beitritt in Angriff genommen. Sie hoffen, der EU 2007 beitreten zu können, und die EU hat diesem Ziel unter der Voraussetzung zugestimmt, dass die geforderten Kriterien bis dahin erfüllt sind.

Hinter diesen Ländern reihen sich bereits Albanien, Makedonien, Serbien-Montenegro, Bosnien und Kroatien – falls es nicht vorgezogen wird – in die Warteschleife ein. Auf die EU könnten damit schwierige Zeiten zukommen, denn abgesehen von den wirtschaftlichen Problemen, mit denen speziell die letztgenannten Länder derzeit noch zu kämpfen haben, sind hier auch heikle politische Fragen im Spiel.

Kroatien, beispielsweise, fühlt sich wirtschaftlich längst beitrittsreif – das Pro-Kopf-Einkommen der exjugoslawischen Republik liegt knapp hinter dem Tschechiens und Ungarns und ist dreimal höher als in Rumänien und Bulgarien. Anders als bei bisherigen Kandidatenländern gestand die EU aber im Fall Kroatiens nicht einmal ein Assoziierungsabkommen zu.

Offiziell verzögerten Großbritannien und die Niederlande die Unterzeichnung eines derartigen Abkommens mit dem Argument, dass Kroatien nicht ausreichend mit dem Haager Kriegsverbrechertribunal zusammenarbeite. Hinter den Kulissen werden aber andere Beweggründe genannt: Die EU befürchtet durch das Vorziehen Kroatiens gegenüber seinen ex-jugoslawischen Nachbarn ein Wohlstandsgefälle auf dem Balkan, das für Turbulenzen in der ohnehin noch instabilen Region sorgen könnte. Letzteres ist aber auch nicht ausgeschlossen, wenn der Beitrittsprozess zu sehr hinausgezögert wird oder gar ins Stocken gerät. So wurde etwa der auseinander driftende Staat Makedonien mit der Aussicht auf einen baldigen EU-Beitritt notdürftig zusammengehalten und ein anderer, die Union aus Serbien und Montenegro, gestiftet.

Während den Entscheidungsträgern in Brüssel noch eine schwierige Gratwanderung bevorsteht, gewinnt die heimische Wirtschaft auch in den möglichen zukünftigen Kandidatenländern zunehmend an Boden. In Kroatien, beispielsweise, ist Österreich bereits der größte Auslandsinvestor, vor allem im Bereich Finanzdienstleistungen von Banken und Versicherungen, aber auch in der Baubranche, die das aufstrebende Tourismusland mit neuen Straßen und Hotels ausstattet.

F&E (Forschung und Entwicklung)

- Was bedeutet F&E und warum ist es angeblich so wichtig?
- Wer finanziert die Forschungsaktivitäten?
- Wie lauten die F&E-Ziele Österreichs und der EU?
- Wie sieht die F&E-Realität in Österreich aus?
- Welche weiteren Defizite gibt es?

Was bedeutet F&E und warum ist es angeblich so wichtig?

Das Kürzel F&E steht für „Forschung und Entwicklung", manchmal auch englisch ausgedrückt: R&D (Research and Development) – ein Bereich, der als einer der Schlüssel zu einer erfolgreichen wirtschaftlichen Zukunft eines Landes gilt.

Erfindungen und Innovationen (also neue Ideen, die in die Tat umgesetzt werden) garantieren Fortschritt, und das nicht erst in unseren Tagen, sondern seit Bestehen der Menschheit – von der Erfindung des Faustkeils über das Rad und die Dampfmaschine bis hin zum Computer. Technischer Fortschritt und Know-how (= Wissen, wie man's macht) kurbeln Wachstum und Beschäftigung an und entscheiden über die internationale

Konkurrenzfähigkeit: Ein Land, das hier die Nase vorn hat, mehrt seinen Wohlstand, weil seine Erzeugnisse gefragt sind und dadurch neue Arbeitsplätze entstehen; ein Unternehmen, das dem internationalen Hightech-Stand voraus ist, kann schneller, effizienter und/oder kostengünstiger produzieren oder es erzeugt Waren und Dienstleistungen, die allein schon aufgrund ihrer Einzigartigkeit einen Wettbewerbsvorteil schaffen.

Wer finanziert die Forschungsaktivitäten?

Gute Ideen allein sind zu wenig. Es muss auch das Umfeld stimmen, damit daraus wirtschaftlich messbare Erfolge entstehen können. Dem Staat kommt dabei besondere Bedeutung zu: Einerseits muss er für ein geeignetes Schulwesen sorgen und entsprechende Möglichkeiten der Ausbildung schaffen. Andererseits muss er der Forschung finanziell kräftig unter die Arme greifen. Denn nicht immer bringen Experimente und Erfindungen gleich Resultate oder sind kommerziell verwertbar. Speziell die so genannte Grundlagenforschung an den Universitäten – experimentelle und theoretische wissenschaftliche Arbeit – dient in erster Linie dazu, die allgemeine Wissensbasis zu erhöhen. Dieses Wissen ist dann öffentliches Gut und kann gewissermaßen von jedem genutzt werden. Das Problem an der staatlich finanzierten Forschung ist, dass sie sehr stark von der Entscheidung durch fachfremde Bürokraten und Politiker abhängt. Sie müssen darüber entscheiden, was förderungswürdig ist oder was sich gesamtwirtschaftlich nicht lohnt.

Unternehmen wollen und können sich diese Art der Forschung gar nicht erst leisten. Für sie zählen schnelle Ergebnisse, die sich rasch in bare Münze umsetzen lassen. Aber nicht jede Innovation ist marktfähig. Man denke nur an verschiedene Videosysteme oder etwa die Still-Kameras, deren Entwicklung Sony & Co Anfang der 90er-Jahre Millionen kostete und sich am Markt nicht durchsetzte. Ein nicht unerhebliches Risiko, weshalb der private Sektor auch immer wieder Förderungssubventionen durch den Staat bzw. die EU einfordert und teilweise auch erhält. So wurden beispielsweise dem BMW-Motorenwerk in Steyr im Frühjahr 2003 von den EU-Wettbewerbshütern staatliche Regional-, Ausbildungs-, Umweltschutz- und Forschungsförderungen in Höhe von fast 30 Mio. Euro bewilligt.

Die verantwortlichen Politiker wiederum fordern von der Industrie ein stärkeres finanzielles Engagement im Forschungsbereich – und der internationale Vergleich gibt ihnen Recht. Die heimischen Unternehmen tragen deutlich weniger als in anderen Ländern zur Forschungsfinanzierung bei.

Anteil des Unternehmenssektors an den F&E-Ausgaben im internationalen Vergleich

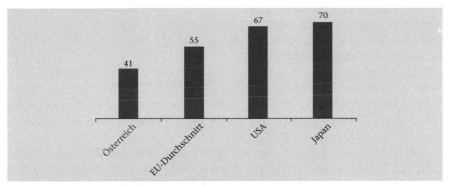

* Zahl für Österreich aus 2003, alle anderen Zahlen aus 2002
Quelle: BMWA-Wirtschaftsbericht 2002

Von den 4,3 Milliarden Euro, die 2003 in Österreich in Forschung und Entwicklung flossen, waren nach Angaben der Statistik Austria rund 40 Prozent von der öffentlichen Hand (Bund, Gemeinden, Kammern, Sozialversicherungsträgern) finanziert; rund 41 Prozent stammten von der heimischen Wirtschaft, 18,5 Prozent wurden vom Ausland finanziert und 0,3 Prozent vom privaten gemeinnützigen Sektor.

Die Finanzierung durch das Ausland beinhaltet Fördermittel der EU. Zum überwiegenden Teil stammen diese Mittel jedoch von europäischen Unternehmen, die Österreich zum Forschungsstandort gewählt haben, und dieser Bereich ist zum Glück für Österreich in den vergangenen Jahren stark gestiegen. Bei der auslandsfinanzierten Forschung und Entwicklung nimmt Österreich sogar einen internationalen Spitzenwert ein.

Wie lauten die F&E-Ziele Österreichs und der EU?

Die Europäische Union hat sich das Ziel gesetzt, bis 2010 zur wettbewerbsfähigsten, wissensbasierten Region der Welt zu werden. Um dieses ambitionierte Ziel zu erreichen, sollen vor allem Beschäftigung und Forschung angekurbelt werden. Durch die Erhöhung der durchschnittlichen EU-Forschungsquote von 1,9 Prozent des Bruttoinlandsprodukts (2003) auf 3 Prozent im Jahr 2006 sollen bis zu 400.000 Arbeitsplätze geschaffen werden.

Diese Quote lässt sich nur erzielen, wenn alle Mitgliedstaaten gleichermaßen mitziehen, und das ist derzeit nicht der Fall. Die meisten EU-Länder mussten daher anlässlich des alljährlich präsentierten Leistungsberichts vor dem Frühjahrsgipfel 2003 der Staats- und Regierungschefs eine Rüge hinnehmen. Österreich liegt hier im Trend der EU-Mehrheit: Die Industrie investiert demnach zu wenig in Forschung und Entwicklung, die Anzahl der Absolventen naturwissenschaftlicher Fächer ist zu gering, das Risikokapital zu niedrig. Lediglich bei der Anzahl der Patente hält sich Österreich mit Platz 7 im Mittelfeld.

Um nicht den Anschluss an innovativere Industrieländer wie Finnland, Schweden, Dänemark und Irland zu verlieren, hat sich die österreichische Regierung bis 2010 das Zwischenziel gesetzt, die F&E-Quote zumindest von 1,96 Prozent im Jahr 2003 auf 2,5 Prozent des Bruttoinlandsprodukts bis 2006 zu erhöhen.

Ein eigens geschaffener Rat für Forschung und Technologieentwicklung (RFT) wurde beauftragt, in Abstimmung mit den Fachministerien (Wirtschaft, Infrastruktur, Bildung und Finanzen) einen „Nationalen Forschungs- und Innovationsplan" auszuarbeiten, um Strategien für die heimische F&E-Zukunft zu entwickeln. So genannte Kompetenzzentren, industrieorientierte Impuls- und Technologietransferprogramme sollen die Forschungs- und Innovationsleistungen des privaten Sektors anheben und die Kooperation zwischen den (universitären) Forschungseinrichtungen und der Wirtschaft verbessern.

Wie sieht die F&E-Realität in Österreich aus?

Die Forschungswirklichkeit sieht aber anders aus. In den letzten zwei Jahrzehnten haben sich die Forschungsausgaben zwar deutlich erhöht: 1981 lagen die F&E-Investitionen nach Angaben der Statistik Austria noch bei 1,13 Prozent des BIP, 2003 immerhin schon bei 1,96 Prozent.

Nach den Zahlen, die für das Budget 2003/2004 vorgelegt wurden, wird es sich aber nach Berechnungen des WIFO nie und nimmer ausgehen, die bis 2006 angepeilte Quote von 2,5 Prozent zu erreichen. Vielmehr würden die F&E-Ausgaben weiterhin um die 2 Prozent pendeln und somit klar unter dem Zielwert bleiben. Ab 2004 soll es zwar Sondermittel für das Offensivprogramm F&E II in Höhe von rund 600 Mio. Euro geben – aber die sind in den WIFO-Berechnungen schon inkludiert.

Das im Oktober entworfene Konjunkturbelebungspaket III sieht unter anderem mehr Geld für Forschung und Entwicklung vor. Insgesamt soll bis 2006 1 Mrd. Euro an zusätzlichen Mitteln aufgebracht werden. Vor allem die Verlängerung des Forschungsfreibetrags wurde von den Wirtschaftsforschern einhellig begrüßt. Nicht nur die seit Jahrzehnten mit „Technologiemilliarden" und ähnlichen vollmundigen Ankündigungen geplagten Forscher und Ausbildner fürchten aber, dass auch die derzeitige F&E-Offensive vor allem ein Lippenbekenntnis bleiben könnte.

F&E-Ausgaben bis 2006 – Zielwert und wahrscheinliche Entwicklung

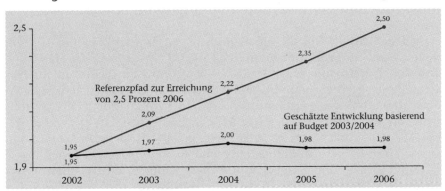

Quelle: WIFO

Welche weiteren Defizite gibt es?

Die unzureichende Forschungsfinanzierung ist nicht das einzige Problem, das sich im F&E-Bereich stellt.

So kann Österreich zwar immer wieder Spitzenerfolge in Medizintechnik, Umwelt- und Biotechnologie verzeichnen. Die Erfolge werden allerdings international kaum vermarktet, meint WIFO-Forscher Karl Aiginger. Ein besseres Technologieimage Österreichs würde aber auch Folgeinvestitionen ausländischer Unternehmen mit sich bringen.

Weiterer Handlungsbedarf: die Schulbildung. Österreich zählt zwar EU-weit zur Spitzengruppe jener Länder, die besonders viele Maturanten und Absolventen der Sekundärschulen aufweisen. Bei den höheren Bildungsabschlüssen (also Hochschulen und Universitäten) liegt Österreich aber gemeinsam mit Italien und Portugal am unteren Ende der Skala – ein klarer Qualifikationsnachteil im Forschungsbereich, der sich auch in einem Mangel an Forschern ausdrückt.

So weist der Vorsitzende der Rektorenkonferenz, Georg Winckler, darauf hin, dass es laut OECD in Deutschland rund 480.000 Forscher gibt, in Österreich hingegen nur circa 32.000. Lege man dies auf die niedrigere Einwohnerzahl um, müssten es 48.000 sein. Vergleichbare Länder wie die Schweiz oder Schweden kämen sogar auf 50.000 bis 60.000 Forscher, so Winckler. Aufholbedarf habe Österreich vor allem bei den Frauen in der Forschung.

In der gesamten EU fehlen nach Berechnungen der EU-Kommission rund 500.000 Forscher, um das Ziel einer Forschungsquote von 3 Prozent bis 2010 zu erreichen. Nicht zuletzt deshalb appellierte EU-Forschungskommissär Philippe Busquin an die Finanzminister der EU-Staaten, mehr in Forschung und Wissenschaft zu investieren. Denn allein im Jahr 2000 investierten die USA um 121 Mrd. Euro mehr als die EU-Länder in die Forschung.

Mit dem Appell an die Finanzminister ist es allerdings nicht getan, denn in den USA wird im Unterschied zur EU ein Großteil der Forschung von den Unternehmen investiert. Auch sie müssten demnach ihr Forschungsengagement erhöhen. Und schließlich müssten den europäischen Forschern attraktivere Bedingungen in ihren Heimatländern geboten werden (sprich: höhere Gehälter, fixe Arbeitsverhältnisse statt projektbezogener Kurzzeitverträge und generell mehr gesellschaftliche Anerkennung). Denn: „Immer mehr in Europa ausgebildete Wissenschafter gehen in die USA und bleiben dort", sagt Busquin. Diese Verluste an Humanressourcen wären auch Verluste für die europäische Forschung.

GATS (Allgemeines Dienstleistungsabkommen)

- Was ist GATS?
- Wer entscheidet darüber?
- Welche Bedeutung hat die Liberalisierung der Dienstleistungen wirtschaftlich gesehen?
- Wie lautet die Kritik an GATS?

Was ist GATS?

Am Beginn stand GATT (General Agreement on Tariffs and Trade; Allgemeines Zoll- und Handelsabkommen), ein multinationales Abkommen zur Reorganisation des Welthandels, das nach dem 2. Weltkrieg 1948 in Kraft trat. Ziel des Abkommens war es, Zölle und Außenhandelsbeschränkungen abzubauen und den weltweiten Warenhandel zu fördern. Das von 23 Vertragspartnern, darunter Deutschland, Österreich und die Schweiz, ausgehandelte Abkommen blieb bis 1995 ein provisorisch angewandter Vertrag. Erst mit der Gründung der Welthandelsorganisation (WTO, siehe Internationale Organisationen) im Jahr 1995 wurde eine rechtsfähige internationale Institution für den weltweiten Handel geschaffen. Gleichzeitig wurden die Liberalisierungsaufgaben erweitert: Neben dem freien Warenhandel mittels GATT soll nun auch der Handel mit Dienstleistungen international liberalisiert werden. Das Dienstleistungsabkommen trägt die Bezeichnung GATS (General Agreement on Trade in Services). Die Verhandlungsrunde dazu (auch Doha-Runde genannt, nach der Konferenz in Doha/Katar im Jahr 2001) soll bis 2005 abgeschlossen werden. Das GATS soll über freien Marktzugang den gleichberechtigten Austausch von Dienstleistungen unter anderem im Finanz-, Versicherungs- und Bankwesen, im Tourismus, in der Telekommunikation, im Bildungs-, Gesundheits- und Verkehrswesen ermöglichen.

Wer entscheidet darüber?

De facto ist das GATS bereits seit 1993, als sich Österreich mit 123 anderen Staaten auf neue Regelungen über den Dienstleistungshandel einigte, beschlossene Sache. In Kraft trat es 1995, nach der Beschlussfassung durch das österreichische Parlament. Bis Mitte 2002 konnten die EU und ihre Mitgliedstaaten so wie alle anderen WTO-Mitgliedstaaten Liberalisierungswünsche an die anderen WTO-Mitglieder deponieren, bis März 2003 mussten dann Vorschläge eingebracht werden, wo im eigenen Bereich Liberalisierungen vorgenommen werden sollten. Aufgrund der Gemeinsamen Außenwirtschaftspolitik der EU war dafür die Europäische Kommission zuständig.

Wie viel Entscheidungsspielraum blieb und bleibt dann beim GATS überhaupt noch den einzelnen Staaten in der EU? Sehr viel, sagt der österreichische Wirtschaftsminister Martin Bartenstein, denn jeder Mitgliedstaat entscheide autonom für sich, welche Bereiche er liberalisieren wolle. Die für Österreich gültige Verpflichtungsliste, die der von der EU vorgelegten entspricht, sieht Folgendes vor:

Keine Verpflichtung zur Liberalisierung bei	Eingeschränkte Verpflichtung zur Liberalisierung bei	Volle bzw. weitgehende Verpflichtung bei
• Audiovision • Tertiärer Bildung (Hochschulen, Universitäten) • Gesetzlicher Sozial- und Pensionsversicherung (solange sie nicht im Wettbewerb mit privaten Anbietern erbracht wird) • Schienenverkehr, Personenverkehr durch die Straße (Busse) • Apotheken • Wasserversorgung (Trinkwasseraufbereitung, Verteilung) • Post • Energie • Rechtsanwälten	• Spitalsdienstleistungen • Verkehrsdienstleistungen (Wartung und Reparaturdienstleistungen für Straßentransportausrüstung, Lager- und Speditionsdienstleistungen)	• Unternehmensdienstleistungen • Primärer, sekundärer und Erwachsenenbildung (Vorschulen, Grundschulen, AHS, BHS) • Gesundheit (Kurhotels, Heilbäder, Pflegeheime, Altenheime) • Sozialen Dienstleistungen (Alten-, Behindertenpflege, Kindertagesbetreuung u. Ä.) • Umwelt (Abwasser- und Müllentsorgung)

Quelle: AK Wien

Das Interesse der privaten Unternehmen und Konzerne an einer raschen Liberalisierung vor allem öffentlicher Dienstleistungen ist jedenfalls groß. Kein Wunder – es gibt einiges zu verteilen: Nach Angaben der GATS-kritischen Organisation „feminist ATTAC" werden auf dem derzeit noch staatlich kontrollierten Gesundheitsmarkt weltweit jährlich 3.500 Mrd. Dollar umgesetzt, auf dem Bildungsmarkt 2.200 Mrd. Dollar und der Weltwassermarkt wird auf 500 Mrd. Dollar geschätzt.

Welche Bedeutung hat die Liberalisierung der Dienstleistungen wirtschaftlich gesehen?

Österreich ist ein Dienstleistungsland: Rund 65 Prozent unserer gesamten Wirtschaftsleistung werden bereits in diesem Bereich erwirtschaftet (mehr dazu in Teil II weiter vorne). Und auch im Ausland sind Dienstleistungen aus Österreich gefragt. Mit einem Anteil von 2,1 Prozent an den weltweiten Dienstleistungsexporten liegt Österreich in der internationalen Rangliste der Dienstleistungsexporteure an 13. Stelle; bei den Warenexporten hingegen „nur" an 24. Stelle. Von den Dienstleistungsexporten entfallen rund 30 Prozent auf den Reiseverkehr (Tourismus), 15 Prozent auf Transportdienstleistungen, 5 Prozent auf Finanzdienstleistungen und 2 Prozent auf Baudienstleistungen. 25 Prozent der Dienstleistungsexporte sind statistisch nicht zuteilbar.

Das Bundesministerium für Wirtschaft und Arbeit erwartet sich daher durch das GATS eine Stärkung des heimischen Wohlstands, da die österreichischen Unternehmen, die Dienstleistungen verkaufen, durch das GATS mehr Sicherheit und faire Chancen beim Export erhalten sollen. Auch die Konsumenten sollen durch die Liberalisierungen vorwiegend profitieren: durch größere Wahlmöglichkeiten und bessere Qualität zu niedrigeren Preisen. Und weil Dienstleistungen in der Regel arbeitsintensiv seien, wären sie eine wichtige Quelle für Arbeitsplätze.

Auch EU-weit gesehen sei die Liberalisierung des Handels mit Dienstleistungen in jedem Fall ein Gewinn: Schon heute liegt demnach der EU-Anteil an den weltweiten Exporten von kommerziellen Dienstleistungen bei 25 Prozent, der Anteil der USA hingegen nur bei 19 Prozent, der Japans nur bei 5 Prozent.

Wie lautet die Kritik an GATS?

Trotzdem wollen viele Menschen weltweit nicht so recht glücklich werden mit den bevorstehenden Liberalisierungen. Und im Fall von GATS lässt sich die Gruppe der Kritiker nicht auf die „ewig gleichen Berufsdemonstrierer" reduzieren: So sorgte das Thema beispielsweise auch im Wiener Gemeinderat im März 2003 für Schreiduelle und emotionale Debatten. Anlass dafür war das Vorgehen der GATS-Verhandler: Die Verhandlungen hätten nach Ansicht von Grünen und sozialdemokratischen Gemeinderatsmitgliedern bisher weitgehend unter Ausschluss der Öffentlichkeit stattgefunden. Gefordert wurden daher in einem Antrag nicht nur Mitspracherechte und eine verbesserte Information der Gebietskörperschaften, sondern ein vorläufiges Stopp der Verhandlungen.

Auch der Präsident des Gemeindebunds, Helmut Mödlhammer, findet an den Begehrlichkeiten der privaten Anbieter im Dienstleistungsbereich keinen Gefallen: Trinkwasserversorgung, Abwasserentsorgung und Abfallbeseitigung zählten zu den klassischen Kernkompetenzen der Gemeinden. Die Einrichtungen seien mit dem Geld der Bürger geschaffen worden, und jetzt, wo es etwas daran zu verdienen gebe, würden die Privaten auftreten. Laut Mödlhammer könnten nur die Kommunen eine sozial und regional ausgewogene Versorgung garantieren. Einerseits könne man als Bürgermeister auf Finanzprobleme seiner Bürger Rücksicht nehmen, andererseits müssten auch abgelegene Orte versorgt werden. Konzerne, die nur ihren Profit vor Augen hätten, wären an beidem nicht interessiert, weil damit kein Geschäft zu machen sei.

Kritik kommt auch von vielen Frauenorganisationen: Über 80 Prozent der erwerbstätigen Frauen in der EU arbeiten im Dienstleistungssektor. Sie sollen nach Ansicht der GATS-Kritiker die Auswirkungen daher am unmittelbarsten zu spüren bekommen: Flexibilisierung, Outsourcing in kollektivvertraglich schlechter gestellte Branchen, Umwandlung von Vollzeit- in Teilzeitarbeitsplätze oder geringfügige Beschäftigung – dies und andere Formen der Kostenreduktion sollen den Unternehmen vor allem auf Kosten der Frauen helfen, ihre Wettbewerbsfähigkeit zu erhöhen. Und das nun nicht mehr nur in der Privatwirtschaft, sondern zunehmend auch in öffentlichen Dienststellen, wie Spitälern, Kindertagesstätten, Altenheimen oder Schulen.

Ob Frauen oder Männer: Der wichtigste Kritikpunkt lautet, dass nun anstelle der öffentlichen Hand private Konzerne über lebenswichtige soziale Leistungen bestimmen sollen. Die Machtverteilung von souveränen

Info-Tipp: Informationen zur Kampagne gegen GATS finden sich auf der Homepage www.stoppgats.at. Wer auch die Gegenseite hören will, kann auf der Website des Wirtschaftsministeriums die Argumente für den Handel mit Dienstleistungen nachlesen: www.bmwa.gv.at. Die Verhandlungsvorschläge der WTO-Mitglieder zum Thema GATS sind auf www.wto.org nachzulesen. Die Positionen der EU finden sich unter http://europa.eu.int/comm/trade.

Staaten hin zu übermächtigen internationalen Konzernen in sensiblen Bereichen wie Bildung und Sozialem macht vielen Menschen Angst. Weltweit wehren sich daher immer mehr Menschen gegen GATS. Auch in Österreich fordern verschiedenste Organisationen und Parteien von der Regierung, die GATS-Verhandlungen sofort zu beenden oder zumindest auf Eis zu legen, bis sorgfältige und unabhängige Untersuchungen über mögliche Auswirkungen der Liberalisierungsverpflichtungen angestellt wurden.

Globalisierung

- Was genau versteht man unter Globalisierung?
- Was sind die Gründe für die zunehmende internationale Verflechtung?
- Wie hängt die steigende Mobilität mit der Globalisierung zusammen?
- Wie global ist Österreich?
- Wer sind die Gewinner der Globalisierung?

Was genau versteht man unter Globalisierung?

„Globalisieren" bedeutet laut Duden „auf die ganze Erde ausdehnen". Der Begriff tauchte in den 90er-Jahren erstmals auch in deutschen Büchern, Zeitungen und Diskussionen auf und steht heute oft für die negativen Auswirkungen der rasch zunehmenden wirtschaftlichen Internationalisierung. Global ist aber mittlerweile nicht nur die Wirtschaft. Auch Umweltbelange, Terrorismus oder Krankheiten sind längst nicht mehr auf einzelne Staaten beschränkt. Klimawandel und Ozonstrahlen nehmen keine Rücksicht auf geografische oder politische Grenzen. Und die Lungenkrankheit SARS hat deutlich gezeigt, wie rasant sich eine Infektion durch die stark gestiegene Mobilität der Menschen über den Erdball verbreiten kann.

Im wirtschaftlichen Sinn versteht man darunter die Strategie von Unternehmen, ihre Tätigkeiten möglichst international auszudehnen und dort einzukaufen, zu investieren und zu produzieren, wo die für sie günstigsten Bedingungen herrschen. Am weitesten fortgeschritten ist die Globalisierung der Finanzmärkte, vor allem aufgrund der Fortschritte in der Telekommunikation. Spekulation und Finanzmanagement haben daher im Vergleich zum Welthandel und zur Weltproduktion überdurchschnittlich zugenommen. Nach Angaben des TV-Journalisten Frank Lehmann („Wirtschaft – Worauf es ankommt", Hoffmann & Campe) haben sich die weltweit erfassten Kapitalströme von 1975 bis 2000 auf 4.000 Mrd. Dollar verdreißigfacht, während das Welthandelsvolumen in dieser Zeit nur um 320 Prozent stieg und das reale Bruttoinlandsprodukt aller Länder nur um

140 Prozent. Die Finanzmärkte gelten daher neben den Multis als die Vorreiter und eigentlichen Träger der weltwirtschaftlichen Vernetzung.

Was sind die Gründe für die zunehmende Globalisierung?

Globalisierung ist kein völlig neues Phänomen. Bereits zu Kolonialzeiten erreichte der internationale Handels- und Geldverkehr beachtliche Dimensionen. Und wenn man sich die enormen Wanderbewegungen gegen Ende des 19. Jahrhunderts ansieht, könnte man sogar von einem Weltarbeitsmarkt sprechen. Die Globalisierung heute unterscheidet sich aber dennoch von der früherer Zeiten: zum einen, weil sie zahlreiche andere Bereiche des Lebens umfasst, und zum anderen, weil die Weltwirtschaft heute in einem noch nie dagewesenen Maß miteinander verflochten ist.

Möglich wurde die weltweite Vernetzung der Märkte vor allem durch folgende Faktoren:

- Der **weltweite Abbau von Zöllen und anderen Handelsbarrieren** zunächst im Rahmen des Allgemeinen Zoll- und Handelsabkommens und in Folge durch die Welthandelsorganisation (WTO) führte zu einem starken Anstieg des Welthandels. Immer mehr Länder fanden sich zu Wirtschaftsgemeinschaften zusammen (Beispiel NAFTA oder Europäischer Wirtschaftsraum), was den internationalen Handel mit Gütern und Dienstleistungen, mit Kapital und technischem Know-how förderte.
- **Telekommunikation und Mikroelektronik** verzeichneten in den 90er-Jahren riesige Fortschritte: e-Mail, Internet, weltweite Telefon- und Videokonferenzen erleichterten globales Wirtschaften und erhöhten die Produktivität der Unternehmen. Einerseits, weil nun Aufgaben auch in weit entfernt liegende Länder mit geringeren Arbeitskosten ausgelagert werden, andererseits, weil so der Informationsaustausch erheblich erleichtert wurde.
- **Transport- und Verkehrssysteme** wurden weltweit ausgebaut, was nicht nur die Kosten senkte, sondern auch eine sprunghafte Steigerung der Mobilität mit sich brachte.

Wie hängt die steigende Mobilität mit der Globalisierung zusammen?

Wie rasant die Mobilität zunimmt, beweist beispielsweise das Passagieraufkommen des Flughafens Wien Schwechat. 1970 lag es bei 1,5 Millionen Transits, also An- und Abflügen. Im Jahr 2000 betrug es bereits 11,9 Millionen, also rund achtmal so viel. Aber auch zu ebener Erde herrscht heute deutlich emsigeres Treiben als noch vor 30 Jahren: Die Zahl der Autos hat sich in Österreich von etwas mehr als einer Million im Jahr

1970 auf mehr als 4 Millionen im Jahr 2002 erhöht. Und auch die Zahl der Lastwagen hat sich in diesem Zeitraum fast verdreifacht.

Die Mobilität von Menschen, Waren und Produktionsfaktoren führt zu einem großen Konkurrenzdruck zwischen den einzelnen Ländern dieser Welt: Wer die besten Arbeitsbedingungen, die höchsten Löhne, die gesündeste Umwelt und die modernsten Infrastrukturbedingungen bietet, der kriegt die klügsten Köpfe als Arbeitskräfte und Steuerzahler. Für die Investoren und Unternehmen wiederum zählen bei der Standortwahl unter Umständen genau die gegenteiligen Kriterien: Das Land mit den niedrigsten Löhnen, mit den geringsten Umweltauflagen, mit den niedrigsten Steuern und den flexibelsten Gesetzesvorschriften erhält den Zuschlag, denn dort kann am billigsten oder einfachsten produziert werden. Die einzelnen Staaten können sich also nicht mehr nur darauf beschränken, Maßnahmen zu setzen, die ihrem Land wirtschaftliche Stärke, sozialen Frieden oder militärische Dominanz sichern, sondern sie müssen immer auch die weltwirtschaftliche und weltpolitische Entwicklung ins Kalkül ziehen. Kein Land kann es sich heute leisten, Investoren aus bestimmten Gründen dankend abzulehnen. Die einzelnen Staaten funktionieren vielmehr so wie ein Unternehmen: Sie müssen um Kundschaft werben – um Investoren an der Börse, um Direktinvestitionen in ihr Land, um Multis, die Niederlassungen errichten wollen, um hoch qualifizierte Arbeitskräfte, um zahlungskräftige Touristen usw. Denn die Konkurrenz mit den günstigeren Bedingungen ist groß. Nationale Rücksichten spielen dabei kaum eine Rolle: Wer mehr bietet, erhält den Zuschlag. Und auch die Geografie verliert an Bedeutung: Ob ein Software-Entwicklungsunternehmen vom Salzkammergut oder von Georgien aus arbeitet, ist für das Ergebnis nicht von Bedeutung.

Wie global ist Österreich?

Kaum ein Land hat der Globalisierung so sehr seinen Stempel aufgedrückt wie die USA. Amerikanische Marken wie CocaCola und McDonald's gelten als Inbegriff für Freiheit und Marktwirtschaft, und Sportschuhe von Nike oder Levi's Jeans sind in manchen Ländern regelrechte Statussymbole. Auch in der kulturellen Globalisierung hat Amerika eindeutig die Nase vorn: Filme, Kleidung, Lebensstil, sogar die Nationalsprachen sind heute geprägt von US-amerikanischen Vorbildern. Wirtschaftlich gesehen sind die USA aber gar nicht so global, wie es auf den ersten Blick scheint. Das behauptet zumindest das US-amerikanische Beratungsunternehmen A. T. Kearney, das gemeinsam mit dem „Foreign Policy Magazine" jährlich einen Globalisierungsindex erstellt. Dabei liegen die USA bereits seit 2000 auf dem 12. bzw. 11. Platz, und damit sogar drei Plätze hinter Österreich.

Bei der Studie, die den Globalisierungsgrad von 62 Ländern mit rund 85 Prozent der Weltbevölkerung misst, wird nach politischen, technologischen, sozialen und wirtschaftlichen Kategorien unterteilt. Dazu zählen beispielsweise die Anzahl der Mitgliedschaften in internationalen Organisationen und der eigenen Botschaften, die Anzahl der Internet-User, die Entwicklung des Tourismus und des internationalen Telefonverkehrs sowie die Entwicklung des Handels und der Zufluss ausländischen Kapitals, in erster Linie durch Direktinvestitionen.

Die globalsten Länder weltweit

Rang 2003	Rang 2002	Land	Wirtschaftliche Integration	Persönliche Kontakte	Technischer Fortschritt	Politisches Engagement
1	(1)	Irland	1	1	16	22
2	(2)	Schweiz	5	2	7	20
3	(5)	Schweden	2	9	5	5
4	(3)	Singapur	4	3	6	53
5	(4)	Niederlande	3	6	10	28
6	(8)	Dänemark	7	5	9	12
7	(7)	Kanada	17	7	3	6
8	(9)	Österreich	16	4	13	7
9	(10)	Großbritannien	10	10	11	4
10	(6)	Finnland	11	16	2	17
11	(12)	USA	50	33	1	2
12	(13)	Frankreich	12	17	21	1
13	(11)	Norwegen	24	18	4	19
14	(15)	Portugal	15	12	19	34
15	(16)	Tschech. Rep.	9	11	25	25
16	(19)	Neuseeland	28	14	8	46
17	(14)	Deutschland	22	22	14	9
18	(20)	Malaysia	8	24	23	32
19	(18)	Israel	32	8	20	58
20	(17)	Spanien	18	23	24	21

* in Klammern der Vorjahresrang

Quelle: Globalization Index 2002, A. T. Kearney/Foreign Policy Magazine

Die Studienersteller gingen auch der Frage nach, ob Globalisierung der Umwelt schade. Sie verglichen ihre Reihung mit dem Umwelt-Performance-Index (EPI) der Universitäten Yale und Columbia – und kamen zu einem bemerkenswerten Ergebnis: Die Länder mit dem höchsten Grad der Globalisierung würden auch mehr für den Umweltschutz tun. Das käme darin zum Ausdruck, dass von den zehn höchstgereihten Globalisierungsländern sieben (darunter Österreich) zu den umweltfreundlichsten Staaten der Welt gezählt werden. Die Studienautoren räumen auch gleich mit dem Gegenargument auf, dass sich reichere Länder natürlich eher leisten könnten, gleichzeitig global und umweltverträglich zu agieren. Tatsächlich käme es weitaus mehr darauf an, wie effizient ein Staat und seine Unternehmen die vorhandenen Ressourcen einsetzten. Polen und Ungarn als vergleichsweise ärmere Länder rangieren zum Beispiel im Umweltbereich vor dem reicheren Globalisierungssieger Irland, aber auch vor Großbritannien.

Ebenso überraschend ist möglicherweise, dass die am stärksten globalisierten Länder die höchsten Arbeitslöhne zahlen. Dies wird unter anderem damit erklärt, dass die multinationalen Unternehmen die treibende Kraft der Wirtschaftsintegration sind, weltweit agieren und ein immer größerer Anteil am Welthandel auf sie entfällt, da sie innerhalb ihrer vielen Betriebe Handel betreiben.

Info-Tipp: Der Globalisierungsindex steht unter www.atkearney.com oder www.foreignpolicy.com/ zum Download zur Verfügung.

Wer sind die Gewinner der Globalisierung?

Gewinner der Globalisierung waren bisher in erster Linie die Industriestaaten. Damit wurde bestätigt, was die OECD oder auch die Vereinten Nationen zum Teil bereits im Jahr 1994 prognostiziert hatten: Wohlfahrtsgewinne für die einen, Verluste in Höhe von 1,2 Mrd. Dollar allein für die afrikanischen Länder südlich der Sahara.

Aber auch innerhalb der Gewinnerländer wird der Globalisierungskuchen nicht gleich verteilt: Profitiert haben quer durch alle Länder die besser gebildeten und in innovativen Branchen tätigen Bevölkerungsschichten, während die Beschäftigten und Unternehmer in eher geschützten oder traditionellen Wirtschaftsbereichen unter die Räder kamen.

Verloren haben etwa auch die Gewerkschaftsbewegung und die Arbeitnehmersolidarität, die durch das Ausspielen von Lohnkostenvorteilen rund um die Welt ausgehöhlt wurden. An Einfluss verloren hat auch die nationale Wirtschafts- und Sozialpolitik, die immer mehr auf internationale Spielregeln achten muss.

Ein „Ausstieg" aus dem Globalisierungszug ist praktisch unmöglich. Was Umweltbelange, kulturelle Vernetzungen und Ähnliches betrifft, sowieso nicht, und auch in wirtschaftlicher Hinsicht hängt jedes Land, das ein gewisses Maß an Lebensstandard aufrechterhalten will, von der Kooperation und dem Handel mit anderen Staaten ab. Globalisierungskritiker fordern aber zumindest – immer weniger von den jeweiligen nationalen Regierungen als von den großen internationalen Entscheidungsträgern wie der WTO oder bei den Gipfeltreffen der G7-Staaten – mehr demokratische Kontrolle und eine stärkere Regulierung der Kapitalmärkte, eine Entschuldung der Dritten Welt oder eine Verankerung der Arbeitnehmerrechte in internationalen Verträgen.

Info-Tipp: Globalisierungskritiker finden sich quer durch alle Länder. Als bekanntestes Bündnis von Kritikern gilt die in Frankreich gegründete Organisation „attac", die mittlerweile auch in Deutschland und Österreich über entsprechende Netzwerke verfügt. Auf der Homepage gibt es weitere Informationen und Hinweise auf Buchveröffentlichungen zum Thema. Adresse: http://attac-austria.org/.

Inflation/Deflation

- Welche Arten von Inflation gibt es?
- Welche Folgen hat die Inflation auf die Volkswirtschaft?
- Was besagt die Inflationsrate?
- Wie entsteht Inflation?
- Was ist eine Deflation?
- Wie wird eine Deflation verhindert?

Welche Arten von Inflation gibt es?

Jeder von uns kennt das: Von Jahr zu Jahr wird alles ein wenig teurer. Diesen Preisanstieg nennt man Inflation. Je nach der Höhe und dem Tempo der Geldentwertung spricht man von

- **schleichender Inflation** (bis zu 4 Prozent): Die Preissteigerungen sind so gering, dass sie von den Bürgern kaum wahrgenommen werden;
- **trabender Inflation** (von 5 bis 10 Prozent): Die Verbraucher flüchten zunehmend in Sachwerte wie Grundstücke, Häuser, Schmuck oder Edelmetall;
- **galoppierender Inflation** (11 bis 100 Prozent): Die Preissteigerungen verursachen ernsthafte Zerrüttungen der Wirtschaft;
- **Hyperinflation** (ab 100 Prozent): Meist während oder nach Kriegen, wie etwa 1992 im ehemaligen Jugoslawien, wo die Inflationsrate zeitweilig um 1 Prozent pro Stunde anstieg.

Welche Folgen hat die Inflation auf die Volkswirtschaft?

Je höher die Inflation, desto weniger Wert hat das Geld. Sprich: Man kann sich für die gleiche Summe weniger kaufen. Am meisten betroffen sind davon jene, die am wenigsten Geld zur Verfügung haben. Etwa Pensionisten oder Arbeitslose, weil sie sich für ihre begrenzten Mittel noch weniger kaufen können. Als Folge sinken ihre Ausgaben, mit negativen Konsequenzen für die Wirtschaft.

Auch Sparer merken die Geldentwertung deutlich, weil ihre Sparguthaben immer weniger wert sind. Das führt bei jenen, die es sich leisten können, zu einer Flucht in Sachwerte wie Immobilien, Schmuck und Ähnliches, um dem Wertverlust des Geldes zu entgehen. Der Nachteil daran: Oft kommt es dadurch zu volkswirtschaftlich unsinnigen Investitionsentscheidungen. Auch Kreditgeber haben bei inflationärer Wirtschaftslage das Nachsehen: Die realen Zinsen gehen zurück, wodurch Schuldner begünstigt werden.

Ist die Inflation extrem hoch, verliert die jeweilige Landeswährung unter Umständen ihren Tauschwert. Bezahlt wird dann entweder mit einer härteren Währung oder mit begehrten Waren, wie etwa Zigaretten.

Was besagt die Inflationsrate?

Die Höhe der Inflation wird in Prozent ausgedrückt – die so genannte Inflationsrate. 2 Prozent Inflation bedeuten zum Beispiel, dass sich die Preise im Vergleich zum Vormonat oder zum Vorjahr um diesen Prozentsatz verteuert haben. Die Inflationsrate wird anhand des Verbraucherpreisindex ermittelt. In diesen Index fließen nach Angaben der Statistik Austria rund 80.000 Einzelpreise ein. Dabei wirken rund 7.100 Haushalte mit. Sie werden per Zufallsgenerator ausgewählt und müssen ein Jahr lang ein Haushaltsbuch führen, in dem penibel alle Ausgaben aufgezeichnet werden. Bis 2000 wurde der Warenkorb alle 10 Jahre erneuert, nun in 5-Jahres-Abständen. Der aktuelle Verbraucherpreisindex umfasst 812 Waren und Dienstleistungen. Am meisten Gewicht hat dabei die Position „Wohnung, Wasser, Energie" (rund 18 Prozent), gefolgt von „Verkehr" (14,3 Prozent) und erst an dritter Stelle „Nahrungsmittel, alkoholfreie Getränke" (13,6 Prozent). Je nachdem, wie sich nun beispielsweise die Treibstoffkosten, Lebensmittelpreise, Versicherungen und all die anderen Preise im Warenkorb entwickeln, sinkt oder steigt die Inflationsrate.

Ziel der Europäischen Zentralbank ist eine Inflationsrate von nicht mehr als 2 Prozent. Die Preise sollten nicht stärker steigen, aber auch nicht viel weniger. Bis zu dieser Marke gelten die Preise als stabil.

Österreich zählte dank seiner Hartwährungspolitik zu den währungsstabilsten Ländern der Welt. Bis auf einige Ausreißer in den 70er-Jahren, wo die Inflationsrate auf bis zu 9,5 Prozent (1974) hinaufschnellte, lag die durchschnittliche Preissteigerung seit 1953 zwischen 2 und 3 Prozent. Mit dem Beitritt zur Europäischen Währungsunion 1999 verlor die Oesterreichische Nationalbank zwar ihre geldpolitische Eigenständigkeit. Die Europäische Zentralbank setzt aber den Hartwährungskurs (wenn auch nun mit Euro) fort.

Inflationsraten 2002–2004

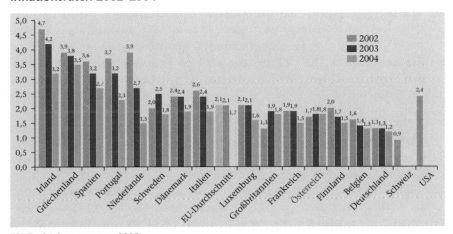

EU-Frühjahrsprognose 2003
Quelle: Statistik Austria, EU-Kommission, Juni 2003

Wie entsteht Inflation?

Die Ursachen für Preissteigerungen bzw. Geldentwertung sind vielfältig. In der Regel spielen eine Reihe von Faktoren zusammen, was die Bekämpfung der Inflation erschwert. Zu den wichtigsten Gründen zählen

- **Geldmengeninflation:** Sie entsteht dadurch, dass die Notenbank zu viel Geld druckt und in Umlauf bringt. Dem ist in Österreich so wie in allen Ländern der EU der Riegel vorgeschoben, weil die Europäische Zentralbank (EZB) darüber entscheidet, wie viel Geld jedes Land unter die Leute bringen darf. Da der Erhalt der Preisstabilität zu einem der obersten Ziele der EZB zählt, wacht sie streng darüber, dass die in den einzelnen Ländern in Umlauf befindlichen Geldmengen möglichst der Menge an erzeugten Waren und Dienstleistungen entsprechen.

- **Lohninflation:** Geldentwertung und somit steigende Preise können aber auch noch eine Reihe von anderen Ursachen haben, zum Beispiel einen Lohnanstieg, der höher ausfällt, als die Produktivität der Gesamtwirtschaft zugenommen hat. Das heißt, die Beschäftigten haben dann mehr Kaufkraft, aber es gibt zu wenig Angebot. Die Folge sind steigende Preise.

- **Importierte Inflation:** Durch steigende Preise im Ausland (zum Beispiel bei Öl) ziehen auch die Preise im Inland an.

- **Budgetinflation:** Der Staat tätigt zu hohe Ausgaben, ohne entsprechende Einnahmen zu haben, und erhöht so die umlaufende Geldmenge. Dadurch sinkt der Wert des Geldes, die Verbraucher erhalten „weniger ums selbe Geld".

- **Nachfrageinflation:** Die Nachfrage nach Konsum- und Investitionsgütern und die Nachfrage aus dem Ausland nach inländischen Gütern steigt stärker als das gesamtwirtschaftliche Angebot.

- **Kreditinflation:** Die Geldmenge wird ohne entsprechende Spareinlagen durch Kreditgewährungen weiter ausgedehnt.

Was ist eine Deflation?

Das Gegenteil von Inflation ist eine Deflation. Davon spricht man, wenn die Preise sinken und damit die Kaufkraft des Geldes steigt. Gleichzeitig geht aber die Nachfrage zurück. Ursachen dafür können eine restriktive Geldpolitik oder auch Steuererhöhungen und Ausgabenkürzungen sein. Die Konsumenten kaufen weniger, weil sie glauben, dass die Preise noch weiter zurückgehen werden. Vor allem die Anschaffung von kostspieligeren Waren wird dann hinausgeschoben, um nicht voreilig mehr auszugeben, als das Produkt vielleicht in wenigen Wochen kosten wird. Folge davon sind erneute Preisreduktionen: Die Händler und Diensteanbieter wollen und müssen ja Geschäfte machen, und sei es auch nur nach dem Motto: Besser wenig als gar nichts!

Der Kunde freut sich natürlich über die günstigen Preise – aber nicht lange. Denn der Händler kann seine Belegschaft aufgrund des Geschäftsrückgangs nicht halten. Und er investiert auch nicht mehr in den Ausbau seines Geschäfts. Kündigungen sind die Folge, die Arbeitslosigkeit steigt, und dann wird aus dem aufgeschobenen Kauf tatsächlich ein aufgehobener, weil er allein mit dem Arbeitslosengeld nicht mehr leistbar ist. Der Vorteil einer Deflation ist für die Konsumenten also nur von sehr kurzer Dauer.

Ein negatives Musterbeispiel für eine Deflation war die Weltwirtschaftskrise in den 30er-Jahren: Der Wert der Währungen wurde künstlich hochgehalten. Die Preise fielen darauf ins Bodenlose, Hunderttausende Menschen wurden arbeitslos. Die Geschäfte waren zwar voll mit Waren, aber niemand konnte sie kaufen.

Wie wird eine Deflation verhindert?

Um Deflationsgefahren entgegenzuwirken, werden meist die Zinsen gesenkt – so geschehen zuletzt im Juni 2003 in den USA, wo die Leitzinsen von ohnehin schon niedrigen 1,25 Prozent auf 1 Prozent gesenkt wurden. Damit sollen mittels noch niedrigerer Unternehmenskredite Investitionen angeheizt werden, und die Verbraucher sollen durch günstigere Hypotheken und niedrigere Zinsen, etwa auf Kreditkartenschulden, wieder ausgabefreudiger werden. Mit der vorerst letzten Zinssenkung wurden die US-Zinsen so niedrig wie seit 45 Jahren nicht mehr. Und sollte die Wirtschaft auch dadurch immer noch nicht richtig in Schwung kommen, könnten die Zinsen noch ein weiteres Mal gesenkt werden, meinte der amerikanische Notenbankchef Alan Greenspan.

Jedoch „gibt es keine Garantie, dass mehr Liquidität die Nachfrage ankurbelt und damit auch die Preise, wenn eine Wirtschaft massive Überkapazitäten und Schulden hat", meint das renommierte britische Wirtschaftsmagazin The Economist, allerdings mit Bezug auf Japan, das ebenfalls mit einer Deflation kämpft. Als unumgänglich gelten daher eine Sanierung des Budgets und der Abbau der Staatsschulden.

Internationale Organisationen

- Wer gehört zu den G7/G8?
- Wozu dient der IWF?
- Welche Aufgaben hat die OECD?
- Wer gehört zur OPEC?
- Was macht die Weltbank?
- Welche Ziele verfolgt die WTO?

Wer gehört zu den G7/G8?

Wenn von einem Treffen der G7 die Rede ist oder die G8 als Vergleichswert herangezogen werden, dann ist damit nicht eine Organisation mit bestimmten Regeln oder Statuten gemeint. Vielmehr steht das Kürzel für die „Gruppe der 7" bzw. 8 wichtigsten westlichen Industrieländer: Deutschland, Frankreich, Großbritannien, Italien, Japan, Kanada, die USA sowie – seit 1991 als Gast – Russland. 2006 soll Russland offiziell aufgenommen und die Bezeichnung auf G8 umgeändert werden. Beobachterstatus hat außerdem der Kommissionspräsident der EU.

Die Staats- und Regierungschefs der G7 treffen sich seit 1975 in der Regel dreimal jährlich, mindestens aber einmal jährlich an wechselnden Orten zum so genannten Weltwirtschaftsgipfel. Ursprünglich war damit ein informeller Meinungsaustausch über Weltkonjunktur- und Wechselkursfragen sowie der Abbau von Spannungen zwischen einzelnen Mitgliedsländern beabsichtigt. Mit zunehmender Aufmerksamkeit der Medien und der Öffentlichkeit wurden die Gipfel immer formeller, heute dienen sie ganz allgemein der Diskussion weltwirtschaftlich aktueller Themen. Am Ende wird eine in harmonischen Tönen gehaltene Abschlusserklärung veröffentlicht.

Wie beim Weltwirtschaftsgipfel im französischen Evian im Juni 2003 werden die Tagungsorte der Gipfeltreffen immer öfter hermetisch abgeriegelt, weil sie von Mal zu Mal eine größere Zahl an Menschen anlocken, die ihren Unmut gegen die zunehmende Kluft zwischen Arm und Reich sowie ihre Kritik an der Globalisierung kundtun wollen. Neben den immer heftigeren Krawallen mit Schäden in Millionenhöhe gibt es auch Bemühungen, im Rahmen eines „Gegengipfels" soziale Alternativen aufzuzeigen und zu entwickeln.

Wozu dient der Internationale Währungsfonds (IWF)?

Der Internationale Währungsfonds mit Sitz in Washington wurde 1944 gegründet, Österreich trat 1948 bei. Heute umfasst der IWF 183 Mitgliedsländer. Einmal jährlich tagt der Gouverneursrat, zu dem jedes Mitgliedsland einen Vertreter (in der Regel den Finanzminister oder Notenbankpräsidenten) entsendet.

Ziele des IWF sind die Ausweitung des Welthandels, die Förderung der internationalen Zusammenarbeit in der Währungspolitik und die Unterstützung bei Zahlungsbilanzschwierigkeiten. Der IWF gewährt Kredite, die zum Teil aus Mitteln der Mitgliedstaaten stammen, und bindet diese meist an wirtschaftspolitische Auflagen, wie Bekämpfung von Haushaltsdefiziten und Inflation oder Beseitigung von Kapitalverkehrs- und Außenhandelshemmnissen.

In den 90er-Jahren unterstützte der IWF auf diese Weise die Reformländer in Ost- und Südosteuropa bei ihrem Umstieg auf das marktwirtschaftliche System und bei ihrer Integration in die Weltwirtschaft. Ende der 90er-Jahre trat die Bewältigung von Finanzkrisen vor allem in Asien und Russland, aber auch in lateinamerikanischen Ländern in den Vordergrund.

Aufgrund der teilweise harten Eingriffe in staatliche Sozialsysteme und der Preisfreigabe subventionierter Grundnahrungsmittel in ärmeren Ländern, die nach IWF-Rezepten reformiert werden sollen, gilt der IWF als die am stärksten in der öffentlichen Kritik stehende internationale Organisation. So bezeichnete etwa der Wirtschaftsnobelpreisträger Joseph E. Stiglitz im Jahr 2001 die Maßnahmen des IWF in vielen Entwicklungsländern als „sozial verheerende Umstrukturierungskonzepte". Auch der IWF geht mittlerweile hart mit sich selbst ins Gericht. So habe das Streben nach einer möglichst weit gehenden Liberalisierung der Finanzmärkte nicht zu dem erwarteten Ergebnis geführt: Für viele Entwicklungsländer gebe es keinen empirischen Beleg, dass offene Finanzmärkte (im Gegensatz zum freien Güterhandel) das Wirtschaftswachstum begünstigten. Allerdings – so der Einwand, der das Tor für zukünftige Liberalisierungsbestrebungen offen lässt – gelte auch nicht der Umkehrschluss, dass die Fortschritte vieler Länder ohne Liberalisierung größer gewesen wären, weil man einfach nicht wüsste, ob eine andere Politik zu einem anderen Ergebnis geführt hätte.

Diskussionen um eine Reform des IWF laufen; allerdings steht noch aus, ob der IWF auf einige wenige Kernkompetenzen zurückgestutzt oder ob er zu einer globalen Finanzbehörde ausgebaut werden soll, der sich die Nationalstaaten ähnlich wie der Welthandelsorganisation zu unterwerfen haben.

Welche Aufgaben hat die Organisation für wirtschaftliche Zusammenarbeit und Entwicklung (OECD)?

Die Organisation für wirtschaftliche Zusammenarbeit und Entwicklung wurde 1961 gegründet und umfasst 30 Industrieländer, darunter Österreich, mit marktwirtschaftlicher Orientierung und demokratischer Staatsform. Die OECD ging 1961 aus der Organisation für europäische wirtschaftliche Zusammenarbeit (OEEC) hervor, die die Hilfe des Marshall-Plans (mehr dazu auf Seite 31) abwickelte.

Die Mitgliedschaft bei der OECD erfolgt nach Einladung und gilt allgemein als Anerkennung der Tatsache, dass ein Land den Status eines Industrielandes erreicht hat. Neben den EU- und EFTA-Ländern, den USA und Japan zählen auch Australien, Neuseeland, Korea, Mexiko, die Türkei, Tschechien (seit 1995), Polen und Ungarn (seit 1996) und seit 2000 die Slowakei zur OECD.

Als Ziele der OECD gelten der Wirtschaftsausbau der Mitgliedstaaten bei Vollbeschäftigung und Währungsstabilität, Liberalisierung und Ausweitung des Welthandels und die Organisation der Entwicklungshilfe durch die Industriestaaten an die Entwicklungsländer. Die OECD erstellt jährlich einen Bericht über die wirtschaftliche Lage der Mitgliedstaaten und nimmt Bewertungen vor, die bei der internationalen Kreditvergabe eine wichtige Rolle spielen. Die renommierten Länder- und Sektorenanalysen der in Paris ansässigen Organisation stellen die Grundlage der Politikberatung durch die OECD dar.

Wer gehört zur Organisation Erdöl exportierender Länder (OPEC)?

Die Organisation Erdöl exportierender Länder (Organization of Petroleum Exporting Countries) wurde 1960 gegründet und zählt elf Mitgliedstaaten: Algerien, Indonesien, Irak, Iran, Katar, Kuwait, Libyen, Nigeria, Saudi-Arabien, Venezuela und die Vereinigten Arabischen Emirate.

Ziel der OPEC-Länder ist es, die Erdölpolitik der Förderländer zu koordinieren und durch Anhebung oder Senkung der Förderquote den Ölpreis auf dem Weltmarkt zu bestimmen. Die OPEC hatte ihren Sitz zunächst in Genf, seit 1965 treffen sich die Vertreter der OPEC-Länder alle drei Monate in ihrer Zentrale in Wien. (Siehe auch Stichwort Ölpreis.)

Was macht die Weltbank?

Die Weltbank wurde 1944 gemeinsam mit dem Internationalen Währungsfonds (IWF) gegründet. Nach der Förderung des Wiederaufbaus im Nachkriegseuropa ist die Weltbank zunehmend eine Einrichtung multinationaler Entwicklungshilfe geworden, mit den Zielen, durch wirtschaftliche Unterstützung die Armut zu reduzieren und den Lebensstandard zu verbessern. Die Förderung besteht in technischer und finanzieller Hilfe, vor allem in der Vergabe von langfristigen Darlehen für durchführbare Projekte in rückzahlungsfähigen Entwicklungsländern; weiters in deren finanzieller und organisatorischer Beratung und zunehmend auch in Umweltfragen.

So wie der IWF war auch die Weltbank immer wieder heftiger Kritik ausgesetzt, vor allem was die sozialen und ökologischen Folgen der von ihr finanzierten Projekte betraf. Im Jahr 1996 sorgte der Präsident der Weltbank, James Wolfensohn, selbst für Aufsehen, als er seinen hochrangigen Mitarbeitern Zynismus und Desinteresse gegenüber den eigentlichen Problemen der 4,5 Mrd. Menschen, denen die Bank eigentlich helfen sollte, vorwarf. In der Folge verordnete sich die Weltbank ein umfangreiches Aktions- und Reformprogramm sowie eine offenere Informationspolitik.

Wie der Vertreter der Wirtschaftskammer Österreich in Washington, Franz Roessler, im Frühjahr 2003 berichtete, sind die österreichischen Unternehmen in Weltbank-Projekten stark engagiert. 2002 konnten sie 24 Aufträge mit einem Wert von fast 25 Mio. Euro mit der Weltbank unterzeichnen. Die Rückflüsse aus Weltbank-Aufträgen an österreichische Unternehmen betrugen damit mehr als das Doppelte, als es dem kleinen Kapitalanteil Österreichs von 0,7 Prozent an der Weltbank entspricht.

Zu den größten heimischen Weltbank-Projekten zählt etwa ein Labor der Grazer AVL GmbH zur Messung von Fahrzeuglärm und Abgasen in Sao Paulo in der Höhe von 9,15 Mio. Dollar; temporäre Stahlbrücken zur Überwindung der Krisensituation in Äthiopien von Waagner Biro Brückenbau (2,8 Mio. Dollar) oder Knorr-Bremsen zur Modernisierung der kroatischen Staatsbahnen (2 Mio. Dollar).

Welche Ziele verfolgt die Welthandelsorganisation (WTO)?
Die Welthandelsorganisation wurde 1995 auf Basis des seit 1948 gültigen Zoll- und Handelsabkommens GATT gegründet und stellt die rechtliche und institutionelle Grundlage des internationalen Handelssystems dar. 2003 hatte die WTO 146 Mitglieder. Österreich unterzeichnete 1951 das GATT und wurde dadurch automatisch Mitglied der WTO. Die Welthandelsorganisation bildet die Dachorganisation dreier Grundverträge:
- des Allgemeinen Zoll- und Handelsabkommens GATT (General Agreement on Tariffs and Trade);
- des Allgemeinen Abkommens über den Handel mit Dienstleistungen GATS (General Agreement on Trade in Services);
- des Abkommens zum Schutz geistiger Eigentumsrechte TRIPS (unter anderem für Patente, Handelsmarken usw.).

Eine Reihe von einfachen Grundprinzipien verbinden alle WTO-Vereinbarungen zum multilateralen Handelssystem. Das sind
- die **Meistbegünstigung** = Vergünstigungen, die einem Vertragspartner gewährt werden, müssen auch den anderen eingeräumt werden,
- die **Nichtdiskriminierung** = Gleichbehandlung von Inländern und Ausländern,
- **freier Handel,**
- **berechenbare Politik,**
- mehr **Wettbewerb** und
- die **Begünstigung von wirtschaftlich schwachen Ländern.**

Aufgabe der WTO ist es, völkerrechtlich verbindliche Regeln für den internationalen Handelsverkehr mit Gütern und Dienstleistungen durchzusetzen. Zu diesem Zweck überwacht sie die Handelspolitik der Mitgliedsländer, sorgt für die weitere Liberalisierung des Welthandels und schafft einheitliche Verfahren zur Regelung von Handelskonflikten.
Vor allem bei Handelsauseinandersetzungen zwischen den beiden Blöcken USA und EU muss die WTO regelmäßig als Streitschlichter eingreifen. Beispiele aus der jüngsten Vergangenheit:
- das Importverbot der EU für gentechnisch veränderte Organismen (GMO), das nach Ansicht der USA auf unbegründeten, unwissenschaftlichen Ängsten beruht und von der WTO geregelt werden soll;
- weiters eine Verurteilung der USA wegen illegaler Steuerbegünstigungen und ein Streit um US-Strafzölle auf Stahlimporte;

■ und als Langzeit-Konfliktpunkt die von den Amerikanern heftig attackierten EU-Agrarsubventionen.

2002 waren rund 200 Streitfälle zur Schlichtung eingereicht. Kommt die WTO zu der Entscheidung, dass ein Land den weltweiten Handel behindert, kann es zu Ausgleichszahlungen verurteilt werden.

Bislang haben sich die USA, die die Beschlüsse internationaler Organisationen oftmals ignorieren, zum Erstaunen vieler Fachleute an die Entscheidungen der WTO gehalten, obwohl die Welthandelsorganisation die amerikanischen Interessen ebenso wie die der EU oder einzelner Staaten kompromisslos unterbindet oder einschränkt, wenn sie gegen die allgemein verbindlichen Regeln verstoßen. Aus diesem Grund stehen die USA der WTO skeptisch gegenüber. Damit treffen sie sich mit Kritikern der zunehmenden Globalisierung – wenn auch aus anderen Gründen: Letztere sehen in den Aktivitäten der WTO vor allem die Interessenpolitik reicher Staaten und multinationaler Konzerne.

Info-Tipp: Wenn Sie sich direkt bei den jeweiligen Organisationen weiterinformieren wollen, können Sie das unter folgenden Internet-Adressen:
■ IWF: www.imf.org/
■ OECD: www.oecd.org/
■ Weltbank: www.worldbank.org/
■ WTO: www.wto.org

Konjunktur

• Was versteht man unter Konjunktur?
• Was passiert während der einzelnen Konjunkturphasen?
• Wann wird von einer Rezession gesprochen?
• Wie soll die Konjunktur belebt werden?

Was versteht man unter Konjunktur?

Unter dem Begriff Konjunktur wird die wirtschaftliche Lage und ihre Entwicklungstendenz zusammengefasst. Die Konjunktur unterliegt Schwankungen – einmal bewegen sich die volkswirtschaftlichen Daten, meist gemessen am Bruttoinlandsprodukt, nach oben, und dann führt der Weg wieder nach unten. Diesen Verlauf vom Auf über das Ab bis hin zum neuerlichen Auf nennt man Konjunkturzyklus.

Mit Hilfe von Konjunkturprognosen wird versucht, zukünftige Entwicklungen rechtzeitig zu erkennen. Damit soll den Verantwortlichen in Politik und Wirtschaft die Möglichkeit verschafft werden, gegenzusteuern. Der Staat kann zum Beispiel antizyklische Konjunkturpolitik betreiben,

- indem er in einer **Abschwungphase** trotz geringerer Steuereinnahmen Mehrausgaben tätigt und so die Konjunktur wieder ankurbelt. Zum Beispiel durch umfangreiche Bauprojekte, durch Arbeitsplatzbeschaffungsmaßnahmen usw. Damit verbunden ist allerdings, dass das Budget in der Folge ein mehr oder weniger großes Defizit aufweist („Deficit-spending");

- in einer **Wachstumsphase** kann der Staat trotz höherer Steuereinnahmen seine Ausgaben und Investitionen zurückschrauben, was dämpfend auf eine überhitzte Konjunktur wirken soll.

Das im Oktober 2003 entwickelte Konjunkturbelebungspaket III ist ein Beispiel für antizyklische Wirtschaftspolitik: Durch Investitionen in Forschung und Entwicklung, durch Sonderförderungen für Klein- und Mittelbetriebe in Grenzregionen, durch Infrastrukturinvestitionen in Höhe von knapp 20 Mrd. Euro und durch die Verlängerung der Investitionszuwachsprämie soll die Wirtschaft im Jahr 2004 auf Trab gebracht werden. Durch eine Senkung der Körperschaftsteuer ab 2005 sollen außerdem die Unternehmen zu mehr Investitionsbereitschaft angeregt werden.

Wie immer bei derartigen konjunkturpolitischen Schritten gab es auch bei der Präsentation des aktuellen Konjunkturpakets heftige Kritik von den Oppositionsparteien sowie den ihnen nahe stehenden Verbänden und Organisationen und andererseits Beifall aus den eigenen Reihen.

Was passiert während der einzelnen Konjunkturphasen?

Ein Konjunkturzyklus besteht aus vier möglichen Phasen: Aufschwung, Hochkonjunktur, Abschwung und Depression (siehe Grafik auf der nächsten Seite). Im Laufe des vergangenen Jahrhunderts haben sich viele Theorien und Erklärungsversuche herausgebildet, warum und in welchen Abständen Konjunkturzyklen entstehen und ablaufen. Fix ist trotz allem nur, dass Konjunkturschwankungen je nach der historischen Situation und den Begleitumständen auf die verschiedensten Arten und in ganz unterschiedlichen Formen auftreten können. Eine immer wichtigere Rolle spielte im vergangenen Jahrhundert auch die zunehmende weltweite wirtschaftliche Verflechtung. Der Außenhandel der Industrieländer miteinander und die wachsende Zahl an Multis mit Tochtergesellschaften in aller Welt tragen konjunkturelle Schwankungen über die Grenzen ihres Herkunftslandes hinaus.

Merkmale der einzelnen Konjunkturphasen

	Aufschwung (Erholung, Boom)	Hochkonjunktur	Abschwung (Stagnation, Rezession)	Depression
Investitionen	Investitionen nehmen aufgrund optimistischer Beurteilung der Zukunft zu	Investitionsmöglichkeiten schwinden aufgrund von Überproduktion und Kapitalknappheit	Produktion sinkt wegen eingeschränkter Nachfrage	Produktionsanlagen liegen brach
Lagerhaltung	Lager werden zuerst aufgefüllt, dann wegen Güterknappheit abgebaut	Wachsende, unerwünschte Lager	Lager werden infolge von Produktionseinschränkungen verkleinert	Lager sind leer
Arbeitsmarkt	Die Nachfrage nach Arbeitskräften steigt	Hohes Beschäftigungsniveau, anhaltende Nachfrage	Arbeitskräfte werden abgebaut	Massenarbeitslosigkeit
Einkommen	Löhne steigen im Ausmaß der Mehrbeschäftigung	Einkommen steigen noch leicht	Einkommen gehen zurück	Einkommen sind aufgrund hoher Arbeitslosigkeit niedrig
Konsum und Verbraucherpreise	Konsum nimmt zu, Preise steigen	Preisanstieg kommt infolge von Überproduktion zum Stillstand	Preise sinken wegen Überangebot, Produktion geht zurück	Wegen fehlender Einkommen keine Nachfrage
Sparen	Sparneigung nimmt ab, weil ein Nachholbedarf an Konsumgütern besteht	Sparer flüchten zunehmend in Sachwerte wie Immobilien, Gold und Schmuck	Wegen der unsicheren Zukunftserwartung wird wieder mehr gespart	Hohe Sparneigung aus Furcht vor Verlust des Arbeitsplatzes („Notgroschen")
Kapitalmarkt und Zinsen	Zinsen steigen	Illiquidität der Unternehmen führt zu Kreditanspannungen, der Zinssatz steigt	Zunehmende Liquidität des Kapitalmarkts, die Zinsen werden gesenkt	Kein großes Angebot und keine Nachfrage nach Kapital, die Zinsen sind niedrig
Börse	Nachfrage nach guten Papieren steigt, die Kurse sind hoch	Erste pessimistische Spekulationen	Großes Angebot an Papieren, die Kurse sinken	Tiefstand, kleinste Umsätze
Allgemeine Stimmung	Optimismus, Kauf- und Investitionsfreude	Beginnender Pessimismus	Mutlosigkeit, keine Initiativen der Unternehmer	Gedrückt

Quelle: Nach Rolf Dubs, Volkswirtschaftslehre, Verlag Haupt, Bern 1998

Wann wird von einer Rezession gesprochen?
Im Jahr 2001 erlebte die boomende Wirtschaft in Europa und den USA mit dem Platzen der Spekulationsblase an den Börsen und dem Terroranschlag in den USA einen jähen Rückschlag. Mit dem nachfolgenden Irak-Krieg ging das Wirtschaftswachstum in vielen westlichen Industrieländern kontinuierlich zurück. Die Konjunktur wollte auch 2003 nicht mehr richtig anspringen – und plötzlich hielt ein seit langem nicht mehr gehörtes Wort Einzug in die Analysen der Wirtschaftsforscher: die Rezession.

Als Rezession wird im Sprachgebrauch ein Rückgang der realen Wirtschaftsleistung („negatives Wirtschaftswachstum"), mitunter auch eine merkliche Abschwächung der Wachstumsdynamik verstanden. Eine allgemein anerkannte Definition dieses Begriffes gibt es nicht. In der Wirtschaftsforschung hat sich weit gehend die in den USA verwendete Interpretation durchgesetzt, wonach die Rezession dann eintritt, wenn das reale Bruttoinlandsprodukt in zwei aufeinander folgenden Quartalen niedriger ist als im Quartal davor. Nach dieser Definition gab es bisher in Österreich 1974/75, 1980/81, 1992/93 und 2001/02 eine Rezession mit einem Wachstumsrückgang in jeweils zwei bis vier Quartalen. Anhand der Zahlen aus 2001 sieht das dann beispielsweise so aus:
Wachstum im I. Quartal: 2,7 Prozent
Wachstum im II. Quartal: 1,0 Prozent
Wachstum im III. Quartal: 0,7 Prozent
Wachstum im IV. Quartal: 0,7 Prozent

In der europäischen Wirtschaftspolitik wird häufig als Rezession der Rückgang des realen Bruttoinlandsprodukts im Jahresdurchschnitt gegenüber dem Vorjahr verstanden. Nach dieser Definition gab es in Österreich 1975 (erster Ölpreisschock), 1978 (Leistungsbilanzkrise) und 1981 (zweiter Ölpreisschock) eine Rezession. Laut dieser Deutung ist der aktuelle Konjunktureinbruch in Österreich nicht mit einer Rezession gleichzusetzen.

Wie soll die Konjunktur belebt werden?
Es gibt Wirtschaftstheoretiker, wie etwa den Österreicher Josef Schumpeter (1883–1950), die sich dafür aussprechen, eine Rezession zähneknirschend hinzunehmen und bis zum bitteren Ende durchzustehen. Die Wirtschaft wäre dann um alle aufgeblähten, überflüssigen Bereiche bereinigt und könne – so wie eine zurückgestutzte Pflanze – umso kräftigere, gesunde neue Triebe bilden. Durch die Erfahrungen aus der Nachkriegszeit geht man heute aber eher davon aus, dass die Wirtschaft rascher wieder vorankommt, wenn nicht wieder ganz von unten begonnen werden muss. Daher wird meist versucht, schon vor einer drohenden Rezessions-

phase rechtzeitig mit konjunkturpolitischen Maßnahmen gegenzusteuern.

Den EU-Mitgliedern sind allerdings durch den Wachstums- und Stabilitätspakt (siehe Seite 151) viel stärker die Hände gebunden als beispielsweise den USA, wenn es darum geht, auf Konjunkturphasen zu reagieren. Sie müssen ihre Budgets einhalten, zu hohe Neuverschuldungen ziehen Strafzahlungen nach sich.

In der EU-Kommission wird daher auch schon über eine Reform des Stabilitätspakts nachgedacht, um so den konjunkturpolitschen Spielraum zu erweitern, ohne die Budgetdisziplin fallen zu lassen. Laut WIFO-Chef Helmut Kramer wird der Stabilitätspakt heute von Wirtschaftsexperten heftig kritisiert, weil er in seiner Grundkonzeption von konjunkturpolitischen Illusionen ausging, nämlich davon, dass man die Konjunkturzyklen überwunden habe. Das habe man bereits einmal gedacht – Ende der 60er-Jahre, als die Wirtschaft boomte und boomte, bis die erste Ölkrise kam. Und in den 90ern glaubte man erneut, dass das konjunkturelle Auf und Ab der Wirtschaftsentwicklung durch eine Kombination aus Marktliberalisierung (nach dem Motto „Der Markt wird's schon richten"), neuer Technologie und einer stabilen, unbeirrbar verfolgten Geld- und Fiskalpolitik überwunden sei. Wie der seit 2001 andauernde Konjunkturrückgang zeigt, war das ein Irrtum.

Da Österreich und nahezu alle anderen EU-Länder nicht sehr viel Spielraum haben, richten sich die Hoffnungen auf die Konjunkturlokomotive USA sowie auf andere Weltregionen, die ein anhaltendes Wirtschaftswachstum aufweisen, darunter vor allem China. Auch von den künftigen EU-Partnern aus Mittel- und Osteuropa werden wichtige Wachstumsimpulse (insbesondere für die heimische Wirtschaft) erwartet. Die MOEL erreichen bereits jetzt Wachstumsraten, die zwei- bis dreimal über dem Wachstum von Österreich und der EU-Länder liegen.

Liberalisierung

- Was ist damit genau gemeint?
- Wie kann eine erfolgreiche Liberalisierung in der Praxis aussehen?
- Wie lief die Liberalisierung des Finanzsektors konkret ab?
- Was hat sie gebracht?
- Wie lauten die Kritikpunkte am Liberalisierungskurs?

Was ist damit genau gemeint?

„Liberalisieren" kommt aus dem Lateinischen und bedeutet so viel wie „von Einschränkungen befreien". Auf die Wirtschaft gemünzt, meint man damit den Abbau von staatlichen Eingriffen und Beschränkungen auf den Märkten in Form von Vorschriften und Marktzutrittsschranken. International ist damit vor allem die Beseitigung von Kontingenten und Zöllen im Außenhandel gemeint. Auf nationaler Ebene versteht man darunter alle Maßnahmen zur Beseitigung von Marktzugangsbeschränkungen, die sich auf einzelne Bereiche oder Branchen beziehen. Staatliche Monopole sollen damit abgebaut und private Mitbewerber zugelassen werden. Die nationale Liberalisierung wird auch als Deregulierung bezeichnet.

Der Abbau von Regulierungsvorschriften soll dem wirtschaftlichen Wettbewerb mehr Spielraum verschaffen und damit zu mehr Wirtschaftswachstum beitragen.

Liberalisierung und Privatisierung werden heute oft in einem Atemzug genannt. Sie gehen aber nicht zwangsläufig Hand in Hand. So kann eine Branche liberalisiert werden und trotzdem noch Betriebe in (teilweise) staatlichem Besitz aufweisen. Diese Betriebe sind allerdings so wie alle anderen dem Wettbewerb ausgesetzt und dürfen nicht durch Subventionen oder andere Begünstigungen bevorzugt werden. Beispiele: Telekommunikationsbranche, wo sich neben dem ehemaligen und mittlerweile teilprivatisierten Monopolbetrieb Telekom, der im Jahr 2003 zur vollständigen Privatisierung anstand, eine ganze Reihe von privaten Telefonanbietern etablierten, oder auch der Fernseh- und Rundfunkmarkt, in dem der ORF weiterhin als öffentlich-rechtlicher Sender neben immer mehr privaten Radio- und Fernsehanbietern sendet.

Umgekehrt kann ein staatlicher Betrieb oder Aufgabenbereich an Private verkauft bzw. übertragen werden und die jeweilige Branche trotzdem (noch) bestimmten staatlichen oder kommunalen Regelungsvorschriften unterliegen. Beispiel: Abfallsammlung, die in Österreich Aufgabe der Kommunen ist, aber in der Praxis von privaten Unternehmen ausgeführt wird.

Wie kann eine erfolgreiche Liberalisierung in der Praxis aussehen?

Ein gutes Beispiel für die Liberalisierung einer ganzen Branche ist der Banken- und Kreditbereich.

Der österreichische Finanzsektor galt bis weit in die 70er-Jahre hinein als einer der am stärksten regulierten in Europa. Der Staat griff stark in das Marktgeschehen ein und gab strenge Regeln und Beschränkungen vor. Im Fall der Banken waren das etwa Zugangsschranken, Kredit- und Zinskontrollen usw. Konkret handelte es sich um folgende Beschränkungen:

- Die Eröffnung neuer Zweigstellen musste von der Regierung bewilligt werden.
- Sparkassen und Genossenschaften unterlagen regionalen Beschränkungen.
- Sparkassen durften bestimmte Geschäfte nicht durchführen.
- Die Regierung gab Mindestzinsen vor; ein Bankenkartell legte die Soll- und Habenzinsen im Detail fest.
- Internationale Kapitalströme mussten von der Oesterreichischen Nationalbank genehmigt werden.
- Konsumentenkredite durften nicht beworben werden.
- Und schließlich war ein großer Teil des Bankensektors im öffentlichen Eigentum. Letzteres wurde vor allem deshalb zunehmend als Problem gesehen, weil nicht nur ausländische Krisen – wie etwa in Asien – darauf hindeuteten, dass politischer Einfluss im Bankensektor gefährlich werden könnte. Österreich hatte auch selbst schon seine Erfahrungen auf diesem Gebiet: So waren etwa die Manager verstaatlichter Banken politischem Druck ausgesetzt, als die verstaatlichte Industrie immer höhere Verluste schrieb. Die Betriebe konnten nur durch immer weitere Kredite gestützt werden – „faule" Kredite, wie es im Fachjargon heißt, denn zurückgezahlt wurden sie nicht. Mitte der 80er-Jahre musste die Regierung daher den riesigen Schuldenhaufen der insolventen verstaatlichten Industrie übernehmen, um eine ernste Bankenkrise zu verhindern.

Wie lief die Liberalisierung des Finanzsektors konkret ab?

Tatsächlich stand die Privatisierung der Staatsbanken aber erst am Ende des Liberalisierungsprozesses.

- Der erste Schritt im Jahr 1977 war die Aufhebung der Zweigstellenbeschränkung.
- Erst drei Jahre später konnten die Zinssätze frei festgelegt werden (in Wirklichkeit sollte es aber noch deutlich länger dauern, bis sich der so genannte „Lombard-Club", in dem die führenden Bankmanager des Landes die jeweilige Höhe der Zinssätze absprachen, auflöste – ein Ver-

gehen, das die verantwortlichen Manager Jahre später sogar vor Gericht brachte).

- Kreditkontrollen wurden abgeschafft.
- Zu Beginn der 90er-Jahre wurde in Hinblick auf den EU-Beitritt der Kapitalverkehr liberalisiert.
- Ab 1992 wurden auch die beiden großen Aktienbanken Länderbank und Creditanstalt-Bankverein – beide mehrheitlich im Besitz des Staates – privatisiert (nunmehr in der BA-CA aufgegangen). Die Länder reduzierten ihre Anteile an den Landes-Hypothekenbanken und die Postsparkasse – bis dahin zu 100 Prozent in staatlichem Besitz – wurde in eine Aktiengesellschaft umgewandelt und im Jahr 2000 von der BAWAG übernommen.

Die Reformen wurden Schritt für Schritt gesetzt – insgesamt über mehr als 20 Jahre. Damit wurde nicht gerade ein Temporekord aufgestellt, denn im Schnitt brauchen langsame Reformer zehn bis 15 Jahre, schnelle Reformer, wie etwa lateinamerikanische oder skandinavische Länder, zogen vergleichbare Reformen innerhalb von drei bis zehn Jahren durch. Für das gemächliche österreichische Tempo spricht aber, dass der Reformprozess ohne gröbere Krisen ablief.

Was hat sie gebracht?
Die Liberalisierung des österreichischen Finanzmarkts wird heute überwiegend als Erfolg gesehen. Das ist alles andere als selbstverständlich, wie es in einer Analyse der Oesterreichischen Nationalbank zur Finanzmarktliberalisierung heißt. Von 40 Ländern, die ihren Kreditsektor liberalisierten, kam es in rund drei Viertel zu ernsthaften Finanzkrisen, beispielsweise in Spanien, wo Banken mit 20 Prozent aller Einlagen aufgefangen werden mussten, oder in Neuseeland, wo Ende der 80er-Jahre ein Viertel aller Einlagen gefährdet war. In Chile und Argentinien verursachten Bankenkrisen in Folge der Liberalisierung sogar Kosten in Höhe von über einem Drittel des Bruttoinlandsprodukts.

Das restliche Viertel der Länder unternahm geringe Reformschritte, entweder weil es bereits weit gehend liberale Märkte hatte oder weil es bestehende Kontrollen aufrechterhielt. Österreich entspricht demnach dem seltenen Fall eines Landes mit durchgreifenden Finanzreformen, aber keiner Finanzkrise.

Stellt sich die Frage, ob die Liberalisierung des Finanzmarkts auch dem Verbraucher etwas gebracht hat. Das Wichtigste vorweg: Die Guthaben der Sparer und Kontobesitzer waren und sind nach wie vor sicher. Daneben hat der freie Wettbewerb nun auch mehr Auswahlmöglichkeit und eine größere Vielfalt in den Serviceleistungen gebracht. Zudem sind sowohl bei Kredit- als auch bei Sparzinsen die früher üblichen Absprachen verboten, Vergleichen kann sich nun also lohnen.

Ob die steigenden Gebühren und Spesen für Bankdienstleistungen eine Folge der Liberalisierung sind, muss offen bleiben, da ja die gegenteilige Situation nicht zum Vergleich verfügbar ist. Es ist aber wahrscheinlich, dass sie auch unter anderen Umständen nicht sehr viel geringer ausgefallen wären.

Info-Tipp: Eine informative Darstellung zu den Liberalisierungsschritten des österreichischen Finanzsektors und den dahinter liegenden Gründen finden Sie im Finanzmarktstabilitätsbericht 4/2002 der Oesterreichischen Nationalbank, zu bestellen unter Tel.: 01/404 20-2345 oder zum Downloaden im Internet unter www.oenb.at.

Wie lauten die Kritikpunkte am Liberalisierungskurs?

Die Deregulierung des Finanzsektors lief für alle Beteiligten relativ schmerzfrei ab. Auch die Zahl der Beschäftigten wurde bislang eher durch natürliche Abgänge (Pension oder Jobwechsel) reduziert und lag nach zehn Jahren nur um 1,8 Prozent oder 1.350 Mitarbeiter unter dem Höchststand von 1992.

Doch so läuft es nicht immer. Oft muss in einer Branche oder in Unternehmen, die allmählich oder plötzlich einem stärkeren Wettbewerb ausgesetzt sind, umfassend „rationalisiert" werden. Das heißt, der Sparstift wird angesetzt und Arbeitskräfte werden in größerem Stil abgebaut. Vor allem in der Telekommunikationsbranche war das der Fall. Nach einer Untersuchung der SP-nahen Österreichischen Gesellschaft für Politikberatung und Politikentwicklung (ÖGPP) lag der Beschäftigungsverlust im Festnetzbereich allein zwischen 1998 und 2002 bei 4.500 Jobs, dem nur 2.500 neue Arbeitsplätze im Mobilfunk- und Internetbereich gegenüberstehen. Auch die Kostenersparnis der Verbraucher relativiert sich, denn offensichtlich sind die Österreicher angesichts der steigenden Mobilfunkdichte voll und ganz der Telefonitis erlegen: Nach Angaben des Verbands Alternativer Telekom-Netzbetreiber wurde Telefonieren seit 1995 um 25 Prozent billiger. Gleichzeitig stiegen die Aufwendungen der österreichischen Haushalte für Kommunikation seit 1993 um 53 Prozent.

Auch den Postbediensteten weht seit einigen Jahren ein scharfer Wind entgegen. Aufgrund des steigenden Marktdrucks durch private Paketdienste und im Hinblick auf die Liberalisierung des europäischen Briefmarktes ab 2007 wurden bereits mehrere tausend Mitarbeiter abgebaut.

Vor allem die Liberalisierung öffentlicher Dienstleistungen, wie etwa die Briefzustellung, der öffentliche Nahverkehr, von Bildung, Wohnen und öffentlicher Sicherheit, verursacht bei Kritikern des österreichischen und EU-weiten Liberalisierungskurses Skepsis. Zahlreiche Beispiele aus anderen EU-Ländern zeigen, dass Liberalisierungen nicht immer Preisvorteile für die Kunden nach sich ziehen, dafür mitunter aber erhebliche Nachteile. Gern zitiertes Beispiel: der liberalisierte und privatisierte Eisenbahnsektor in Großbritannien, wo die privaten Zugbetreiber die Instandhaltung und Sicherheit so vernachlässigten, dass die Unfallzahlen beträchtlich stiegen. Weniger bekannt das Beispiel Schweden, wo die private IKEA-Bahn nur Linien bediene, die sich rechneten, und die Urlaubs-, Krankheits- und Pensionskosten der Eisenbahner weiterhin von der Staatsbahn zahlen lasse, wie die Generalsekretärin der Europäischen Transportgewerkschaft, Doro Zinke, meint. Ähnlich zum Strommarkt würde die Liberalisierung im Verkehrsbereich nur der produzierenden Industrie und privaten Transportkonzernen dienen. Für die Fahrgäste gebe es keinen Nutzen.

Dennoch ist es so, dass die Liberalisierungsmaßnahmen in nächster Zukunft mit ziemlicher Sicherheit noch verstärkt werden. Zu den Bestrebungen der EU, auch bei öffentlichen Dienstleistungen den Wettbewerb zu fördern, kommt das von der Welthandelsorganisation forcierte Abkommen über den Handel mit Dienstleistungen, GATS. Die Verhandlungen dazu laufen, bis Ende 2004 soll eine entsprechende Vereinbarung unter Dach und Fach sein.

Info-Tipp: Die Studie „Privatisierung und Liberalisierung öffentlicher Dienstleistungen in der EU", in der auch jeweils auf die entsprechenden Liberalisierungsmaßnahmen in Österreich eingegangen wird, ist unter Tel.: 0664/142 77 27 zu erhalten oder im Internet unter www.politikberatung.or.at zum Download verfügbar.

Bei allem Für und Wider in Bezug auf Liberalisierungen darf nie vergessen werden: Letztlich werden die Liberalisierungsanstrengungen für die Konsumenten unternommen. Sie sollen in Form von niedrigeren Preisen und mehr Auswahl davon profitieren, dass Gebietsbeschränkungen aufgehoben werden und Platzhirsche mehr Konkurrenz bekommen, dass überholte Regeln und Vorschriften abgeschafft werden und junge Unternehmen eine Chance erhalten, mit ganz neuen Ideen auf den Markt zu kommen. Beispiel Luftfahrt, wo die Billigflieger den Markt völlig neu aufgemischt und den Kunden echte Schnäppchenpreise beschert haben. Oder ein Beispiel, das zeigt, wie sehr die Vorteile der Liberalisierung bereits selbstverständlicher Teil unseres Alltags geworden sind: die Fernsehbranche. Vor wenigen Jahren sendeten quer durch Europa fast ausschließlich die Staatssender, heute steht eine breite Palette an Programmen zur Verfügung, die von Sport über Spielfilme bis hin zu Hochkultur für jeden Geschmack etwas bietet.

Multis

- Was sind Multis und wie viele gibt es?
- Warum produzieren Multis nicht alles an einem Standort?
- Was spricht für, was gegen Multis?
- Verdrängen Großkonzerne die regionalen
  Klein- und Mittelbetriebe (KMUs)?

Was sind Multis und wie viele gibt es?
Multi bedeutet „viel, vielfältig", und national heißt „einem Staat zugehörig" – multinational steht daher für „vielstaatlich". Multinationale Unternehmen haben Tochtergesellschaften und Produktionsstätten in verschiedenen Ländern. Ab welchem Grad der Internationalisierung oder des Geschäftsvolumens ein Unternehmen als Multi gilt, ist nicht wirklich festgelegt. Entscheidend ist die grenzüberschreitende Tätigkeit in Form von Betriebsstätten, die im Ausland angesiedelt sind.

Von transnationalen Unternehmen spricht man bei international agierenden Großkonzernen, die ihren Sitz nicht mehr in ihrem Stammland haben, sondern gleichberechtigte Firmensitze in mehreren Ländern. Beispiele: der Ölkonzern Shell und der Nahrungs- und Waschmittelkonzern Unilever mit Sitz in Großbritannien und den Niederlanden oder der Autokonzern DaimlerChrysler mit Sitz in Deutschland und den USA.

Nach Schätzungen der UNCTAD (United Nations Conference on Trade and Development), die die Entwicklung von multinationalen Unternehmen verfolgt, gibt es heute etwa 65.000 Multis mit rund 850.000 Tochtergesellschaften in aller Welt. Die meisten dieser Global Player, wie die weltweit tätigen Akteure auch genannt werden, stammen aus den USA, aus Europa und Japan. Auf sie entfallen zwei Drittel des Welthandels, weshalb sie auch als wesentliche Träger der Globalisierung gelten. An der Spitze der weltweiten Riesenkonzerne steht das von Bill Gates mitgegründete Softwareunternehmen Microsoft mit rund 55.000 Mitarbeitern und einem Umsatz von rund 32 Mrd. Dollar im Geschäftsjahr 2003.

Die 20 größten Unternehmen weltweit
(gereiht nach Marktkapitalisierung)

Rang	Name	Sitz	Branche
1	Microsoft	USA	Informationstechnologie (IT)
2	General Electric	USA	Mischkonzern
3	Exxon Mobile	USA	Öl und Gas
4	Wal Mart Stores	USA	Einzelhandel
5	Pfizer	USA	Pharma/Biotechnologie
6	Citigroup	USA	Banken
7	Johnson & Johnson	USA	Pharma/Biotechnologie
8	Royal Dutch/Shell PLC/NV	Niederlande/Großbr.	Öl und Gas
9	BP	Großbritannien	Öl und Gas
10	IBM	USA	Informationstechnologie (IT)
11	American International Group	USA	Versicherungen
12	Merck	USA	Pharma/Biotechnologie
13	Vodafone	Großbritannien	Telekommunikation
14	Procter & Gamble	USA	Konsumgüter
15	Intel	USA	Informationstechnologie (IT)
16	GlaxoSmithKline	Großbritannien	Pharma/Biotechnologie
17	Novartis	Schweiz	Pharma/Biotechnologie
18	Bank of America	USA	Banken
19	NTT DoCo Mo	Japan	Telekommunikation
20	Coca Cola	USA	Getränke

Quelle: Financial Times 2003

Warum produzieren Multis nicht alles an einem Standort?

Für eine Ansiedlung im Ausland kann es verschiedene Gründe geben. Meist geben mehrere Motive den Ausschlag für Direktinvestitionen außerhalb der Grenzen des Stammlands.

So sollen durch Produktionsverlagerungen ins Ausland oft Handelshemmnisse, wie Zollgrenzen, Devisenbeschränkungen oder Außenhandelsquoten, umgangen werden. Auch Wechselkursschwankungen können durch eine Tochtergesellschaft im Ausland vermieden werden. Oder es soll durch die Anwesenheit vor Ort ein neuer Absatzmarkt schneller und zielführender erschlossen werden. Weiters können niedrigere Arbeitskosten oder Umweltstandards eine Rolle spielen. Vor allem in Entwicklungsländern kommt als wichtiger Faktor der günstigere Abbau von Rohstoffen dazu. Und nicht zuletzt können auf diese Weise Gewinne leichter in Staaten transferiert werden, wo die Steuerbelastung am geringsten ist.

Durch grenzüberschreitende Zusammenschlüsse von wirtschaftlich nahezu gleich starken Unternehmen wird einerseits ein gewichtiger Konkurrent auf dem Weltmarkt „ausgeschaltet" und andererseits vom gegenseitigen Wissen und technologischen Know-how profitiert. Damit wird die Wettbewerbsfähigkeit gegenüber anderen Mitbewerbern erhöht. Oft lassen sich dadurch auch neue Geschäftsbereiche und Absatzmärkte ausbauen, die im Alleingang nicht zu bewältigen wären.

Was spricht für, was gegen Multis?

Für multinationale Konzerne spricht ganz allgemein, dass sie den wirtschaftlichen und technologischen Fortschritt stark vorantreiben und so wesentlich zum Wohlstand beitragen. Großkonzerne können und müssen weit mehr als kleine oder mittelständische Betriebe in Innovationen sowie in Forschung und Entwicklung (F&E) investieren. Beziehungsweise sind sie häufig die ersten Abnehmer von innovativen kleineren Betrieben, die sonst ihre Ideen gar nicht in die Tat umsetzen könnten, weil es ihnen am nötigen Kapital und an den Produktionsanlagen fehlt.

Gegen Multis spricht ganz allgemein, dass es ihnen – trotz so mancher teuren Imagekampagne – an „Nestwärme" fehlt: Die Arbeitskräfte fühlen sich häufig nur als Schachfiguren in einem Spiel um Renditen und Shareholder Value (also möglichst viel Profit für die Aktionäre des Unternehmens); und den Käufern fehlt oft der direkte Kontakt zum „Chef". Die Unternehmenskolosse, von denen man nicht genau weiß, wem sie eigentlich gehören und von wo aus die Fäden gezogen werden, wirken unpersönlich und willkürlich in ihren Entscheidungen.

Daneben gibt es noch andere, handfeste Gründe, warum Multis bei der Ansiedlung in einem Land von der Öffentlichkeit oft unterschiedlich herzlich willkommen geheißen werden: Die Regierungen begrüßen die Direktinvestitionen des ausländischen Konzerns und freuen sich darüber, dass „ihr" Land als Wirtschaftsstandort punktet. Denn damit werden Arbeitsplätze geschaffen und das Wirtschaftswachstum wird gefördert. Unternehmen, die in verwandten Bereichen tätig sind, fürchten allerdings oft den Wettbewerbsdruck, der von dem neuen großen Konkurrenten ausgehen wird, oder rechnen überhaupt damit, dass sie von ihm vom Markt verdrängt werden könnten. Und in bereits bestehenden Betrieben, die von Multis übernommen werden, gibt es oft (zum Teil berechtigte) Ängste der Belegschaft vor Personalabbau und Kündigungen, bei denen wenig Rücksicht auf soziale oder regionale Besonderheiten genommen wird. Im Folgenden zusammengefasst die mit Multis verbundenen wichtigsten Vor- und Nachteile.

Vorteile und Nachteile durch Multis

Mögliche Vorteile	Mögliche Nachteile
Die Investitionen der Multis steigern die Kapitalkraft des Gastlandes, weil damit Kapital importiert wird. Im Vergleich zu anderen privaten Kapitalströmen – zum Beispiel Beteiligungs- oder Fremdkapital – handelt es sich dabei um eine **stabile Finanzierungsquelle** zur Deckung des heimischen Kapitalbedarfs.	Starke ausländische Unternehmen können lokale Firmen verdrängen oder zumindest zur Fusion mit anderen lokalen Betrieben zwingen. Die dadurch bewirkte Konzentration verleiht den verbleibenden Unternehmen möglicherweise eine **dominierende Marktstellung.**
Die Direktinvestitionen erhöhen das Wirtschaftswachstum und tragen so auch indirekt zu einem vermehrten Wohlstand im Land bei. In die Staatskasse fließen zusätzliche Steuereinnahmen.	Multis können Regierungen leichter unter Druck setzen, indem sie zum Beispiel **Steuererleichterungen und Subventionen** fordern, weil sie sonst einen anderen Standort wählen oder den bisherigen verlegen.
Technologisch besser gerüstete Multis bewirken einen **Technologietransfer ins Gastland:** einerseits durch Mitarbeiter, die ihr neues Know-how dann oft in anderen Betrieben einbringen oder sogar ein eigenes Unternehmen gründen und so die neue Technologie verbreiten; andererseits werden die heimischen Firmen durch den erhöhten Wettbewerb zur rascheren Einführung von Innovationen angeregt.	Die **soziale Verantwortung** ist in der Regel geringer als bei inländischen Unternehmen. Das kann vor allem bei Kollektivvertragsverhandlungen oder auch beim Kündigungs- und Arbeitnehmerschutz negative Auswirkungen haben. Streiks oder die Drohung damit bewirken in diesem Fall wenig, weil das nächste Land bereits mit offenen Armen auf den zahlungskräftigen Investor wartet.
Durch **neue** Betriebsansiedlungen entstehen **Arbeitsplätze.** Sofern es sich nicht um ausschließlich niedrig qualifizierte Tätigkeiten handelt, steigt durch entsprechende Einarbeitung und Ausbildung die Qualifikation der Beschäftigten.	Zusammenschlüsse (Fusionen) führen oft zum **Abbau von Arbeitsplätzen,** weil bestimmte Arbeitsabläufe oder Aufgaben zusammengelegt werden. Ein bekanntes Beispiel für einen großen Zusammenschluss sind die beiden Autohersteller Daimler Benz und Chrysler.
Von den Investitionen der Multis profitieren oft auch **Zulieferbetriebe** und Abnehmer im Gastland.	Durch den Aufkauf heimischer Unternehmen durch Multis können zentrale unternehmerische Funktionen („**Head-quarter-Functions**") ins Ausland verlegt werden.
Aufgrund des Wettbewerbs wird die **Monopolstellung** von Unternehmen im Gastland oder anderer Multis **aufgehoben.**	Konflikte und **Probleme werden** via Multis auch in andere Länder „**exportiert**" (Beispiel: Siemens-Konzern, der wegen der flauen Konjunktur in Deutschland 2003 den Abbau von 30.000 Stellen weltweit bekannt gab).

Verdrängen Großkonzerne die regionalen Klein- und Mittelbetriebe (KMU)?

Nicht zwangsläufig, wenn es auch für kleinere Betriebe am Markt eng geworden ist. Ohne gute Ideen, Kunden- und Serviceorientiertheit und ständiges Dranbleiben an den neuesten Marktentwicklungen und Bedürfnissen der Kunden wird es für kleine und mittelständische Unternehmen immer schwieriger werden, zu überleben.

Die **Vorteile der Multis und Großbetriebe gegenüber KMUs** liegen auf der Hand:

- Sie profitieren stärker von der immer größeren internationalen Arbeitsteilung, das heißt, sie können Vorleistungen auf dem Weltmarkt günstig einkaufen und haben die ganze Welt als Absatzmarkt.
- Sie können sich den besten, günstigsten Standort aussuchen.
- Sie können neue Technologien besser und schneller nutzen.
- Sie haben größere Chancen beim Export.
- Sie sind im direkten Preiskampf den Klein- und Mittelbetrieben überlegen.
- Sie erzielen mit weniger Personal mehr Leistung, weil sie in größeren Mengen produzieren. Nach Angaben der EU-Kommission ist die Wertschöpfung je Beschäftigten – also deren Arbeitsproduktivität – bei den Großbetrieben fast doppelt so hoch wie bei Klein- und Mittelbetrieben.

Die **Vorteile der Klein- und Mittelbetriebe gegenüber Großkonzernen:**

- Sie sind flexibler als Großunternehmen und können sich daher rascher und besser an (regionale) Konsumbedürfnisse anpassen.
- Sie sind „näher am Kunden dran", vor allem auf den Lokal- und Regionalmärkten.
- Sie können besser auf spezifische und individuelle Anliegen eingehen und maßgeschneiderte Lösungen bieten.
- Sie können vor allem durch Service punkten, und da kommt den Klein- und Mittelbetrieben das wachsende Bedürfnis an Dienstleistungen entgegen.

Die Zukunft der Klein- und Mittelbetriebe liegt somit in der Spezialisierung, der Befriedigung individueller Bedürfnisse. Als nicht zielführend wird allgemein erachtet, wenn ein kleiner oder mittelständischer Betrieb versucht, die „Großen" zu kopieren und sich auf einen Preiswettbewerb einzulassen.

Daneben gibt es unter anderem von der Wirtschaftskammer massive Bemühungen, die Exportorientierung der KMUs deutlich zu erhöhen.

Denn der Außenhandel wird zusehends zu einem der wichtigsten Träger der Wirtschaftsentwicklung: Von 1988 bis 2001 ist der Inlandsabsatz jährlich um durchschnittlich 1,8 Prozent gestiegen, der Exportumsatz aber um 6 Prozent pro Jahr. Während der Export bei den heimischen Großunternehmen im Schnitt bei 21 Prozent des Umsatzes liegt und manche Großbetriebe sogar eine Exportquote von über 90 Prozent aufweisen, liegt diese bei den KMU nur bei 13 Prozent. Die Zahl der exportierenden Unternehmen soll daher von rund 5.000 auf 15.000 Unternehmen verdreifacht werden. Neben der Förderung und dem Erhalt der für Österreich so wichtigen KMU (siehe dazu Teil II) liegt dem auch die Überlegung zu Grunde, dass eine Exportsteigerung um 1 Prozent das Bruttoinlandsprodukt um 0,5 Prozent erhöht und die Zahl der Arbeitsplätze um 7.000 steigt.

Oesterreichische Nationalbank (OeNB)

• Welche Aufgaben bleiben der Nationalbank?
• Wer produziert Euro und Cent?
• Wem gehört die Nationalbank?
• Wer hat Zugriff auf die Währungsreserven?

Welche Aufgaben bleiben der Nationalbank?

Bis zum Beginn der Währungsunion am 1. Jänner 1999 war es Aufgabe der Oesterreichischen Nationalbank, durch die Steuerung des Geldumlaufs und der Kreditgewährung an die Wirtschaft für eine stabile Währung zu sorgen. Diese Funktion erfüllt nun die Europäische Zentralbank (EZB) in Frankfurt am Main, und zwar für alle zwölf Euroländer, die der Währungsunion beitraten.

Die nationalen Notenbanken sind dadurch aber keineswegs zu Auslaufmodellen geworden, sondern erfüllen weiterhin eine wichtige Rolle als Entscheidungsträger und Impulsgeber innerhalb des Europäischen Systems der Zentralbanken (ESZB). Die Geldpolitik ist zwar nun zentrale Aufgabe des unabhängigen Europäischen Zentralbankensystems bzw. des Eurosystems. Durch die Teilnahme der jeweiligen Notenbankchefs im EZB-Rat sind die nationalen Zentralbanken aber maßgeblich an den geldpolitischen Entscheidungen des ESZB beteiligt. Die Ziele werden also gemeinschaftlich festgelegt, während die Umsetzung dann jeweils Sache der nationalen Notenbanken ist. Daraus ergeben sich innerhalb der jeweiligen Euroländer vor allem folgende geldpolitische Aufgabenbereiche:

- Die Notenbanken müssen die analytische Basis für währungspolitische Entscheidungen erstellen.
- Sie nehmen am Entscheidungsprozess auf EU-Ebene teil und müssen die jeweiligen Entscheidungen nationaler Ebene in die Tat umsetzen.
- Sie müssen verlässliches statistisches Datenmaterial und aussagekräftige Analysen der Wirtschaft erstellen.
- Sie sind zuständig für die Liquidität auf nationaler Ebene, also für die Bereitstellung von Banknoten und Münzen und das Funktionieren des Zahlungsverkehrs.
- Sie müssen dafür sorgen, dass die auf EU-Ebene festgesetzte Geldpolitik auf dem jeweiligen heimischen Finanzmarkt und von der Bevölkerung verstanden wird; sie sind also auch der „Informationsdienst" des Landes in Sachen Geld und Währung.

Wer produziert Euro und Cent?

Eine der wichtigsten Aufgaben im Zusammenhang mit der nationalen Umsetzung der Geldpolitik ist die Ausgabe der Zahlungsmittel, also der Banknoten und Münzen. Um die hohen Sicherheitsstandards dieser Zahlungsmittel zu gewährleisten, bedient sich die Oesterreichische Nationalbank bei der Zahlungsmittelproduktion und bei der Logistik der Bargeldversorgung spezialisierter Tochtergesellschaften. Die Banknotenproduktion erfolgt durch die Oesterreichische Banknoten- und Sicherheitsdruck GmbH (OeBS), die Münzenproduktion durch die Münze Österreich AG und die Verteilung des Bargeldes sowie die Bargeldbearbeitung durch die Geldservice Austria (GSA), an der auch Geschäftsbanken beteiligt sind.

Bei der Versorgung des Landes mit Euro und Cent hat die OeNB vor allem folgende Pflichten:

- die Ausgabe von Bargeld an Banken sowie auch dessen Rücknahme von den Banken gemäß ihren Erfordernissen,
- die Wahrnehmung des Fälschungsschutzes, um das Vertrauen der österreichischen Bevölkerung in die Zahlungsmittel zu erhalten, sowie
- die Sicherstellung einer ausreichend hohen Qualität der in Österreich in Umlauf befindlichen Zahlungsmittel.

Da es mit Scheinen und Münzen heutzutage bei weitem nicht mehr getan ist und Geld immer häufiger in unbarer Form den Besitzer wechselt, besteht eine weitere Aufgabe der Nationalbank darin, an der Entwicklung neuer, moderner Zahlungsmittel mitzuwirken. Dieser Tätigkeitsbereich wird unter anderem durch die OeNB-Tochtergesellschaft Austria Card GmbH abgedeckt.

Vor allem was die Fälschungssicherheit der Euro-Scheine betrifft, ist die Nationalbank zunehmend gefordert: Die Zahl der in Österreich konfiszierten Euro-Fälschungen steigt kontinuierlich an. Im ersten Halbjahr 2003 wurden 3.272 Euro-Blüten aus dem Verkehr gezogen, während es im zweiten Halbjahr 2002 erst 2.949 waren. Besonders beliebt bei den Fälschern: die 50er-Scheine, weil hier die Aufmerksamkeit geringer ist als bei 100ern, 200ern oder gar 500ern und der Ertrag trotzdem relativ hoch ist. Die Nationalbank rät daher dringend, die Scheine zu prüfen, auch wenn sie von Freunden oder Bekannten kommen. Denn ist man einer Blüte auf den Leim gegangen, erhält man keinen Schadensersatz dafür – das Geld ist weg. Und die Fälscher werden immer professioneller. Da der Euro eine Weltwährung ist, ist auch die Gefahr von Fälschungen höher als bei nationalen Währungen.

Tatsächlich beweisen die Statistiken der OeNB, dass die einzelnen Euro und Cent fleißig quer durch Europa unterwegs sind. So waren im Jänner 2003 bereits 36 Prozent der Euro- und Cent-Münzen und 39 Prozent der Euro-Scheine in den Geldbörsen der Österreicher aus anderen Euroländern, vor allem aus Deutschland und Italien.

Aus welchen Euroländern die ausländischen Euro und Cent in den Geldbörsen der Österreicher kommen

Münzen und Banknoten

Niederlande (3%) Finnland (2%)
Belgien (3%)
Frankreich (3%)
Spanien (3%)
Griechenland (2%)
Italien (19%)
Deutschland (65%)

Quelle: OeNB

Wem gehört die Nationalbank?

Unter Berücksichtigung ihres 1816 gegründeten Vorgängerinstituts gilt die Oesterreichische Nationalbank als älteste Aktiengesellschaft des Landes. Aufgrund ihrer besonderen Stellung als Zentralbank Österreichs ist sie allerdings keine „gewöhnliche" Aktiengesellschaft, sondern unterliegt einer Reihe von Sonderregelungen. Das Grundkapital von 12 Mio. Euro steht zu 50 Prozent im Besitz des Bundes. Die andere Hälfte ist im Eigentum von Arbeitgeber- und Arbeitnehmerinteressenvertretungen sowie von Banken und Versicherungen. Aktionäre können nur österreichische Staatsbürger sowie juristische Personen oder Personengesellschaften des Handelsrechts sein, die ihren Sitz und ihre Hauptverwaltung in Österreich haben und deren Anteile sich nicht mehrheitlich in ausländischer Hand befinden. Ein privater Kleinaktionär kann sich also nicht an der OeNB beteiligen. Aber auch die jetzigen Aktionäre können ihre Anteile an dem altehrwürdigen Institut nicht beliebig herumjonglieren: Eine Übertragung von OeNB-Aktien ist nur mit der ausdrücklichen Zustimmung der Generalversammlung wirksam.

Wer hat Zugriff auf die Währungsreserven?
So wie in der EZB hat auch in der OeNB Unabhängigkeit höchste Priorität. So sind etwa der Gouverneur und sein Stellvertreter während ihrer Funktionsperiode weder an Beschlüsse des Direktoriums gebunden, noch müssen sie sonst irgendjemandes Weisungen befolgen – also auch nicht der Regierung.

Eine Privatisierung der Nationalbank, wie sie bei anderen Unternehmen im (Teil-)Besitz des Staates geplant ist, steht zwar bei der OeNB nicht zur Diskussion. Im Zuge des neuen Regierungsprogramms wurde dem obersten Geldinstitut im Lande allerdings eine Verschlankung nahe gelegt. Das heißt, nichtbetriebsnotwendiges Vermögen – wie beispielsweise die 34-prozentige Beteiligung der OeNB-Tochtergesellschaft Münze Österreich an den Casinos Austria – soll veräußert werden. Zudem hat der Finanzminister begehrliche Blicke auf die Währungsreserven der Nationalbank, also die Gold- und Devisenbestände der österreichischen Volkswirtschaft, geworfen. Die Verwaltung der Währungsreserven ist eine der Kernfunktionen der OeNB. Ein Teil dieser Reserven, die sich Ende 2002 auf insgesamt 14 Mrd. Euro beliefen, wurde im Rahmen des Beitritts zur Währungsunion im Jänner 1999 der Europäischen Zentralbank zur Verfügung gestellt. Konkret belief sich dieser Anteil auf 2,3 Prozent, das entspricht 1,16 Mrd. Euro. Dafür wurde der OeNB im Gegenzug eine entsprechend verzinste Forderung an die EZB gutgeschrieben. Diese Übertragung erfolgte aber gewissermaßen nur auf dem Papier, denn neben den ihr verbliebenen Währungsreserven verwaltet die OeNB weiterhin auch jene Reserven, die sie der EZB übertragen hat.

Die Begehrlichkeiten der Politik hinsichtlich der Notenbankreserven sind nicht neu. Ähnliche Diskussionen gab es beispielsweise vor einigen

Jahren, als die EU-Kommission argumentierte, dass der Euroraum durch die geringere Importabhängigkeit weniger Währungsreserven benötige als die einzelnen Staaten zusammengenommen. Die Diskussionen wurden damals hintangestellt, um die junge Europäische Zentralbank nicht von vornherein mit einem Glaubwürdigkeits- und Imagedefizit zu belasten.

In Österreich war der Ausgang der aktuellen Debatte noch offen. Nationalbank-Gouverneur Klaus Liebscher, der sich in der Vergangenheit stets vehement gegen das Anzapfen der Währungsreserven gewehrt hatte, ließ verlauten, dass zunächst überprüft werden müsse, inwieweit mit den Ansprüchen des Finanzministers die Unabhängigkeit der Nationalbank beeinflusst werde. Außerdem werde die Europäische Zentralbank in dieser Sache konsultiert. Diese hat nämlich bei den Währungsreserven ein Wörtchen mitzureden. Nach den Satzungen des Europäischen Zentralbankensystems bedürfen „alle Geschäfte mit Währungsreserven, die den nationalen Zentralbanken nach der Übertragung der erforderlichen Bestände an die EZB (gegen Forderungen in Euro) verbleiben, sowie von Mitgliedstaaten mit ihren Arbeitsguthaben in Fremdwährung durchgeführte Transaktionen oberhalb eines bestimmten festgesetzten Betrages (Art. 31.3) der Zustimmung der EZB".

Info-Tipp: Wenn Sie mehr zur OeNB wissen möchten, erhalten Sie Auskunft unter Tel.: 01/404 20-6666 oder im Internet unter www.oenb.at.

Ölpreis

• Warum spielt der Ölpreis eine so wichtige Rolle in der Weltwirtschaft?
• Welche Auswirkungen hat ein steigender Ölpreis und gibt es Alternativen?
• Wer gibt im Ölgeschäft den Ton an?

Warum spielt der Ölpreis eine so wichtige Rolle in der Weltwirtschaft?

Haben Sie vielleicht zufällig einen Barren Gold als „eiserne Reserve" zu Hause liegen? Tauschen Sie ihn um auf einige Kanister Öl! Denn auch wenn der Preis von Gold in Krisenzeiten, wie etwa angesichts des Irak-Krieges im Frühjahr 2003, meist mehr oder weniger stark anzieht – im Langzeitvergleich kann das edle Metall bei weitem nicht mit dem Wert des glitzernden Schmierstoffs mithalten. Und das, obwohl seit Jahrzehnten nach Alternativen für die wichtigste aller Kohlenwasserstoff-Verbindungen geforscht wird und obwohl Energie heute auch von unzähligen

Windrädern, Sonnenkollektoren, Wasserkraftwerken und Atomreaktoren kommt.

Ein Grund dafür ist, dass sich der Preis von Erdöl nicht nach Angebot und Nachfrage bestimmt, sondern nach Strategie und Absprache. Vor allem die OPEC-Länder am Persischen Golf (siehe auch weiter unten sowie unter „Internationale Organisationen") haben es besser als andere Länder mit wertvollen Rohstoffen verstanden, Öl zu einer kostbaren Rarität zu machen. Um den Preis in die Höhe zu treiben, wurde in der Vergangenheit mehrmals das Angebot künstlich reduziert – so geschehen beispielsweise in den 70er-Jahren, als die Industrienationen 1973 und 1979 angesichts des verknappten Rohstoffs regelrechte „Ölpreisschocks" erlitten und die Weltwirtschaft einbrach.

Dazu kommt, dass der Rohstoff Öl eine Handelsware an den Börsen ist. Dort bestimmen nicht Fakten den Preis, sondern Erwartungen und Vermutungen. Nach Ansicht der EU-Kommission waren denn auch Spekulanten an den internationalen Rohstoffbörsen und nicht die OPEC-Staaten dafür verantwortlich, dass die Ölpreise im Februar 2003 – kurz vor Ausbruch des Irak-Kriegs – immer weiter nach oben kletterten.

Ein weiterer Grund für die anhaltende Bedeutung von Öl ist die weltweite Zunahme des Energieverbrauchs. Immer mehr Flugreisen, immer mehr Autofahrten, immer mehr Transporte von Gütern quer durch alle Welt und die zunehmende Automatisierung erfordern immer mehr Energie. Unsere Autos sind zwar viel sparsamer und windschlüpfriger geworden. Gleichzeitig wurden sie aber auch schwerer, stärker und schneller, sodass der Verbrauch im Endeffekt noch immer weit über dem vor Jahren schon anvisierten 3-Liter-Auto liegt. Und vor allem werden sie immer mehr: Seit 1970 hat sich allein in Österreich die Zahl der Autos vervierfacht, die Zahl der Lastwagen hat sich in diesem Zeitraum fast verdreifacht, und bis 2010 soll laut einer Studie des Verkehrsclubs Österreich allein der LKW-Verkehr um 40 Prozent anwachsen. Sie alle, aber auch die Schiffe und Flugzeuge, mit denen heute täglich Millionen Menschen und Abertausende Tonnen Güter transportiert werden, verschlingen Öl in rauen Mengen.

Nach Angaben des britischen Ölkonzerns British Petroleum (BP) ist der Ölverbrauch von 1992 bis 2002 um 13 Prozent gestiegen, vor allem in den USA und im asiatisch-pazifischen Raum. Nach den USA ist China mittlerweile zweitgrößter Ölkonsument (2002 entfielen zwei Drittel der weltweiten Bedarfssteigerung auf China), an dritter Stelle folgt Japan. China wird auch in den nächsten Jahren den am stärksten wachsenden Bedarf an Energie für Transportzwecke haben: Bis 2010 soll er sich fast verdoppeln.

Welche Auswirkungen hat ein steigender Ölpreis und gibt es Alternativen?

Viele Industrieländer haben zwar ihre Heizöfen und Kraftwerke vor allem nach den Ölpreisschocks zunehmend auf andere Energieträger wie Gas, Kohle oder Kernspaltung umgestellt. Aber deren Preis, vor allem der von Erdgas, orientiert sich am Ölpreis. Wird Öl teurer, werden auch Gas und Strom langfristig teurer. Wie das Wirtschaftsforschungsinstitut im März 2003 errechnete, würde das österreichische Wirtschaftswachstum um 0,2 Prozentpunkte geringer ausfallen, wenn der Ölpreis um 10 Prozent anstiege.

Wertvolles Öl
Eine Steigerung des Ölpreises um 10 % bewirkt eine Preissteigerung bei

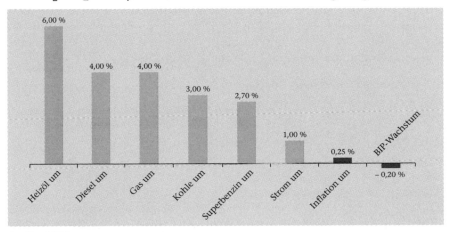

Quelle: WIFO

Die Hoffnung, dass sich die Abhängigkeit vom Rohöl in naher Zukunft durch die Entwicklung alternativer Energien verringern wird, ist gering. Technisch gesehen gibt es zwar Alternativen, etwa Rapsöl, Palm- oder Kokosöl. Ein baldiger Durchbruch ist aber schon allein deshalb unwahrscheinlich, weil dazu erst die gesamte Infrastruktur für die Versorgung aufgebaut werden müsste; und nicht zuletzt aus diesem Grund sind die Alternativtreibstoffe bislang nicht konkurrenzfähig. Erneuerbare Energien, wie etwa Sonnen- und Windkraft, weisen zwar mit einer weltweiten Zunahme von 6 Prozent allein im Jahr 2002 ein rasantes Wachstum auf. Mit einem Anteil von 2 Prozent an der weltweiten Stromerzeugung fällt ihr Beitrag aber immer noch sehr bescheiden aus.

Wer gibt im Ölgeschäft den Ton an?

Ohne Zweifel die OPEC, und hier vor allem Saudi-Arabien, das weltgrößte Öl-Förderland. Auf die OPEC-Länder entfällt rund ein Drittel der weltweiten Rohöllieferungen. Den größten Teil des OPEC-Rohöls beziehen Japan (209 Mio. Tonnen jährlich) und die anderen Staaten Asiens (317 Mrd. Tonnen). Danach kommen die europäischen Länder, die fast ein Drittel ihres Öls (176 Mio. Tonnen) von der OPEC erhalten, der größere Teil kommt aber aus Russland (181 Mio. Tonnen). Die USA beziehen nur ein Viertel ihres Öls (138 Mio. Tonnen) aus dem Nahen Osten. Aufgrund des weltweit höchsten Verbrauchs und dem Versiegen der eigenen Quellen werden aber die OPEC-Quellen in Zukunft wachsende Bedeutung für die USA haben.

Wie der britische Ölmulti BP in seinem jährlich veröffentlichten Weltenergiebericht „Statistical Review of World Energy 2003" anmerkt, erhalten die OPEC-Staaten aber zunehmend Konkurrenz, vor allem aus Russland: Dort stieg die Ölproduktion seit 1999 um 25 Prozent, 2003 soll sie um weitere 10 Prozent erhöht werden. Damit wird Russland in zwei Jahren Saudi-Arabien als weltgrößtes Förderland ablösen.

Die größten Ölförderländer 2002

	in Tausend Barrel pro Tag	Steigerung/Rückgang zum Vorjahr
Saudi-Arabien	8.680	–3,7 %
Russ. Föderation	7.698	+9,1 %
USA	7.698	+0,3 %
Mexiko	3.585	+1,0 %
China	3.387	+2,5 %
Iran	3.366	–8,6 %
Norwegen	3.330	–3,0 %
Venezuela	2.942	–8,3 %
Kanada	2.880	+6,4 %
Großbritannien	2.463	–0,6 %
Verein. Arab. Emirate	2.270	–6,9 %
Irak	2.030	–14,4 %
Nigeria	2.013	–8,5 %
Kuwait	1.871	–9,8 %
Brasilien	1.500	+12,2 %

Quelle: BP

Wie die Tabelle zeigt, ist die Ölproduktion in den OPEC-Ländern – auch wegen der konjunkturbedingt schwächeren globalen Nachfrage – im Jahr

2002 zurückgegangen, während sie in anderen Ländern zum Teil stark ausgebaut wurde. Damit ergibt sich eine zunehmende Streuung der Ölversorgungsquellen, die die Abhängigkeit von der Golfregion verringert. Da die Ölförderkapazitäten deutlich höher sind als die Nachfrage, geht man bei BP davon aus, dass der Ölpreis in den kommenden Jahren tendenziell sinken wird.

Info-Tipp: Die „Statistical Review of World Energy 2003", die neben umfangreichen Informationen zu den Rohstoffen Öl und Gas auch über die Entwicklung von anderen Energieformen informiert, kann unter www.bp.com/ nachgelesen oder heruntergeladen werden.

Pensionen

• Was ist die erste Säule der Altersvorsorge?
• Warum wird an der staatlichen Pension seit Jahren herumgeflickt?
• Welche Bedeutung hat die staatliche Pension in anderen Ländern?
• Was ist der Unterschied zwischen Umlageverfahren und Kapitaldeckung?
• Wie sind die Rahmenbedingungen für private Pensionsvorsorge?
• Wie stabil ist die zweite Säule – die Betriebspensionen?
• Was ist von der dritten Säule – der privaten Vorsorge – zu halten?

Was ist die erste Säule der Altersvorsorge?

Als erste Säule gilt die staatliche Pensionsversicherung, als zweite Säule gelten Betriebspensionen und als dritte Säule die private Vorsorge.

In Österreich trägt die erste Säule praktisch zu 90 Prozent die Altersvorsorge. Nahezu alle Erwerbstätigen sind bei einer der staatlichen Pensionsversicherungsanstalten gesetzlich versichert, ein kleiner Teil hat auch eine freiwillige staatliche Selbstversicherung abgeschlossen. Die beiden größten Anstalten sind die Allgemeine Sozialversicherungsanstalt für Arbeiter und Angestellte (ASVG-Versicherte) und die Sozialversicherungsanstalt der gewerblichen Wirtschaft für Selbstständige (GSVG-Versicherte). Daneben gibt es noch eigene Pensionsversicherungsträger für Beamte, Eisenbahner, Notare, Bauern und Beschäftigte im Bergbau.

Die große Bedeutung der staatlichen Rente rührt daher, dass sie – so wie die Kranken- oder Unfallversicherung – zu den Pflichtversicherungen zählt. Praktisch jeder, der eine Arbeit aufnimmt oder sich selbstständig macht, ist ab der verpflichtenden Anmeldung versichert. Damit soll einerseits gewährleistet werden, dass nicht der eine oder andere erst im Alter draufkommt, dass er eigentlich hätte vorsorgen müssen. Und andererseits soll eine möglichst große Risikogemeinschaft erhalten werden, denn nur wenn immer genügend Leute einzahlen, ist auch Geld für den Risikofall da. Bei der Pensionsversicherung tritt dieser Risikofall unter anderem nach einem schweren Unfall ein, der einen erwerbsunfähig macht, nach einer bestimmten Anzahl an Arbeitsjahren oder eben mit dem Erreichen eines entsprechenden Alters.

Finanziert wird die staatliche Pension durch Arbeitgeber- und Arbeitnehmerbeiträge sowie durch Zuschüsse des Staates. Der Anteil der Bundesmittel an den gesamten Ausgaben für die Pensionsversicherung, also das, was der Staat neben den Arbeitgeber- und Arbeitnehmerbeiträgen zuschießt, ist übrigens prozentuell nicht sehr viel höher als 1955, als die Pensionen eingeführt wurden.

Zuschüsse des Staates von 1955 bis 2004
Anteil der Bundesmittel in Prozent zu Gesamtausgaben der Pensionsversicherung

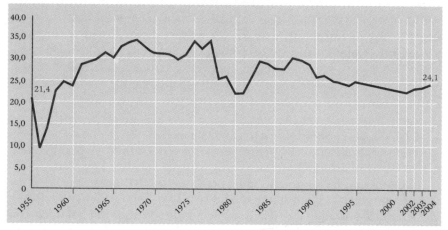

Quelle: Bundesministerium für soziale Sicherheit und Generationen, Bericht über die soziale Lage, 2001–2002, S. 65

Allerdings sind die Gesamtausgaben für die Pensionen heute deutlich höher als vor rund 50 Jahren, und zwar nicht nur, weil alle Preise gestiegen sind (also wegen der Inflation), sondern weil es heute im Vergleich zur Zahl der Erwerbstätigen deutlich mehr Pensionisten gibt als damals. Und ihre Zahl nimmt ständig zu. Das ist auch einer der Gründe, warum die erste – und wichtigste – Säule der österreichischen Altersvorsorge bröckelt.

Warum wird an der staatlichen Pension seit Jahren herumgeflickt?

Um das Thema „Pensionen" kam im Jahr 2003 wohl kaum jemand herum, auch wenn es nicht gerade neu ist. Seit den 90er-Jahren werden regelmäßig kleine und größere Reformen des staatlichen Pensionssystems vorgenommen, die bisher umfangreichste zuletzt im Frühjahr 2003. Als Grund dafür wird angegeben, dass die Pensionen bald nicht mehr finanzierbar seien, wenn alles weiterliefe wie gewohnt.

Als wichtigstes Argument für die Reformen wird die zunehmende Überalterung unserer Bevölkerung angeführt. Die Österreicher werden immer älter: Die Lebenserwartung der Frauen ist seit 1970 um acht Jahre gestiegen, die der Männer um zehn Jahre, und die Gruppe der jüngeren Menschen wird im Vergleich dazu immer kleiner. Außerdem sind die Österreicher Spitzenreiter in Sachen „Ab in die Pension!" 2001 lag das durchschnittliche Pensionsantrittsalter bei 58 Jahren, und rund 72 Prozent aller frischgebackenen Rentner in diesem Jahr hatten ihre Pension vor Erreichen des gesetzlichen Antrittsalters angetreten.

Beschäftigungsquote älterer Arbeitnehmer im Europa-Vergleich
Anteil der älteren Arbeitnehmer im Alter von 55 bis 64 Jahren an der Gesamtbevölkerung derselben Altersgruppe

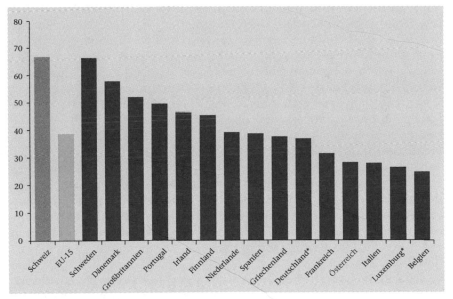

* Werte vom Jahr 2000
Quelle: Eurostat, Strukturindikatoren 2003, Statistik Austria

Diese zwei Faktoren – steigende Lebenserwartung bei immer niedrigeren Geburtenzahlen sowie frühes Ausscheiden aus dem Arbeitsleben – haben dazu geführt, dass den Erwerbstätigen immer mehr Pensionisten gegenüberstehen. Während 1956 auf 1.000 Erwerbstätige 345 Pensionisten kamen, waren es im Jahr 2002 bereits 624 Rentner, und bis 2030 soll diese Zahl nach Schätzungen des WIFO bereits auf 716 Pensionisten pro 1.000 Beschäftigte anwachsen – vorausgesetzt, unsere Beschäftigungsquote steigt bis dahin kräftig an. Sonst könnte das Verhältnis noch ungünstiger ausfallen.

Einer der wichtigsten Eckpunkte der letzten Pensionsreform war deshalb auch die Anhebung des tatsächlichen Pensionsantrittsalters. Die Österreicher sollen also länger arbeiten, als sie das bisher im Schnitt getan haben, und zwar Männer wie Frauen.

Doch damit allein ist es nicht getan, meint etwa WIFO-Experte Alois Guger. Er sieht den Schlüssel für die Sicherung des Pensionssystems vor allem in der Anhebung der Berufstätigkeit und der Produktivität. Demnach kommt es nicht so sehr darauf an, wie viele Menschen erwerbsfähig sind (also auf die Anzahl der Personen, die zwischen Lehre und Pensionierung stehen), sondern wie viele tatsächlich erwerbstätig sind, sprich: eine Arbeit haben, und wie viel sie dafür verdienen. Denn auch noch so viele junge Menschen würden nicht helfen, wenn sie keine Beschäftigung hätten. Hohe Pensionsbeiträge könnten daher am ehesten vermieden werden, wenn die heimische Beschäftigungs- oder Erwerbsquote von 68 Prozent auf ein Niveau von rund 75 Prozent (wie derzeit schon in einigen skandinavischen Ländern üblich) gesteigert würde. Möglich würde dies, wenn einerseits Frauen und andererseits Arbeitnehmer über 55 Jahre noch stärker bzw. länger als bisher ins Arbeitsleben integriert würden. Von den Frauen im erwerbstätigen Alter üben derzeit rund 60 Prozent einen bezahlten Job aus, bei den über 55-jährigen Personen üben nicht einmal 30 Prozent noch ihren Beruf aus.

Gleichzeitig muss aber auch auf eine niedrige Arbeitslosigkeit geachtet werden. Denn Arbeitslose können keine Beiträge für die laufenden Pensionen leisten und „belasten" ihrerseits die Sozialkassen. Damit die Älteren ihre Arbeitsplätze behalten (können) und gleichzeitig die Jüngeren Arbeitsplätze finden, wird ein anhaltendes Wirtschaftswachstum notwendig sein, das neue Jobs mit sich bringt.

Welche Bedeutung hat die staatliche Pension in anderen Ländern?

Österreich steht mit dem Pensionsproblem nicht alleine da. Zeitgleich mit den heimischen Streikenden zogen auch in Frankreich zahlreiche empörte Pensionsreformgegner gegen die beabsichtigten Maßnahmen ihrer Regierung durch die Straßen von Paris und anderer Städte. Auch in Italien, Deutschland und Spanien laufen bereits Reformen mit längeren Durchrechnungszeiträumen, Abschlägen für Frühpensionisten und ähnlichen bekannten Schlagwörtern. Lediglich in Spanien, wo die Beschäftigten nur 4 Prozent ihres Lohnes für die Pension, der Arbeitgeber aber 24 Prozent berappt, hat die erste Säule noch mehr Bedeutung als hierzulande. Sonst hat sich in praktisch allen europäischen Ländern in den vergangenen Jahren das Gewicht immer stärker von der staatlichen Rente zur privaten Vorsorge in Form von Betriebspensionen und Eigenvorsorge verlagert. In der Schweiz und in Frankreich ist die betriebliche Vorsorge sogar seit Jahren zum Teil verpflichtend vorgeschrieben.

Pensionsvorsorge im Europa-Vergleich
Aufteilung der drei Säulen 2002 in Prozent

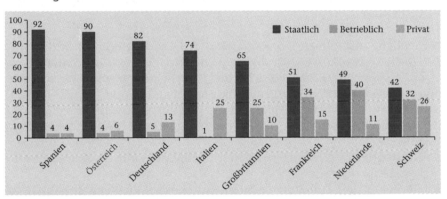

Quelle: Deutsche Bank Research, APA

Auch in Österreich könnte sich die Gewichtung in den nächsten Jahren deutlich verändern. Dazu trägt einerseits bei, dass die staatliche Pension in Hinkunft geringer ausfallen wird und daher alle, die es sich leisten können, schon von sich aus vermehrt in private Vorsorgevarianten investieren werden. Zum anderen wird die Verlagerung vom staatlichen Umlageverfahren (1. Säule) hin zur privaten Kapitaldeckung (2. und 3. Säule) auch von Seiten des Staates forciert.

Was ist der Unterschied zwischen Umlageverfahren und Kapitaldeckung?
Die staatliche Pensionsversicherung wird im Umlageverfahren finanziert. Das heißt, die Beiträge des Einzelnen werden nicht für seine spätere Pension angespart, sondern sofort zur Deckung der derzeit fälligen Pensionen

verwendet. Man spricht hier auch vom so genannten Generationenvertrag: Die jüngere Generation gibt heute einen Teil ihres Einkommens für die Pensionen der älteren Generation ab in dem Vertrauen, dass später einmal die nachkommende Generation ihre Pensionen tragen wird.

Vorteile:
- Solange die jüngere Generation zahlt (und zahlen kann), die sicherste Form der Altersvorsorge, weil unabhängig von kurzfristigen konjunkturellen Schwankungen oder Einbrüchen auf dem Finanzmarkt.
- Die Höhe der zukünftigen Pension ist relativ gut einschätzbar.

Nachteile:
- Das Geld wird praktisch unverzinst weitergegeben und kann nicht vorher „arbeiten", wie die Vermehrung von Kapital durch Zinsen und Renditen auf dem Geldmarkt genannt wird.
- Das Umlageverfahren setzt ein bestimmtes Mindestmaß an Erwerbstätigen voraus.

Betriebliche und private Vorsorge funktionieren hingegen nach dem Kapitaldeckungsverfahren. Jeder spart gewissermaßen auf Eigeninitiative an – sei es über eine Lebensversicherung, ein Sparbuch, über Wertpapiere oder andere Zukunftsvorsorgeprodukte von Banken und Versicherungen. Je nachdem, mit wie viel Kapital das persönliche „Vorsorgekonto" gedeckt ist, steht dann in der Pension mehr oder weniger viel Geld zur Verfügung.

Vorteile:
- Die angesparten Beträge können im Laufe der Jahre durch Zinsen und Renditen anwachsen.
- Die Form und Höhe der Veranlagung kann individuell gewählt werden.

Nachteile:
- Die Höhe der zu erwartenden Zusatzpensionen ist ungewiss, weil von der Entwicklung und der aktuellen Lage des Kapitalmarkts, der Versicherer, Kreditinstitute und Börsen und deren Geschick bei der Veranlagung abhängig.
- Ohne Fachwissen oder zumindest umfassende Beratung ist das Risiko groß, auf wenig ertragreiche oder – noch schlimmer – zu riskante Anlageformen zu setzen.
- Private Vorsorge setzt Spardisziplin voraus. Wer den Verlockungen des Konsums zu leicht erliegt, sitzt im Alter ohne Einkommen da.
- Private Vorsorge setzt auch einen zumindest durchschnittlichen Lebenslauf mit regelmäßigem Familieneinkommen voraus. Arbeitslosigkeit, Unfall, Scheidung, eine gescheiterte Geschäftsgründung oder ähnliche Schicksalsschläge können Vorsorgepläne rasch zunichte machen.

Die Meinungen zum Kapitaldeckungsverfahren sind stark geteilt. Während die einen die Chancen und Möglichkeiten hervorheben, die sich durch die Investition in einen (florierenden) Kapitalmarkt ergeben können, kritisieren nicht nur viele Gewerkschafter das höhere Risiko. Der Wirtschaftsforscher Stephan Schulmeister meint auch, dass die sozialstaatlichen Lösungen die Billigeren wären: Bei den privaten Finanzdienstleistern wären die Verwaltungskosten plus Marketing und Werbung im Gegensatz zu den Pensionsversicherungsanstalten enorm (10 bis 30 Prozent Verwaltungskosten bei Privaten im Gegensatz zu 1,8 Prozent bei öffentlichen Trägern). Zum anderen würde durch das staatliche Umlageverfahren Unsicherheit vermieden. Und schließlich dürfe die enorme Bedeutung der Einkommensverteilung im Alter nicht außer Betracht gelassen werden. Sprich: Die Älteren werden zu einer immer bedeutenderen Konsumgruppe. Wenn ein immer größerer Teil von ihnen nicht am Konsum teilhaben kann, weil ihre Rente das einfach nicht erlaubt (sei es, weil sie sich verspekuliert haben, weil die private Vorsorge nicht so weit reichend war wie nötig oder nicht so viel abwirft wie erwartet usw.), wird das erst recht negative Folgen auf die Wirtschaft und das Wirtschaftswachstum haben.

Wie sind die Rahmenbedingungen für private Pensionsvorsorge?

Zumindest in den letzten Jahren gaben die Finanzmärkte den Skeptikern recht. Seit 2001 waren mit Wertpapieren, Lebensversicherungen und anderen Veranlagungen wirklich keine goldenen Eier zu verdienen. Im Gegenteil: In Österreich verursachte die Börsenschwäche der vergangenen drei Jahre nach Schätzungen der Nationalbank allein den privaten Haushalten Kursverluste von rund 7 Mrd. Euro. Auch die Lebensversicherer mussten ihre Gewinnprognosen zum Teil kräftig nach unten revidieren. In Großbritannien und den USA, wo bereits weite Teile der Bevölkerung privat vorsorgen, waren die Auswirkungen noch viel dramatischer: Nach Berichten der Finanzzeitung „Financial Times" mussten die britischen Pensionsfonds allein im Jahr 2002 Verluste von rund 147 Milliarden Euro verbuchen. Selbst als die Aktienmärkte tiefer in die Verlustzone gerutscht seien, hätten die Fonds noch in Aktien investiert. Nun seien die Altersersparnisse von Millionen Menschen bedroht.

Die heimische Regierung hat sich also nicht gerade die beste Zeit dafür ausgesucht, um der Bevölkerung die zweite und dritte Säule der Pensionsvorsorge als Alternative schmackhaft zu machen. Sie sollen nun immer mehr das schaffen, was dem Staat nicht mehr möglich zu sein scheint, nämlich ausreichend Geld für den Lebensabend bereitzustellen. Die ersten ernsthaften Versuche in diese Richtung waren aber bisher nicht von

Erfolg gekrönt. Die bereits vor mehreren Jahren eingeführten speziellen Pensionsinvestmentfonds (PIFs) und Pensionsversicherungsprodukte fanden wegen ihres geringen Ertrags kaum Anklang. Und das Experiment „Pensionskassen verwalten Betriebspensionen" steht nach nicht einmal 13 Jahren vor einem Trümmerhaufen – mit Tausenden frustrierten Pensionisten und Pensionsanwärtern.

Wie stabil ist die zweite Säule – die Betriebspensionen?

Was war passiert? Mit dem Pensionskassengesetz wurde 1990 in Österreich die gesetzliche Grundlage für die Errichtung von Pensionskassen als „zweite Säule" der Alters- und Hinterbliebenenvorsorge geschaffen. Damit wurde das Ansparen auf eine betriebliche Zusatzpension von den Unternehmen auf eigenständige Pensionskassen übertragen, da diese – so der allgemeine Tenor – das Geld sicherer und vor allem Gewinn bringender veranlagen könnten als die Unternehmen selbst. Die Beiträge waren für die Betriebe teilweise steuerlich absetzbar und die Lohnnebenkosten dafür entfielen. Den Mitarbeitern wurden die Betriebspensionen damit schmackhaft gemacht, dass ihre zukünftigen Pensionen nun auch bei Insolvenz des Unternehmens sicher seien, dass sie ihre Ansprüche bei Jobwechsel mitnehmen könnten und dass es hohe Renditen gebe, sodass die Beiträge im Endeffekt mehr brächten als eine Gehaltserhöhung. Als Mindestverzinsung wurden über einen Zeitraum von fünf Jahren 1,5 Prozent garantiert.

Zunächst lief alles prächtig. Bis 2000 erzielten die Pensionskassen regelrechte Traumrenditen von durchschnittlich 7 Prozent. 2001 kam es allerdings bereits dort und da zu geringen Abschlägen bei Betriebspensionen. Und im Jahr 2002 musste sich bereits rund jeder achte Zusatzpensionist mit Kürzungen anfreunden. Die durchschnittliche Performance lag bei minus 6,3 Prozent. Die Pensionskassen hatten – so lautet etwa die Kritik von Seiten der Gewerkschaft und der Arbeiterkammer – wie wild auf den Aktienmärkten mitspekuliert, und als die Aktienkurse in den Keller fielen, klafften in den Töpfen der Pensionskassen plötzlich riesige Lücken.

Die Kapitalpolster, die die Pensionskassen in guten Ertragszeiten zum Überbrücken von Verlustjahren anlegen müssen, waren 2003 nahezu aufgebraucht. Denn aus ihnen wurde bereits im Vorjahr kräftig zugeschossen, um die Zusatzensionen möglichst auf dem gleichen Niveau zu halten. Nun sind die Pensionskassen nicht einmal mehr in der Lage, den gesetzlich festgelegten Mindestzins von 1,5 Prozent über einen Zeitraum von fünf Jahren zu erwirtschaften. Die Eigentümer der Kassen – Banken und Versicherer – weigern sich, ihrerseits Geld zuzuschießen, und die Unternehmen, die sich durch die Verlagerung der Ansprüche auf die Pensionskassen ihrer Pensionspflichten enthoben fühlten, wollen nun natürlich auch nicht für die Kassen in die eigene Tasche greifen.

In dieser Misere half der Gesetzgeber den Pensionskassen aus der Patsche: Die fünfjährige Durchrechnungszeit für die Mindestverzinsung wurde kurzerhand auf sieben Jahre verlängert. Die Kassen erhalten also zwei weitere Jahre Gnadenfrist, um auf den Garantiezins von 1,5 Prozent zu kommen. Das geht auf Kosten von rund 40.000 Pensionisten, die bereits jetzt eine Zusatzpension beziehen, und circa 320.000 Anwärtern auf eine Zusatzpension. Sie alle müssen mit bis zu 12 Prozent niedrigeren Betriebspensionen rechnen. Denn statt 400 Mio. Euro auf einen Schlag müssen die Pensionskassen nun, verteilt auf die kommenden Jahre, nur 100 Mio. Euro nachschießen. Ein regelrechter Vertrauensbruch, meinen Gewerkschafter und Arbeiterkammer, und ein Paradebeispiel für Anlassgesetzgebung. Denn gerade dann, wenn erstmals eine größere Zahl an Beitragszahlern in den Genuss der betrieblichen Zusatzpension käme, würde kurzerhand das Gesetz zugunsten der Pensionskassen geändert. Betriebspensionisten kritisieren vor allem, dass immer nur mit den hohen Renditen und garantierten Erträgen geworben worden sei, aber Risiken und Gefahren völlig unter den Tisch gefallen seien.

Was ist von der dritten Säule – der privaten Vorsorge – zu halten?
Die Erfahrungen der Betriebspensionisten sprechen nicht gerade für die dritte Säule der Pensionsvorsorge, also Sparen fürs Alter mittels Lebensversicherungen, Wertpapieren oder speziellen Pensionsvorsorgeprodukten. Denn auch dabei soll das investierte Geld vor allem über die Börse vermehrt werden, und das ist nun einmal mit einem mehr oder weniger großen Risiko verbunden.

Auch die eigens für den Zweck der privaten Altersvorsorge geschaffene „Zukunftsvorsorge neu" hält bei genauerer Sicht nicht das, was sie verspricht. Beworben werden die von Banken und Versicherern angebotenen Vorsorgeprodukte mit einer Prämie von 9,5 Prozent bzw. 9 Prozent ab 2004, die der Staat zuschießt. Prämie ist aber nicht gleich Ertrag. Von dem Staatszuschuss profitieren in erster Linie die Finanzdienstleister, wie der Verein für Konsumenteninformation nachrechnete. Denn wenn erst einmal die Vertriebs- und Verwaltungskosten, die Ausgabeaufschläge und Depotgebühren abgezogen sind, bleiben für die Anleger neben den eingezahlten Beträgen, die garantiert wieder ausgezahlt werden, gerade einmal 1,6 Prozent garantierte Rendite.

Dazu kommt, dass die Prämie nicht fix ist. Je nachdem, wie sich der Zinssatz auf dem Kapitalmarkt entwickelt, wird auch die Prämie angepasst. Der Spielraum liegt zwischen 8 und 13 Prozent. Ab Jänner 2004 steht auch schon die erste Prämiensenkung an – parallel zur Kürzung der Bausparprämie, die sich ebenfalls nach dem Kapitalmarktzins richtet: Die Vorsorgeprämie wird von 9,5 auf 9 Prozent verringert.

Falls die Anlagemanager geschickt wirtschaften und der Kapitalmarkt wieder in Schwung gerät, kann zwar durchaus mehr herausschauen als die garantierten 1,6 Prozent. Aber ob und wann das der Fall ist, weiß niemand.

Selbst Notenbank-Gouverneur Klaus Liebscher hält deshalb mit seiner Kritik nicht hinter dem Berg: Die neue staatlich geförderte Privatvorsorge sei kein Spiel, das nur Gewinne kenne. Es sei unverantwortlich, nicht auf die Risiken hinzuweisen, die damit einhergingen. Im 5. Finanzmarktstabilitätsbericht kritisieren die Notenbanker auch, dass der 40-prozentige Aktienanteil ausgerechnet auf den schwächsten Börsenplätzen in der EU – Athen, Lissabon und Wien und bald schon die meisten Börsen der EU-Erweiterungsländer – angelegt werden muss. Nicht gerade die heißesten Pflaster auf dem Finanzmarkt und selbst während der börsenträchtigen 90er-Jahre nicht die ertragreichsten. Außerdem ist davon auszugehen, dass die Pensionsgroschen letztlich hauptsächlich an der Wiener Börse gehandelt werden – eine zwangsverordnete Konzentration auf den österreichischen Markt, die von der Nationalbank nicht als sinnvoll erachtet wird: Die staatliche Pension hänge völlig von der heimischen Konjunktur ab; daher sollte bei der privaten Vorsorge das Risiko nicht erneut auf den heimischen Finanzmarkt beschränkt, sondern international gestreut werden. Wegen der niedrigen Liquidität der Wiener Börse seien außerdem erhöhte Kursschwankungen nicht auszuschließen. Der indirekte Rat der Notenbanker: Wer privat vorsorgt, sollte sein Risiko international breit streuen.

Trotzdem: Um Altersvorsorge in Eigenregie wird in Zukunft kein Weg herumführen. Denn fix ist, dass die Pensionen in Hinkunft geringer ausfallen werden als bisher.

Fix ist auch, dass bei den staatlichen Pensionen noch nicht das letzte Wort gesprochen wurde. Als Nächstes steht die Harmonisierung der verschiedenen Pensionssysteme an. Jeder Pensionist soll dann je nach Dienstjahren und eingezahlten Beiträgen gleich viel erhalten, ungeachtet dessen, ob er ASVG- oder GSVG-Versicherter, ob er Beamter, Bauer oder Eisenbahner ist. Weiters steht auf der Reformliste die Einrichtung von Pensionskonten. Dabei sind zwei Varianten in Diskussion:

- Beim **beitragsorientierten** Pensionskonto zahlt jeder während seiner Erwerbszeit Beiträge auf sein Pensionskonto. Für Karenzzeit, Präsenzdienst, Arbeitslosigkeit oder Krankheit übernimmt der Staat oder die jeweilige Versicherung die Einzahlung. Verzinst werden soll die Summe voraussichtlich mit dem Lohnindex. Am Schluss wird das Geld durch die restliche Lebenserwartung dividiert und monatlich ausbezahlt. Die Pensionshöhe ist dabei vorher nicht abschätzbar.

■ Beim **leistungsorientierten** Pensionskonto soll von vornherein festgelegt sein, wie hoch die Pension am Ende sein wird. Der Betrag ist unabhängig von der Lebenserwartung; reichen die Beiträge nicht, muss der Staat die Ausfallshaftung übernehmen.

Info-Tipp:

■ Eine vorläufige Einschätzung, wie viel Pension Sie einmal erhalten werden, können Sie auch jetzt schon einholen. Die Pensionsversicherungsträger errechnen auf Antrag, wie viele Beitragsjahre Sie haben und wie hoch die Pension ausfallen wird. Dabei können Sie auch überprüfen, ob alle Ersatzzeiten, versicherte Praktika und Ähnliches berücksichtigt wurden.
Zum Teil können die Anträge über Internet gestellt werden. Für Arbeiter und Angestellte unter der Adresse www.pensionsversicherung.at, für Selbstständige unter www.sva.or.at.

■ Der Verein für Konsumenteninformation bietet auf seiner Homepage und in der Monatszeitschrift „Konsument" eine Reihe von Informationen zur privaten Vorsorge und Bewertungen der neuen Zukunftsvorsorge: www.konsument.at.

Privatisierungen

• Warum gibt es in Österreich so viele Staatsbetriebe?
• Wie kam es zu den Privatisierungen?
• Warum sind Privatisierungen so umstritten?
• Wie laufen Privatisierungen ab und wer ist dabei verantwortlich?
• Warum wird vor übereilten Privatisierungen gewarnt?
• Wie stehen die Österreicher zu den Privatisierungen?

Warum gibt es in Österreich so viele Staatsbetriebe?

Als marktwirtschaftlich ausgerichtetes Land weist Österreich einen überproportional hohen Anteil an Unternehmen im Eigentum des Staates auf. Die Gründe dafür reichen in die erste Hälfte des vorigen Jahrhunderts zurück.

Nach dem Zweiten Weltkrieg beschloss die österreichische Regierung 1946 und 1947 jeweils ein Verstaatlichungsgesetz. Damit gingen viele Betriebe in das Eigentum der Republik über, darunter zwei der größten österreichischen Banken, Creditanstalt und Länderbank, die mittlerweile beide Teil der heutigen Großbank BA-CA sind (und die wiederum der deutschen

HypoVereinsbank), die wichtigsten Unternehmen der Eisen- und Stahlindustrie, weite Bereiche des Bergbaus, die österreichische Stickstoffwerke AG und die Erste Donaudampfschifffahrtsgesellschaft. Der Umfang der Verstaatlichung war damit deutlich größer als in anderen westlichen Ländern. Dafür gibt es mehrere Gründe:

- Einerseits mangelte es an privaten Kapitalgebern, um diese Industrie- und Großbetriebe wieder aufzubauen bzw. fortzuführen.

- Andererseits sprachen die Erfahrungen aus der Ersten Republik gegen private Eigentümer, vor allem aus dem Ausland. In Zukunft sollte die Versorgung der österreichischen Wirtschaft mit Rohstoffen und Ausgangsmaterialien – anders als in den 30er-Jahren geschehen – durch den Staat gesichert sein.

- Außerdem war damit eine Ankurbelung der Privatwirtschaft beabsichtigt: Die verstaatlichte und von der öffentlichen Hand subventionierte Grund- und Schwerindustrie sowie die Elektrizitätswirtschaft sollten ihre Produkte zu weit unter dem Weltmarktniveau liegenden Preisen an heimische Betriebe weitergeben und damit die Weiterverarbeitungsindustrie in Schwung bringen (was auch tatsächlich gelang).

- Ausschlaggebend war aber, dass mit der Verstaatlichung viele Betriebe vor dem Zugriff der Besatzungsmächte bewahrt werden sollten. Durch den Anschluss an Deutschland waren ab 1938 große Teile der österreichischen Unternehmen in deutschen Besitz übergegangen bzw. waren auf österreichischem Boden Unternehmen (wie etwa die spätere voestalpine oder das Aluminiumwerk in Ranshofen) entstanden, die als deutsches Eigentum galten. Dieses deutsche Eigentum stand nach dem Krieg den Alliierten als Wiedergutmachung zu. Die drei westlichen Besatzer stimmten den von der Regierung verabschiedeten Verstaatlichungsgesetzen zu. Sie verzichteten damit zum Großteil auf ihren Anteil und überließen ihn der österreichischen Regierung zu treuen Händen. Die sowjetische Besatzungsmacht, die durch die Angriffe der deutschen Wehrmacht selbst enorme Schäden auf ihrem Staatsgebiet erlitten hatte, erhob allerdings Einspruch und verwaltete die in ihrer Zone liegenden Unternehmen bis zum Abschluss des Staatsvertrags im Jahr 1955. Dann erst gingen auch diese Betriebe (darunter die spätere OMV) in die Hände des österreichischen Staats über.

1970 wurden die staatlichen Unternehmen in eine neu gegründete Holdinggesellschaft, die Österreichische Industrieverwaltungs Aktiengesellschaft (ÖIAG), integriert, die zu 100 Prozent im Eigentum der Republik stand. Sie verwaltete mehr als ein Fünftel der heimischen Industrie und nutzte die Betriebe auch dazu, konjunkturelle Schwankungen abzufedern.

Wie kam es zu den Privatisierungen?

In den 80er-Jahren mussten immer mehr verstaatlichte Betriebe immer größere Verluste verbuchen. Ausschlaggebend dafür waren einerseits Managementfehler (mehr dazu weiter unten) und das bedingungslose Festhalten am Ziel der Vollbeschäftigung. Durch den Erhalt von Arbeitsplätzen mittels Subventionierung staatlicher Betriebe rutschte der Staatshaushalt in den 70er- und 80er-Jahren weit ins Minus. Während die Privatindustrie bereits einen Rückgang an Jobs konstatierte, stieg die Zahl der Stellen in Staatsbetrieben noch immer an.

Andererseits begann der österreichischen Industrielandschaft auch immer mehr der raue Wettbewerbswind aus dem Ausland entgegenzuwehen. Die Entwicklungsländer verfügten zunehmend selbst über Grundstoffindustrien und die Schwellenländer wurden mit Billigprodukten und Niedrigpreisen zu echten Konkurrenten der Industrienationen. Umstrukturierungen waren also dringend angesagt, und zwar sowohl in der Produktion als auch in der Organisation und in den Eigentumsverhältnissen. 1986 wurde die Industrieverwaltung AG in die Österreichische Industrieholding AG umgewandelt, die Abkürzung ÖIAG blieb gleich. Die in den 70er-Jahren entstandenen unübersichtlichen Mischkonzerne wurden zerschlagen und zu neuen Branchenholdings zusammengefasst, die mit den Erlösen aus Privatisierungen saniert und dann über die Börse privatisiert werden sollten. 1987 wurde mit der Abgabe von 15 Prozent an der OMV über die Börse der Privatisierungsweg der ÖIAG eröffnet. Insgesamt wurden bis 2003 rund 30 große Unternehmen zum Teil oder vollständig über die Börse oder durch den Verkauf an Investoren bzw. private Unternehmen privatisiert, darunter Simmering-Graz-Pauker-Verkehrstechnik, VAE Eisenbahnsysteme, VAMED, Schoeller-Bleckmann, AMAG, Salinen AG und Bank Austria.

Zu den aktuellsten Privatisierungen zählen seit 2000:

Privatisierungen seit 2000	Neue (Teil- oder Mehrheits-)Eigentümer
Österreichische Staatsdruckerei GmbH	Aufteilung auf mehrere Investoren, u.a. Euro Capital Partners
Dorotheum GmbH	OneTwo Beteil.- u. Managementberat. GmbH
Print Media Austria AG	Invest Equity Group
Flughafen Wien AG	Inländ./ausländ. Investoren, Stadt Wien
Österreichische Postsparkasse AG	BAWAG
Telekom Austria AG	38 % Streubesitz, 14,8 % Telecom Italia
Austria Tabak AG	Gallaher Group (GB)
voestalpine	74,6 % Streubesitz, 10,3 % Mitarbeiter, 15 % ÖIAG (in Form von Umtauschanleihe)

Zur zwingenden Umstrukturierung von der immer weniger profitablen Grundstoffindustrie hin zu Hochtechnologiebetrieben kam Ende der 80er-Jahre auch eine wirtschaftspolitische Wende, die die Privatisierung oder Aufgabe verlustbringender Betriebe unumgänglich erscheinen ließ: Das Beschäftigungsziel verlor immer mehr an Bedeutung zugunsten anderer Ziele, vor allem des Schuldenabbaus. In der zweiten Hälfte der 90er-Jahre kam außerdem das Stabilitätsziel hinzu: Durch die angepeilte Teilnahme an der Währungsunion musste das Defizit in der Haushaltskasse abgebaut und die Verschuldung gestoppt werden (siehe Wachstums- und Stabilitätspakt im Stichwort Budget).

Warum sind Privatisierungen so umstritten?

Privatisierungen sind – ebenso wie Liberalisierungen – politisch gesehen ein heißes Eisen, da meist nicht nur sachlich argumentiert wird, sondern auch weltanschauliche Gesichtspunkte eine Rolle spielen: Während die einen davon überzeugt sind, dass der Staat ein schlechterer Wirtschafter ist als private Unternehmen und der Wettbewerb nur dann richtig in Gang kommt, wenn sich der Staat als Eigentümer vollständig aus dem Marktgeschehen zurückzieht, fürchten andere dadurch den Verlust von Arbeitsplätzen und Mitsprachemöglichkeiten und einen Ausverkauf von „österreichischem Eigentum" an private Interessenten, die sich rein der Gewinnmaximierung verschrieben haben.

Die Privatisierung des staatlichen Eigentums stößt daher zum Teil auf große Kritik, vor allem der Gewerkschaften, aber auch weiter Teile der Bevölkerung (siehe weiter unten). So wird darauf hingewiesen, dass die verstaatlichte Industrie auch deshalb so hohe Verluste schrieb, weil sie der heimischen Privatwirtschaft kräftige Preisvorteile zugestehen musste. Dadurch sei kein Geld für eigene Investitionen geblieben. Außerdem durften die Staatsbetriebe nicht in die Endfertigung einsteigen, weil sie sonst den Privaten Konkurrenz gemacht hätten.

Dazu kamen nach Ansicht von Privatisierungsgegnern Managementfehler – Spekulationsgeschäfte wie das der VOEST-Tochter Intertrading, die mit Öl spekulierte und dabei 4 Mrd. Schilling „verspielte", und missglückte Auslandsinvestitionen –, daran war nicht die verstaatlichte Industrie als solche schuld. Wenn die Staatsbetriebe „dürften, wie sie wollten", so das Argument, könnten sie sehr wohl erfolgreich wirtschaften. Beispiel voestalpine, die heute zu den produktivsten Stahlwerken Europas gehört und von deren 250 Tochterunternehmen kein einziges rote Zahlen schreibt – und das, obwohl die öffentliche Hand bis vor kurzem noch immer 34,7 Prozent hielt und somit der wichtigste Eigentümer war.

Für Kritiker des Privatisierungskurses gilt der Verkauf von staatseigenen

Betrieben oder Anteilen daran daher als Verscherbeln des Familiensilbers, weil damit lediglich auf rasche und effiziente Weise das jeweilige Budget saniert und konsolidiert werden soll, aber keine Rücklagen für die Zukunft bewahrt würden. Für einen kurzfristigen finanziellen Vorteil würden dem Staat durch einen Verkauf die langfristig laufenden Gewinne entgehen.

Und was Infrastrukturbetriebe wie ÖBB, Post oder Telekom betrifft, so regt sich auch auf Gemeinde- und Städteebene Widerstand. So befürchtet etwa der Präsident des Österreichischen Gemeindebundes, Helmut Mödlhammer, dass durch die Veräußerung von strategischem Staatseigentum ein öffentliches durch ein privates Monopol ersetzt werde. Soziale und regionale Belange, wie die sichere Versorgung von entlegenen Gemeinden, kämen bei Privaten, die sich nur nach wirtschaftlichen Gesichtspunkten orientierten, unter die Räder.

Die zentrale Frage der Privatisierungsskeptiker lautet, ob die Staatsunternehmen von privaten Eigentümern betriebs- und volkswirtschaftlich tatsächlich effizienter geführt werden können. Eine Antwort darauf lässt sich nur schwer finden, da ein und derselbe Betrieb ja nur entweder von privater oder staatlicher Hand geführt werden kann und somit der direkte Vergleich fehlt, wie sich das Unternehmen bei geänderten Rahmenbedingungen entwickelt hätte.

Beispiel Austria Tabak: Nachdem der britische Tabakkonzern Gallaher, der die Austria Tabak im Jahr 2001 erworben hatte, zwei Jahre später voller Stolz hohe Erträge des ehemals heimischen Zigarettenmonopolisten verkündete und bekannt gab, dass der Kaufpreis somit binnen fünf Jahren hereingespielt sei, regten sich in Österreich viele empörte Stimmen, die den Verkauf kritisierten: Diese Gewinne hätte auch der Staat lukrieren können. Warum wurde daher überhaupt verkauft bzw. wenn schon Verkauf, warum dann zu einem derartigen Spottpreis?

Gallaher und der damals zuständige ÖIAG-Vorstand Johannes Dietz setzten den „Ausverkauf"-Argumenten allerdings entgegen: Austria Tabak habe nur im Verbund und mit den Möglichkeiten des international tätigen, britischen Tabakkonzerns derart hohe Gewinne erzielen können. Auf sich allein gestellt, wären die Erträge und auch die Zukunftsaussichten des ehemals österreichischen Tabakmonopolisten deutlich gedämpfter gewesen.

Bei den heimischen Privatisierungsdebatten sollte aber nicht vergessen werden: Auch österreichische Unternehmen haben gerade in den Ländern Zentral- und Osteuropas zahlreiche staatliche Betriebe aufgekauft. Am besten zeigt sich das bei den Ostbanken, deren Privatisierungen so gut wie abgeschlossen sind: Die österreichischen Kreditinstitute (inklusive BA-CA) halten daran mit 27,6 Prozent den größten Marktanteil internationaler Banken (zum Vergleich: Italien folgt mit 14,6 Prozent an zweiter Stelle, gefolgt von Belgien mit 11,9 Prozent). Das heißt, fast jede dritte Bank in Polen, Tschechien, der Slowakei, in Ungarn, Slowenien, Rumänien, Bulgarien oder Kroatien ist zum Teil oder ganz im Besitz eines österreichischen Kreditinstituts.

Wie laufen Privatisierungen ab und wer ist dabei verantwortlich?

Tatsache ist jedenfalls, dass die realisierten Privatisierungserlöse fast immer unter den Budgetvoranschlagsansätzen liegen, weil sie einerseits geringer ausfallen als erwartet (siehe Beispiel Telekom weiter unten) und andererseits Privatisierungsvorhaben zeitlich verschoben werden.

Wohl auch aus diesem Grund kündigte der Finanzminister im Frühjahr 2003 an, sich über eine Sonderdividende 300 Mio. Euro aus dem ÖIAG-Budget zu „borgen", die dann über einen Verkauf hereingebracht werden sollten. Ein gehöriges Fass Öl ins Feuer jener Kritiker, die in den Privatisierungen reine Budgetsanierungsmaßnahmen sehen. Und nicht zuletzt eine schwierige Ausgangsposition für die Österreichische Industrieholding AG, die bei den Privatisierungen die Schlüsselrolle spielt und Zeitdruck wohl am wenigsten brauchen kann.

Die Holdinggesellschaft mit Sitz in Wien will einerseits nach Eigendefinition „industrienah und politikfern" in größtmöglicher Unabhängigkeit von politischem Einfluss handeln, steht aber andererseits zu 100 Prozent im Eigentum der Republik Österreich. Als staatseigene Beteiligungs- und Privatisierungsagentur soll sie den Wert der ihr anvertrauten Beteiligungen steigern und gleichzeitig Wege zur Teil- oder Vollprivatisierung der Unternehmen suchen. Allerdings: Ohne konkreten Auftrag der Regierung läuft gar nichts. Damit ein Unternehmen überhaupt privatisiert werden kann, müssen laut ÖIAG-Gesetz folgende Schritte eingehalten werden:

- Im Ministerrat muss ein Privatisierungsauftrag beschlossen werden, der der ÖIAG vom Finanzminister als Vertreter der Republik Österreich in der alljährlichen Hauptversammlung erteilt wird.
- Im Anschluss an den Privatisierungsauftrag muss der Vorstand ein mehrjähriges Privatisierungsprogramm aufstellen und dem Aufsichtsrat zur Genehmigung vorlegen. Der Aufsichtsrat setzt sich unter anderem aus Vertretern von großen Privatunternehmen und/bzw. oder Wirtschaftsverbänden zusammen.
- Schließlich muss der Vorstand ein Privatisierungskonzept erstellen, das den für das jeweilige Privatisierungsprojekt beabsichtigten Privatisierungsweg skizziert. Dieses muss vom Aufsichtsrat beschlossen werden.
- Ein Anteilsverkauf muss vom Vorstand beantragt und vom Aufsichtsrat genehmigt werden. Der Antrag muss vor allem den oder die Käufer und den Kaufpreis enthalten.

Warum wird vor übereilten Privatisierungen gewarnt?

So weit die vom Gesetz vorgegebenen Schritte. Daneben spielen aber – wie überall im Geschäftsleben – auch Taktik, Strategie und Gespür eine Rolle. Und gerade beim Verkauf von Staatsbetrieben, wo praktisch jeder ein Wörtchen mitreden will, weil es schließlich um „unser Eigentum" geht, ist es umso wichtiger, die bestmögliche Verkaufsvariante zu erzielen. Laut ÖIAG-Gesetz 2000 sollen die Privatisierungen einerseits zu einer möglichst hohen Wertsteigerung führen und daher einen möglichst hohen Erlös beim Verkauf erzielen. Andererseits sollen folgende österreichische Interessen gewahrt bleiben:

- Schaffung bzw. Erhalt sicherer Arbeitsplätze in Österreich;
- nach Möglichkeit Aufrechterhaltung der Entscheidungszentralen in Österreich;
- Erhaltung und Ausbau der bestehenden Forschungs- und Entwicklungskapazitäten durch Schaffung österreichischer Kernaktionärsstrukturen durch Syndikate mit industriellen Partnern, Banken, Versicherungen, Pensionskassen, Vorsorgekassen usw;
- Berücksichtigung des österreichischen Kapitalmarkts.

In die Praxis umsetzen lassen sich die Forderung nach hohem Erlös und Berücksichtigung der österreichischen Interessen aber nur, wenn die Verantwortlichen ohne zeitlichen und politischen Druck folgende Rahmenbedingungen berücksichtigen können:

- **die Wahl des richtigen Zeitpunkts.** Ist ein Unternehmenstitel auf den Aktienmärkten unterbewertet, wird er „unter seinem Wert verscherbelt". Das heißt, der Staat nimmt weniger ein, als er dafür zu einem günstigeren Zeitpunkt erhalten hätte. Beispiel: Telekom Austria, die im November 2000 im größten Börsengang der Republik Österreich privatisiert wurde und deren Erlöse deutlich unter den Erwartungen blieben. Statt 30 bis 40 Mrd. Schilling musste sich der Finanzminister mit 14 Mrd. Schilling zufrieden geben;
- **die Wahl des oder der Käufer,** vor allem ob das Unternehmen dadurch mehrheitlich in inländischem Besitz bleibt oder in ausländisches Eigentum wandert. Durch einen Verkauf an einen ausländischen Konzern wird befürchtet, dass wichtige Aufgaben, wie etwa eine umfassende Lehrlingsausbildung oder die Förderung von Forschung und Wissenschaft, vernachlässigt oder ganz aus Österreich abgezogen werden. Oder es steht zu befürchten, dass ein (auch inländisches) Unternehmen zuschlägt, das sich lediglich einen unliebsamen Konkurrenten vom Hals schaffen will und Teile oder das ganze Unternehmen zusperrt.

Gerade beim letzten Punkt haben sich die Privatisierungsbeauftragten in jüngster Vergangenheit nicht durch vertrauensbildende Maßnahmen hervorgetan. Wie sich im Juni 2003 herausstellte, gab es zwischen der ÖIAG und dem kanadischen Autozulieferkonzern Magna Verhandlungen über einen Kauf der voestalpine. Der springende Punkt daran: Die voestalpine, die sich eine neue Unternehmensstrategie verpasst hat und damit bislang sehr erfolgreich ist, „wildert" zunehmend in den Unternehmensrevieren der Magna. Deshalb wurde angesichts der Gespräche befürchtet, dass Magna das erfolgreiche Linzer Unternehmen bei einem Kauf in Teile zerlegen und nur das weiterführen würde, was in ihr Konzept passe. Anstatt finanzieller Investoren, die das voest-Team in Ruhe weiterarbeiten ließen, wäre also – ganz entgegengesetzt den Beteuerungen der Regierung und der ÖIAG – doch ein Investor mit klaren strategischen Vorhaben zum Zug gekommen. Aufgrund massiver Proteste vieler Politiker aller Couleurs und der Bevölkerung wurde der Privatisierungsauftrag an die ÖIAG vom Finanzminister nachjustiert: Kein Verkauf der voest an einen strategischen Investor, sondern nur an Finanzinvestoren mit heimischem Kernaktionär. Damit sollte die Einheit des Konzerns gesichert und dessen Zentrale in Österreich bleiben. Im September 2003 wurde die voestalpine im Eilverfahren vollständig privatisiert: Die noch im Besitz der ÖIAG befindlichen 34,7 Prozent wurden bis auf eine 15-prozentige Umtauschanleihe über die Börse abgegeben.

Tatsache ist und bleibt ungeachtet aller Zusagen und Versprechungen: Nach dem Verkauf eines staatlichen Unternehmens hat der Eigentümer freie Hand. Arbeitsplatzgarantien sind daher so oder anders nicht gewährleistet.

ÖIAG-Beteiligungen auf einen Blick

Börsenotierte Unternehmen	ÖIAG-Anteil	Privatisierungsauftrag vom 1.4.2003
Austrian Airlines	39,7%	–
Böhler-Uddeholm	25,0%	100%-Verkauf – für Ende 2003 geplant
OMV	35,0%	–
Telekom Austria	47,2%	Verkauf bis zu 100%, evtl. in zwei Schritten
voestalpine	15,0%	100%-Verkauf – bis auf 15%ige Umtauschanleihe (bis 2006) erledigt
VA Technologie	15%	100%-Verkauf
Nicht-börsenotierte Unternehmen		
ÖIAG-Bergbauholding AG	100%	100%-Verkauf
Österr. Post AG	100%	Suche nach strategischem Partner als ersten Privatisierungsschritt
Österr. Postbus AG	–	Abgabe von 100% der Aktien an ÖBB per September 2003; dort Ausarbeitung eines Teilprivatisierungskonzepts

Stand: Oktober 2003. Quelle: ÖIAG, Hauptversammlung 9.5.2003, eigene Recherchen

Wie stehen die Österreicher zu den Privatisierungen?

Die Vorgänge rund um den Verkauf der voestalpine haben viele Österreicher wieder wachsam werden lassen, was die noch austehenden Privatisierungsschritte betrifft. Laut einer im Juli 2003 veröffentlichten Umfrage für die Tageszeitung „Kurier" sind nur 17 Prozent der heimischen Bevölkerung für einen kompletten Rückzug des Staates aus den österreichischen Unternehmen. Etwa ein Drittel plädiert dafür, dass der Staat bzw. die ÖIAG die Sperrminorität von 25 Prozent plus eine Aktie beibehält. Wenn es doch zu einem Totalverkauf kommt, soll wenigstens die Firmenzentrale in Österreich bleiben, sagen 81 Prozent. 58 Prozent der Befragten fürchten laut dieser Umfrage des Instituts INFO, dass ein völliger Rückzug des Staates aus Betrieben wie der voestalpine weniger Jobs bedeutet.

Sollten die Gewerkschaften gegen Privatisierungsmaßnahmen streiken, hält das die Hälfte der Österreicher für gerechtfertigt.

Österreich könnten also in Zukunft noch einige heiße Phasen der Auseinandersetzung drohen. Verstärken könnten sich die Konflikte rund um „Mehr Staat oder mehr privat" auch noch durch das Dienstleistungs-Handelsabkommen GATS, das Privatisierungsbestrebungen im Bereich der so genannten Daseinsvorsorge, also etwa bei Kanalisation und Bildung, vorsieht.

Info-Tipp:

- Nähere Informationen zur ÖIAG, zu deren Geschichte und zu bereits stattgefundenen Privatisierungen finden Sie im Internet unter www.oiag.at.
- Einige Fakten zur Privatisierung österreichischer und europäischer Staatsunternehmen bietet die Studie „Privatisierung und Liberalisierung öffentlicher Dienstleistungen in der EU", unter Tel.: 0664/142 77 27 zu erhalten oder im Internet unter www.politikberatung.or.at zum Download oder Nachlesen verfügbar.

Schwarzarbeit

- Was genau gilt als Schwarzarbeit?
- Wie hoch ist der Anteil der Schwarzarbeit an der Gesamtwirtschaft?
- Was sind die Ursachen für Pfuschertum?
- Welche Auswirkungen haben Pfusch und Schwarzarbeit auf die Wirtschaft?
- Welche Risiken birgt Schwarzarbeit für Pfuscher und Auftraggeber?
- Wie soll die Schwarzarbeit eingedämmt werden?

Was genau gilt als Schwarzarbeit?

Jeder kennt jemanden, der es schon einmal gemacht hat, und praktisch jeder war – vielleicht unbewusst – schon einmal daran beteiligt: Schwarzarbeit ist ein bedeutender und ständig wachsender Wirtschaftsfaktor in nahezu jeder Volkswirtschaft. Experten sprechen hier von der so genannten Schattenwirtschaft, unter der alle Geschäfte ohne Rechnung, Steuerhinterziehung oder auch ganz simple Nachbarschaftshilfe zusammengefasst werden. Als wichtigster Bereich innerhalb der Schattenwirtschaft gilt die Schwarzarbeit, wobei hier sowohl Schwarzarbeiter als auch Schwarzunternehmer ihren Anteil daran haben. Die Unternehmer können Schwarzarbeiter beschäftigen, einen Auftrag ohne Rechnung durchführen oder Geschäftsfälle rechtlich falsch einstufen, wie etwa Dienstverträge als Werkverträge ausweisen oder Vollzeitarbeiter als geringfügig Beschäftigte einstufen. Die Arbeitnehmer können sich an der Schattenwirtschaft beteiligen, indem sie sich etwa von ihrem Chef bar – ohne irgendwelche Versicherungsbeiträge oder Steuerabzüge – auszahlen lassen oder indem sie neben ihrem Hauptjob als gelernte Elektriker oder Kfz-Mechaniker im Pfusch noch ein paar Nebengeschäfte erledigen.

Dabei ist zu unterscheiden zwischen zwei Formen von Tätigkeiten:

- Einerseits gibt es durchaus legale Tätigkeiten, wie etwa Babysitten, Haushaltshilfen aller Art, den Nachhilfeunterricht oder die kleine „private" Reparaturwerkstatt, die per se nicht kriminell sind. Sie unterscheiden sich aber – schwarz ausgeübt – von den regulären wirtschaftlichen Tätigkeiten durch die Tatsache, dass sie ohne Anmeldung und Versteuerung ablaufen oder dass damit behördliche Vorschriften umgangen werden.
- Andererseits gibt es Tätigkeiten, die von vornherein als illegal gelten, wie etwa Schmuggel, Zuhälterei, illegale Glücksspiele, Unterschlagung, Erpressung und Ähnliches.

Nicht zur Schwarzarbeit zählt die eingangs erwähnte Nachbarschaftshilfe. Sie ist zwar Teil der Schattenwirtschaft, weil durch den Einsatz von Nachbarn und Verwandten immer wieder ganze Eigenheime errichtet werden und somit auch dadurch der offiziellen Wirtschaft beträchtliche Einnahmen entgehen. Andererseits umfasst sie aber auch alle unentgeltlichen Leistungen, wie etwa ehrenamtliche Tätigkeiten, die gesamte Hausarbeit oder eben die kostenlose Hilfeleistung zwischen Nachbarn, die unerlässlich für eine funktionierende Gemeinschaft und daher auch nach Lesart von Ökonomen durchaus begrüßenswert ist.

Wie hoch ist der Anteil der Schwarzarbeit an der Gesamtwirtschaft?

Ob legal oder illegal – eines haben alle nicht gemeldeten Nebengeschäfte gemeinsam: Sie sind schwer messbar. Denn wer am Finanzamt und an der Sozialversicherung vorbei arbeitet oder gar eine von vornherein kriminelle Aktion dreht, hängt das nicht an die große Glocke. Schließlich drohen Strafen und Steuernachzahlungen. In manchen Bereichen, wie etwa dem Hausbau, kann zwar durch Befragungen ein gewisser repräsentativer Wert erhoben werden, welche Anteile daran der Schattenwirtschaft zuzuordnen sind. Ansonsten muss aber weitgehend geschätzt und hochgerechnet werden.

Das Forschungsinstitut KMU Forschung Austria, das vor allem die Entwicklung von Gewerbe und Handwerk verfolgt, schätzt, dass sich die Geschäfte ohne Rechnung auf 4,2 Mrd. Euro belaufen, wobei rund 2,3 Mrd. auf Bauleistungen entfielen, 300 Mio. Euro auf den Bereich Kfz-Reparaturen und 460 Mio. Euro auf Haushaltshilfe und sonstige Dienstleistungen. Die Statistik Austria geht davon aus, dass der Schwarzarbeitsanteil am Bruttoinlandsprodukt (BIP) 3,4 Prozent ausmacht. Das wären etwa 7,3 Mrd. Euro, die pro Jahr am Fiskus vorbei erwirtschaftet werden – Tendenz steigend. Andere Berechnungen weisen sogar noch deutlich höhere Zahlen auf. So liegt der Anteil der Pfuscherrate nach Schätzungen der EU-Kommission innerhalb der EU zwischen 7 und 16 Prozent.

Das trifft sich mit der Einschätzung der OECD, die bei ihren Berechnungen von 21 OECD-Ländern und 22 Reformländern ausging: Demnach lag der Anteil der Schattenwirtschaft zwischen 2001 und 2002 im Schnitt bei 16,7 Prozent des BIP, wobei die Reformländer im Osten und Südosten Europas mit einem durchschnittlichen Anteil von 38 % am BIP den Gesamtwert kräftig nach oben drückten. Für Österreich wurde dabei ein schwarz erwirtschafteter BIP-Anteil von rund 10 Prozent ausgewiesen, für Deutschland sogar rund 16 Prozent.

Was sind die Ursachen für das Pfuschertum?

Als Ursachen werden vor allem hohe Abgabequoten angeführt. Die OECD nennt hier als „schlechte" Beispiele Griechenland, Belgien, Italien und Schweden mit einem entsprechend hohen Schwarzarbeitsanteil von 20 Prozent am BIP. In den USA und der Schweiz hingegen – beide mit vergleichsweise niedrigem Steuersatz – mache die Schattenwirtschaft nur zwischen 7,5 und 9 Prozent des BIP aus.

Inoffizielle, verborgene oder gar illegale Geschäfte würden demnach einen Teufelskreis auslösen: Je mehr Menschen in der Schattenwirtschaft tätig wären, desto stärker gingen die Steuereinnahmen zurück. Die Regierung erhöhe daher die Steuern, und das treibe noch mehr Menschen in die Schwarzarbeit.

Hohe Steuern und Abgaben sind aber – darin sind sich die Experten einig – mit Sicherheit nicht die einzigen Ursachen, die Schwarzarbeit attraktiv machen. Die Gründe, bar auf die Hand zu arbeiten, sind vielfältig:

- **Behördliche Vorschriften und Regelungen** lassen sich damit umgehen: etwa Zulassungsbeschränkungen, gewerbliche Prüfungen, komplizierte Genehmigungsverfahren, kostspielige Auflagen und Ähnliches, die nicht nur Zeit und Geld kosten, sondern in manchen Fällen von vornherein verhindern, dass jemand eine bestimmte Tätigkeit ausüben kann.

- **Hauswirtschaftliche Dienstleistungen** machen einen großen Bereich aus. Sie werden oft von Bekannten, Verwandten und Nachbarn geleistet. Kinderbetreuung, Reinigungsarbeiten oder auch die Betreuung von älteren Menschen wird großteils von Mädchen oder Frauen erledigt, die zum Teil noch über die Eltern oder über den Ehepartner mitversichert sind. Weder die Auftragnehmerinnen noch die Auftraggeber haben großes Interesse daran, den bürokratischen Aufwand des Anmeldens und Versicherns auf sich zu nehmen. Zudem würden reguläre Arbeitsverhältnisse diese Leistungen oft so teuer machen, dass sie nicht in Anspruch genommen werden könnten.

- **Umgehung von Steuer- und Sozialabgaben:** Neben den zahlreichen „Einzelkämpfern", die nach Feierabend Autos reparieren, Baugruben ausheben oder Böden verlegen, verrechnen oft auch reguläre Betriebe einen Teil ihrer Leistungen schwarz. Der Kunde erspart sich damit die Umsatzsteuer, und für den Unternehmer fallen Einkommensteuer und Sozialabgaben weg. Speziell in Branchen und Regionen, wo sich viele Pfuscher tummeln, bietet sich so die Chance, mit den Dumpingpreisen der „privaten Anbieter" mitzuhalten.

- **Beziehern von staatlichen Unterstützungsgeldern** (wie Arbeitslosengeld, Notstandshilfe, Kurzarbeitsbeihilfe und Ähnlichem) bietet die

Schattenwirtschaft die Chance, das knappe Budget ein wenig aufzufetten. Es gibt zwar die Möglichkeit, „offiziell" hinzuzuverdienen; die Zuverdienstgrenzen sind aber nicht allzu hoch, und da es hier oft auf jeden Euro ankommt, hat ein unversteuertes Zusatzeinkommen zweifelsohne seinen Reiz. Das gilt auch bei geringfügiger Beschäftigung: Durch den Hauptjob ist die Sozialversicherung gewährt, alles andere fließt brutto für netto in die Haushaltskasse.

- **Hinzuverdienst bei verringerter Arbeitszeit:** Eine immer wichtigere Rolle spielte in den vergangenen Jahren die Arbeitszeitverkürzung, durch die viele Menschen plötzlich über mehr Freizeit verfügten, als sie sich vielleicht gewünscht hatten. Ein kleiner Nebenjob gleicht in diesem Fall Einkommensverluste aus. Letzteres trifft auch auf Pensionisten zu, die sich nicht ausgelastet fühlen, speziell wenn sie eigentlich noch arbeiten wollten, aber zur Entlastung des Arbeitsmarkts in die Frühpension gedrängt wurden.

- **Umgehung der Arbeitsbewilligung:** Eine Kategorie für sich sind Asylbewerber und Ausländer aus Nicht-EU-Staaten, die keine Arbeitsbewilligung erhalten, aber trotzdem einreisen, um illegal zu arbeiten. Für sie stellt die Schattenwirtschaft klarerweise die einzige Möglichkeit dar, im Zielland Arbeit zu erhalten.

Welche Auswirkungen haben Pfusch und Schwarzarbeit auf die Wirtschaft?

Wer pfuscht, zahlt keine Steuern und keine Sozialversicherung. Der öffentlichen Hand entgehen dadurch jährlich Beiträge und Abgaben in Höhe von mehreren Milliarden Euro. Dem wird allerdings oft entgegengesetzt, dass die Einnahmenverluste in Wirklichkeit nicht so hoch seien, wie sie auf den ersten Blick erschienen. Schließlich würden viele Aufträge und Geschäfte, die schwarz abgewickelt werden, gar nicht zustande kommen, wenn die Kunden den regulären Preis dafür zahlen müssten. Die Hausarbeit würde dann eben so gut wie möglich selbst erledigt, die Haare würden selbst gewaschen und gelegt und der Anbau eines Wintergartens nicht in Angriff genommen oder bestenfalls in Eigenregie durchgeführt. Erhält der Pfuscher den Auftrag, finanziert er sich mit dem Zusatzeinkommen vielleicht seinen Jahresurlaub oder eine neue Wohnzimmergarnitur, sprich: Er hat ein höheres Einkommen und kann daher mehr ausgeben. Zum anderen muss auch für Schwarzarbeiten Material eingekauft werden – seien es Kosmetikprodukte für die private Manikür- und Friseurstube oder Zement, Fliesen und Armaturen für den Allround-Pfuscher. Der Fiskus profitiert davon durch die Umsatzsteuer und der Handel durch einen höheren Umsatz.

Welche Risiken birgt Schwarzarbeit für Pfuscher und Auftraggeber?
Neben den volkswirtschaftlichen Schäden kann Schwarzarbeit aber für alle Beteiligten selbst erhebliche Nachteile mit sich bringen: Einer davon ist, dass sie sich weit gehend im rechtsfreien Raum abspielt. Wird also eine vereinbarte Leistung nicht erbracht oder treten kurz darauf Mängel an der im Pfusch verputzten Wand auf oder wird der vereinbarte Preis nicht bezahlt, kann auch nicht geklagt werden. Beim Pfusch am Bau sollte der Hausherr auch beachten, dass er für Personenschäden zur Verantwortung gezogen werden kann. Im schlimmsten Fall kann ihm sogar die Benutzungsbewilligung verweigert werden, da dafür Bescheinigungen von Professionisten vorzuweisen sind.

Aber auch den Pfuschern selbst bringt die Schwarzarbeit längerfristig nichts Gutes. Mit der Verlagerung von Jobs vom regulären Arbeitsmarkt hin zum inoffiziellen geht ein Verlust von Arbeitnehmerrechten einher. Wer angestellt arbeitet, kann nicht von heute auf morgen gekündigt und auch nicht nach Belieben eingesetzt werden. Er hat Anspruch auf ein gewisses Mindestentgelt, und das in der Regel 14-mal im Jahr und auch dann, wenn er krank ist und in Urlaub geht. Auf dem schwarzen Arbeitsmarkt erhält der Billigste den Zuschlag, bezahlt wird nicht mehr als das, was er leistet – ungeachtet von Unfällen oder Krankheit. Die Schwarzarbeiter übernehmen also gewissermaßen das unternehmerische Risiko: Gibt es Arbeit, dann werden sie eingesetzt. Gibt es nichts zu tun, dann haben sie Pech gehabt und müssen selber sehen, wo sie bleiben.

Wie soll die Schwarzarbeit eingedämmt werden?
Eine wichtige Forderung, um diese Entwicklung zu unterbinden, lautet daher, die Arbeitskosten zu reduzieren. Mit geringeren Lohnnebenkosten würde die regulär verrechnete Arbeitsstunde deutlich günstiger; das würde nicht nur preiswertere Leistungen für den Kunden mit sich bringen, sondern die Unternehmen auch dazu veranlassen, mehr Arbeitskräfte einzustellen. Daneben sind immer wieder Modelle in Diskussion, die zum Teil in anderen EU-Ländern schon versuchsweise laufen, wie etwa die Einführung eines Haushaltsschecks nach deutschem Vorbild: Mittels steuerlicher Förderung und vereinfachten Anmeldeformalitäten sollen vor allem die inoffiziellen Arbeitsverhältnisse in privaten Haushalten legalisiert werden. Oder die reduzierte Mehrwertsteuer für eine Reihe von Dienstleistungen und handwerklichen Tätigkeiten beim Hausbau, bei Renovierungs- oder Reparaturarbeiten oder auch für Reinigungs- und Pflegedienste: Dabei soll der Mehrwertsteuersatz – wie etwa in Frankreich von 20,6 auf 5,5 Prozent – so weit gesenkt werden, dass den Pfuschern reguläre Anbieter (mit entsprechender Rechtssicherheit) vorgezogen werden.

Die österreichische Regierung hat sich diesbezüglich noch nicht festgelegt. Sicher ist aber, dass gegen das Pfuschertum nun schwerere Geschütze aufgefahren werden sollen. Schwarzarbeit und Schwarzbeschäftigung sollen nicht mehr länger als Kavaliersdelikte gelten, und um dieser Botschaft auch entsprechenden Nachdruck zu verleihen, wurden vermehrte Kontrollen und deutlich höhere Strafen angekündigt. Pfuscher und Schwarzunternehmer, die ertappt werden, müssen in Hinkunft mit bis zu mehreren tausend Euro Geldstrafe rechnen. Bereits jetzt kontrolliert eine Sondereinheit des Finanzministeriums immer öfter Baustellen, um schwarze Schafe der Baubranche mit illegal Beschäftigten aufzudecken.

Sozialpartnerschaft

• Wer sind die Sozialpartner und welche Ziele verfolgen sie?
• Was sind ihre Aufgaben?
• Wie hat sich die Sozialpartnerschaft entwickelt?
• Wie können sich die Sozialpartner durchsetzen?
• Inwiefern hat sich die Rolle der Sozialpartner verändert?
• Hat die Sozialpartnerschaft ausgedient?

Wer sind die Sozialpartner und welche Ziele verfolgen sie?

Die Wirtschafts- und Sozialpartnerschaft, meist kurz als „Sozialpartnerschaft" bezeichnet, ist ein System der wirtschafts- und sozialpolitischen Zusammenarbeit zwischen den Interessenverbänden der Arbeitgeber (Wirtschaftskammer Österreich und Präsidentenkonferenz der Landwirtschaftskammern) und der Arbeitnehmer (Bundesarbeitskammer und Österreichischer Gewerkschaftsbund). Als Dritter im Bunde fungiert der Staat, das heißt die jeweilige Regierung. Nur wenn diese mitspielt, können die gemeinsam erarbeiteten Lösungsvorschläge der beiden anderen Sozialpartner auch in die Tat umgesetzt werden. Denn die Sozialpartnerschaft ist verfassungsrechtlich nicht verankert. Es handelt sich um eine informelle Zusammenarbeit, die sich auf die Freiwilligkeit der beteiligten Akteure stützt.

Der Grundgedanke der Sozialpartnerschaft besteht darin, grundlegende Ziele der Wirtschafts- und Sozialpolitik durch koordiniertes Handeln und in Abstimmung mit allen Seiten besser zu erreichen als durch offene Austragung von Konflikten, wie zum Beispiel Streiks. Oder anders ausgedrückt: Probleme zwischen Arbeitgebern und Arbeitnehmern sollen am Verhandlungstisch ausgetragen werden statt auf der Straße.

Was sind ihre Aufgaben?

- Eine der Hauptaufgaben ist das meist jährliche Ausverhandeln der Kollektivvertragslöhne, wo die Arbeitgebervertreter und Gewerkschafter der jeweiligen Branchen ein ausgewogenes Verhältnis zwischen Preis- und Lohnsteigerungen zu erzielen versuchen.

- Daneben hat sich die Zusammenarbeit der Verbände seit 1957 wesentlich in den Einrichtungen der Paritätischen Kommission vollzogen. Dort sind die Spitzenrepräsentanten der Regierung und der vier großen Interessenverbände vertreten. Die Paritätische Kommission befasste sich ursprünglich vor allem mit der Preiskontrolle und Inflationsbekämpfung und dient heute vor allem als institutionalisierte Gesprächsebene, in der zu wichtigen Anlässen Strategien und Maßnahmen oder allfällige Konflikte diskutiert werden. Wichtigster Unterausschuss der Paritätischen Kommission ist der Beirat für Wirtschafts- und Sozialfragen, der im Auftrag der Präsidenten der vier Interessenverbände oder auf Ersuchen der Regierung Studien und gemeinsame, einvernehmliche sozialpolitische Empfehlungen der Sozialpartner erarbeitet. Für die Ausarbeitung solcher Studien werden in der Regel Arbeitsgruppen mit immer wieder unterschiedlichen Experten aus allen Bereichen von Wissenschaft und Praxis eingesetzt.

- Außerdem wirken die Sozialpartner in zahlreichen Kommissionen, Beiräten und Ausschüssen mit, etwa im Lehrlingswesen, bei der Kontrolle der Arbeitsbedingungen, in Wettbewerbs-, Arbeitsmarkt- und Konsumentenpolitik und in Fördereinrichtungen.

- Dazu kommt die informelle Verhandlungsführung, etwa in Angelegenheiten des Arbeits- und Sozialrechts, Gewerbe- und Familienrechts, wo eine Einigung auf Sozialpartnerebene vielfach eine notwendige Vorleistung für eine sachgerechte Lösung auf politischer Ebene ist.

Wie hat sich die Sozialpartnerschaft entwickelt?

Ihren Ursprung nahm die Sozialpartnerschaft kurz nach dem Zweiten Weltkrieg, als die Preise immer wieder den Löhnen davonliefen. Zwischen April und Juni 1947 stiegen zum Beispiel die Lebensmittelpreise um 83 Prozent, während die Gehälter nur um 20 Prozent zulegten. Die Arbeiterkammer Wien hatte bereits im September 1945 der Wiener Handelskammer vorgeschlagen, ein Komitee zur Beratung dringlicher Probleme auf sozialpolitischem Gebiet einzurichten. 1947 wurde dann gemeinsam von den eingangs genannten vier Dachverbänden eine Wirtschaftskommission gegründet – mit dem Ziel, die wirtschaftliche Entwicklung zu beobachten und zur Gesundung der Wirtschaft entsprechende Vorschläge an die Regierung auszuarbeiten. Als erster Schritt wurde das erste Lohn- und Preisabkommen abgeschlossen, dem bis 1951 noch weitere vier Abkommen folgen sollten. Hauptzweck dieser Abkommen war es, die immer schneller zunehmende Kluft zwischen Produktionskosten und Preisen einerseits sowie Löhnen und Lebenserhaltungskosten andererseits zu mindern.

Ab 1952 verlor die Sozialpartnerschaft zunächst an Bedeutung, bis es 1957 auf Initiative der Gewerkschaft zur Einrichtung der Paritätischen Kommission durch den vormaligen Präsidenten der Bundeswirtschaftskammer und damaligen Bundeskanzler Julius Raab und den Präsidenten des ÖGB, Johann Böhm, kam. In den folgenden Jahren erweiterte sich die Zusammenarbeit und die Dachverbände erzielten Einigung darüber, dass eine sinnvolle Zusammenarbeit zur Erreichung eines beschleunigten Wachstums und einer Steigerung des Volkseinkommens beitragen könne. Das so genannte Raab-Olah-Abkommen verfestigte diesen Konsens. In den 70er-Jahren erlebte die Sozialpartnerschaft unter dem Gespann Rudolf Sallinger (Wirtschaftskammer) und Anton Benya (ÖGB) eine (vorerst letzte) Hochblüte, unter anderem in Form so genannter Lohn-Preis-Pausen, die zur Stabilisierung von Löhnen und Preisen dienen sollten.

Auch wenn es manchmal so scheint, ist die Sozialpartnerschaft kein österreichisches Unikum. Es gibt sie in vielen anderen Ländern, vor allem in den EU-Ländern. In der Europäischen Beschäftigungsstrategie (siehe Beschäftigung) ist die Förderung der Sozialpartnerschaft sogar ausdrücklich festgelegt. Allerdings hat die österreichische Version der sozialpartnerschaftlichen Zusammenarbeit bisweilen ein Ausmaß und eine Effizienz erreicht, die weltweit Beachtung fand. Die Folge war ein sozial äußerst stabiles Land mit einer Streikquote, die in vielen Jahren nur in Minuten ausgedrückt werden konnte – ein Qualitätsmerkmal für viele ausländische Betriebe und deren Direktinvestitionen.

Und selbst nach den – für österreichische Verhältnisse zum Teil harten – Auseinandersetzungen rund um die Pensionsreform 2003 ist der soziale Friede noch nicht in Gefahr: Das Gesprächsklima der Sozialpartner ist, anders als etwa in Deutschland oder Frankreich, nach wie vor intakt.

Wie können sich die Sozialpartner durchsetzen?

Auch wenn der Begriff „Sozialpartner" an sich schon für den guten Willen steht, sich zusammenzureden, anstatt wie echte Vertragsgegner gleich von vornherein mit schweren Geschützen aufzufahren, kann sich eine Patt-Situation ergeben, in der nichts mehr geht. Selten, aber doch ist dann in Österreich auf Seiten der Arbeitnehmervertreter zunächst von Kampfmaßnahmen die Rede und – wie zuletzt bei der Pensionsreform 2003 – sogar von Streik.

Ein spezielles Arbeitskampf-Recht gibt es in Österreich nicht, da die Beurteilung und Beilegung von Arbeitskämpfen als Aufgabe der Tarifpartner und nicht der Gerichte betrachtet wird.

Als Streik gilt die Verweigerung, trotz bestehenden Arbeitsvertrags eine Arbeitsleistung zu erbringen. Da die Arbeitnehmer für die Zeit des Streiks kein Entgelt erhalten würden, leistet die Gewerkschaft bei von ihr genehmigten Streiks aus dem Streikfonds den Lohnersatz für die Dauer des Streiks.

Die einigermaßen messbaren wirtschaftlichen Folgen eines eintägigen Streiks wie im Juni 2003 halten sich in Grenzen, weil sich viele Arbeitnehmer dafür frei nahmen oder die liegen gebliebene Arbeit in den darauf folgenden Tagen wieder einarbeiteten. Das Wirtschaftsforschungsinstitut rechnete mit einem Schaden von 20 bis 30 Mio. Euro. Für gravierender wurde allerdings das negative Bild gehalten, das Österreich damit an ausländische Investoren vermittelte, und die Verschlechterung des wirtschaftspolitischen Gesprächsklimas innerhalb der österreichischen Grenzen.

Die wichtigsten Formen von Streik

- **Protestversammlung:** Wird zur Information und Beratung der Belegschaft während der Arbeitszeit eingesetzt.
- **Passive Resistenz:** Produktion und Arbeitsablauf werden durch extrem enge, bürokratische Auslegung der Vorschriften und Regeln behindert.
- **Warnstreik:** Ein befristeter Streik, der als Warnsignal gedacht ist.
- **Proteststreik:** Ein befristeter Arbeitskampf, der sich gegen einen konkreten Vorfall richtet.
- **Sitzstreik:** Die streikenden Beschäftigten bleiben zwar im Betrieb, erbringen dabei aber keine Arbeitsleistung.
- **Abwehrstreik:** Wird zur Verhinderung von Anschlägen auf die Arbeitsbedingungen oder die soziale Sicherheit eingesetzt.
- **Betriebsstreik:** Arbeitsniederlegung aller Beschäftigten eines bestimmten Betriebs.
- **Vollstreik:** Arbeitsniederlegung aller Beschäftigten eines bestimmten Wirtschaftszweigs.
- **Generalstreik:** Arbeitsniederlegung aller Beschäftigten, die allerdings nur bei Gefahr für die Demokratie oder die Gewerkschaft eingesetzt wird.
- **Hungerstreik:** Um Forderungen durchzusetzen, wird die Nahrungsaufnahme verweigert.

Inwiefern hat sich die Rolle der Sozialpartner verändert?

Die Sozialpartner haben im Laufe der vergangenen 20 bis 30 Jahre an Bedeutung verloren. Als Gründe dafür nennt der Politikwissenschaftler Emmerich Tálos unter anderem folgende:

- Die Regierung nimmt bei der Entscheidungsfindung und Formulierung der Politik eine bestimmtere Rolle ein. Das gilt nicht nur für EU-relevante Themen, wo sie der vorrangige Adressat und Akteur ist (zum Beispiel beim Nationalen Aktionsplan für Beschäftigung), sondern auch bei innerösterreichischen Themen. So geben die Regierungsparteien bei wichtigen Entscheidungen, wie etwa den Sparpaketen und der Pensionsreform, die Vorgangsweise und die Kerninhalte vor. Die Mitbeteiligung der Sozialpartnerverbände beschränkt sich zunehmend darauf, die vorgegebenen Inhalte anzuerkennen, anstatt sie mitzugestalten. Aktuellstes Beispiel: die Harmonisierung der Pensionssysteme im Herbst 2003, die ÖVP-Klubobmann Wilhelm Molterer als Lackmustest für die „Problemlösungsfähigkeit" der Sozialpartnerschaft bezeichnete. Komme es zu keiner Einigung, so Molterer, dann entscheide die Regierung alleine.

- An die Stelle des jahrzehntelang bestimmenden Politikduos SPÖ und ÖVP, das bei der Entscheidungsfindung immer auch gleich den Konsens mit den Sozialpartnern mitdachte, ist ein Mehrparteiensystem getreten. Durch die größer gewordene Parteienkonkurrenz sind die Parteien nun auch bei Themen gefordert, die sonst von den Verbänden inhaltlich gestaltet wurden (Beispiel Ausländerintegration und -beschäftigung).

- Die traditionellen Allianzen (SPÖ = ÖGB und Arbeiterkammer, ÖVP = Wirtschaftskammer und Industriellenvereinigung) haben sich aufgeweicht. Besonders deutlich wurde das bei den inhaltlichen Differenzen hinsichtlich der Politik der Sparpakete und der ersten großen Pensionsreform im Jahr 1997, wo sich zwischen SPÖ und Arbeitnehmervertretern tiefe Gräben auftaten. Bei der Pensionsreform 2003 wiederum stellte sich neben anderen hochrangigen ÖVP-Vertretern auch der überzeugte Sozialpartner und Wirtschaftskammer-Präsident Christoph Leitl zunächst deutlich gegen die von der Regierungspartei beschlossenen Pensionsreformpläne und schwenkte erst kurz vor Beginn der Streiks auf den Kurs seiner Partei ein.

- Durch die Mitgliedschaft bei der EU gibt es in manchen Politikfeldern weniger nationalen Gestaltungsspielraum, weil auf Gemeinschaftsebene entschieden wird. Bestes Beispiel: die Agrarpolitik. Die nationalen

Entscheidungsträger sind zwar eingebunden, aber das Endergebnis kann nicht mehr als ein Kompromiss zwischen den 15 Regierungspositionen sein.

Hat die Sozialpartnerschaft ausgedient?

Anlässlich der Pensionsreform 2003 wurde der Sozialpartnerschaft wieder einmal die Sterbeglocke geläutet. „Nicht mehr zeitgemäß", „mangelnde Problemlösungskapazität" und „reformbedürftig" lauteten einige der Vorwürfe. Nicht zum ersten Mal. Bereits seit den 80er-Jahren wird der Sozialpartnerschaft in regelmäßigen Abständen der Abgesang bereitet. Vor allem Mitte der 90er-Jahre, bei zunehmend schlechter Wirtschaftslage, häuften sich die negativen Schlagzeilen: „Sozialpartner in der Krise" (Kurier, 27.9.1996), „Sozialpartner: jetzt fliegen die Fetzen" (Kärntner Zeitung, 17.10.1996), „Götterdämmerung der Sozialpartnerschaft" (Standard, 25.11.1996) oder ein Inserat des Rings freiheitlicher Wirtschaftstreibender, in dem die Sozialpartnerschaft als antidemokratische Schattenregierung bezeichnet wurde, die eine Gefahr für die Wirtschaft sei (Standard, 10.12.1996).

Wie ist der Stand der Dinge sieben Jahre später? Nicht sehr viel anders, um es kurz zu fassen. Auf der einen Seite wird weiterhin die Bedeutung der Sozialpartner für das Land beschworen. So hielt etwa Bundeskanzler Schüssel in seiner Regierungsantrittsrede im Frühjahr 2003 fest, dass die „österreichischen Sozialpartner einen unverzichtbaren Beitrag für Österreich und seine Menschen leisten. Nicht nur als Interessenvertreter von Arbeitnehmern und Arbeitgebern, sondern auch für die Gesamtheit unserer sozialen und wirtschaftlichen Entwicklung". Und die personifizierten Leitbilder der Sozialpartnerschaft – ÖGB-Präsident Fritz Verzetnitsch und Wirtschaftskammer-Präsident Christoph Leitl – betonen, dass sie ungeachtet aller Unstimmigkeiten weiterhin an dem bewährten Modell festhalten wollen.

Auf der anderen Seite werden die angeblich guten Absichten stark bezweifelt – Chefredakteur Ronald Barazon von den Salzburger Nachrichten beispielsweise schreibt, dass sich Bundeskanzler Schüssel mit seiner Politik der Härte gegenüber den Sozialpartnern von der Konsensdemokratie der Zweiten Republik verabschiedet habe – bzw. wird der sozialpartnerschaftliche Bedeutungsverlust freudig wahrgenommen (Hans Köppl von den Oberösterreichischen Nachrichten hält die Tatsache, dass die Sozialpartner nun keine nicht-informelle Mitbestimmungsmacht mehr haben, als unerhörte Chance für die demokratische Kultur).

Und was sagen die eigentlich Betroffenen? Geht es nach der österreichischen Bevölkerung, dann hat die Sozialpartnerschaft keineswegs ausgedient. Wie das Meinungsforschungsinstitut Fessel-GfK im Jahr 2002 erhob, gibt es eine ganze Reihe von Aktivitätsbereichen, bei denen die Österreicher sich eine intensivere Mitwirkung der Sozialpartner wünschen würden.

Sozialpartnerschaft – gewünschte Aktivitätsfelder
Die Sozialpartner sollten sich intensiver befassen mit ...

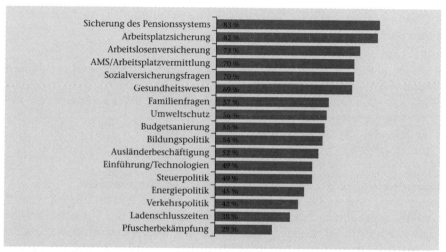

Sicherung des Pensionssystems	83 %
Arbeitsplatzsicherung	82 %
Arbeitslosenversicherung	73 %
AMS/Arbeitsplatzvermittlung	70 %
Sozialversicherungsfragen	70 %
Gesundheitswesen	69 %
Familienfragen	57 %
Umweltschutz	56 %
Budgetsanierung	55 %
Bildungspolitik	54 %
Ausländerbeschäftigung	52 %
Einführung/Technologien	49 %
Steuerpolitik	49 %
Energiepolitik	45 %
Verkehrspolitik	42 %
Ladenschlusszeiten	38 %
Pfuscherbekämpfung	29 %

Quelle: Fessel-GfK 2002, WKO

Auch in der Wirtschaft gibt es den Wunsch, das bewährte Modell fortzusetzen. So gaben zum Beispiel bei einer Umfrage der Industriellenvereinigung Tirol Ende 2001 84 Prozent der befragten Unternehmer an, dass die Sozialpartnerschaft auf Kollektivvertrags- bzw. Branchenebene als Instrument des friedlichen Miteinander auch in Zukunft eine große Rolle spielen sollte.

Für die Sozialpartnerschaft sprechen auch Beispiele aus der Praxis: So weisen etwa Irland und die Niederlande, die 2003 in vielen EU-weiten Vergleichen Spitzenplätze einnehmen, eine hohe sozialpartnerschaftliche Einbindung auf (Wirtschaftsspiegel Nr. 15 des Bundesministeriums für Wirtschaft und Arbeit, 7.10.2002).

Wie sich die Sozialpartnerschaft in Österreich weiter entwickeln wird, ist dennoch offen, denn sie basiert auf freiwillig vereinbarten Spielregeln und daher auf dem Willen zur Zusammenarbeit der beteiligten Personen. Ob und wie die Funktionsfähigkeit der Sozialpartner erhalten bleibt, hängt daher letztlich von allen drei Beteiligten ab – Arbeitgebern, Arbeitnehmern und Regierung – und davon, inwieweit sie zu dem gesellschaftlichen Grundkonsens stehen, dass die Sozialpartnerschaft ein Konfliktregelungs- und Steuerungsmechanismus bleiben soll, um soziale Spannungen abzuschwächen und den sozialen Frieden zu erhalten.

Steuern und Abgaben

- Warum müssen Steuern und Abgaben geleistet werden?
- Wer darf Steuern einheben?
- Was sind die wichtigsten Steuereinnahmen?
- Wieso gibt es immer wieder welche, die durch das Steuernetz schlüpfen können?
- Wie soll die internationale Steuerflucht verhindert und eine gerechtere Besteuerung verwirklicht werden?
- Was bringen die Steuerreformen 2004 und 2005?
- Wie steht Österreich im Abgabenvergleich mit anderen Ländern da?

Warum müssen Steuern und Abgaben geleistet werden?

Die Vorstellung ist verlockend, wenn auch völlig illusorisch: Alles läuft weiter wie gehabt, nur die Steuern fallen weg. Das hieße: Auf einen Schlag wären Lebensmittel, Kleider, Haushaltsgeräte und Autos um bis zu einem Fünftel billiger und auf unseren Gehaltskonten würde Monat für Monat um ein Drittel oder gar um die Hälfte mehr als vorher verbucht werden. Paradiesische Zustände? Wohl kaum, denn mit Abgaben, die der Sammelbegriff für alles sind, was wir an Beiträgen, Gebühren und Steuern in die öffentlichen Kassen einzahlen müssen, wird vieles finanziert, was uns mittlerweile als selbstverständlich erscheint: die Schneeräumung im Winter, die Müllabfuhr, die den von uns produzierten Abfall wie von Zauberhand verschwinden lässt, der Polizist, der nach dem Ausfall einer Ampel die Kreuzung regelt, der Bautrupp, der die kaputte Straßenbeleuchtung repariert, die Schulen, Museen und Theater oder der Bau und Erhalt von Straßen und Wohnungen. Und auch wenn sich eine Krankheit einstellt oder ein Unfall passiert, ist es ganz gut, zu wissen, dass das diensthabende Personal nicht erst dann zu Messer und Pflaster greift, wenn sichergestellt ist, dass der Patient zahlungskräftig genug ist.

Abgaben in Form von Steuern, Sozialversicherungsbeiträgen oder Gebühren erfüllen also eine wichtige Funktion: Sie sind der Preis, der für öffentliche Leistungen entrichtet werden muss. Je mehr staatliche Leistungen vom Staat angeboten oder von der Bevölkerung gefordert werden, desto höhere Abgaben müssen bezahlt werden.

Wer darf Steuern einheben?

In Österreich heben vor allem Bund und Gemeinden Steuern ein. Die von der Gemeinde kassierten Steuern verbleiben der Gemeinde, um damit das Gemeindepersonal, Straßen, Turnhallen usw. zu finanzieren. Die vom Bund eingehobenen Steuern werden hingegen nach einem Verteilungsschlüssel, der im Finanzausgleichsgesetz geregelt ist, auf Bund, Länder und Gemeinden verteilt. Die Höhe des Betrags, den jede Gemeinde erhält, ist von ihrer Einwohnerzahl abhängig. Daher gibt es anlässlich von Volkszählungen auch immer ein heftiges Gerangel um jeden einzelnen Bürger mit Hauptwohnsitz.

Für den Bürger selbst spielt die Zuordnung eine geringere Rolle, denn um die Steuern kommt er so und anders nicht herum.

Das Unangenehme an Steuern ist der Zwang, sie zahlen zu müssen. Das heißt, rein theoretisch kann sich kein Bürger dieser Pflicht entziehen (mehr dazu weiter unten), auch wenn er im Gegenzug auf sämtliche öffentlichen Leistungen verzichten würde, was praktisch aber nicht möglich ist. Straßen beispielsweise benützen wir alle, und damit dort nicht das Chaos ausbricht, sorgt die vom Staat finanzierte Exekutive für Ordnung.

Zweitens müssen Abgaben ohne Anspruch auf eine unmittelbare Gegenleistung entrichtet werden. Das heißt, es kommen gewissermaßen erst einmal alle Steuereinnahmen in einem großen Topf zusammen und werden dann zur Finanzierung von öffentlichen Leistungen verteilt. Das, was der Einzelne dann aus dem Steuer- und Abgabentopf zurückerhält, entspricht natürlich nicht zwangsläufig dem, was er eingezahlt hat. Beim einen ist es weniger, beim anderen ist es deutlich mehr, als er beisteuern musste. Und je nach der Gruppe, der sich der einzelne Steuerzahler gerade zurechnet, fühlt er sich mehr oder weniger stark „vom Staat ausgenommen" – seien es Biertrinker oder Hundebesitzer, Unternehmer oder Arbeitnehmer oder die viel geprüften Autofahrer, die sich dank Mehrwertsteuer und Normverbrauchsabgabe, motorbezogener Versicherungssteuer und Mineralölsteuer ohnehin als die Melkkühe der Nation schlechthin fühlen.

Was sind die wichtigsten Steuereinnahmen?

Bei den staatlichen Abgaben wird unterschieden zwischen direkten und indirekten Steuern. Direkte Steuern werden bei der Einkommensentstehung eingehoben (also in Form von Lohn- und Einkommensteuer). Indirekte Steuern fallen dann bei der Einkommensverwendung an (etwa in Form von Umsatzsteuer, Mineralöl- oder Tabaksteuer).

Die wichtigsten Abgaben

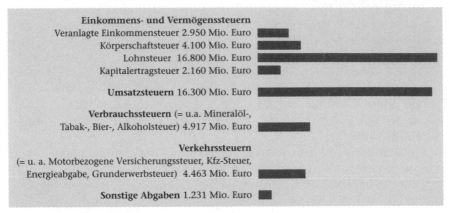

Einkommens- und Vermögenssteuern
Veranlagte Einkommensteuer 2.950 Mio. Euro
Körperschaftsteuer 4.100 Mio. Euro
Lohnsteuer 16.800 Mio. Euro
Kapitalertragsteuer 2.160 Mio. Euro

Umsatzsteuern 16.300 Mio. Euro

Verbrauchssteuern (= u.a. Mineralöl-,
Tabak-, Bier-, Alkoholsteuer) 4.917 Mio. Euro

Verkehrssteuern
(= u. a. Motorbezogene Versicherungssteuer, Kfz-Steuer,
Energieabgabe, Grunderwerbsteuer) 4.463 Mio. Euro

Sonstige Abgaben 1.231 Mio. Euro

Quelle: Oesterreichische Nationalbank, Bundesvoranschlag 2003

Zu den wichtigsten Einnahmequellen des Staates zählen Lohn- und Einkommensteuern sowie die Umsatzsteuern. Am Beispiel der Lohnsteuer lässt sich gut nachvollziehen, dass es eine große Kluft zwischen den Steuereinnahmen aus den verschiedenen Einkommensschichten gibt und warum es daher einen wesentlichen Unterschied macht, ob eine Steuerreform auf bestimmte Einkommensgruppen beschränkt bleibt oder ob sie alle Steuerzahler erfasst: Nach einer Auswertung der Statistik des Landes Oberösterreich und der Statistik Austria stammt nur 1 Prozent der Lohnsteuer von den 38 Prozent Kleinverdienern unter 12.000 Euro Bruttoeinkommen im Jahr (rund 2 Mio. Steuerzahler). Dafür stammen 50 Prozent des Lohnsteueraufkommens von den oberen 600.000 Österreichern, die jährlich mehr als 40.000 Euro verdienen.

Eine steuerliche Entlastung der Kleinverdiener lässt sich daher durchaus werbewirksam, aber mit weitaus geringerem Aufwand bewerkstelligen als eine Steuerreduktion, die auch Besserverdiener spürbar entlastet. Dafür zeigt sie aber auch weniger Wirkung auf die Wirtschaft, denn wo zu einem geringen Einkommen nur ein paar Euro mehr hinzukommen, kann nicht deutlich mehr ausgegeben werden. Aus diesem Grund wurde anlässlich der flauen Wirtschaftslage im Jahr 2003 von verschiedenen Seiten gefordert, die für 2005 geplante, große Steuerreform vorzuziehen und gleich mit der „kleinen Steuerreform" im Jahr 2004 durchzuführen (siehe weiter unten).

Steuertarife und Steuerzahler

Versteuerung des Jahreseinkommens, gestaffelt nach den fünf Einkommensstufen

Einkommensstufen	Steuersatz				
über 50.870 Euro					50 %
21.800–50.870 Euro				41 %	41 %
7.270–21.800 Euro			31 %	31 %	31 %
3.640–7.270 Euro		21 %	21 %	21 %	21 %
unter 3.640 Euro	0 %	0 %	0 %	0 %	0 %
		ca. 2,4 Mio. Steuerpflichtige	ca. 2,2 Mio. Steuerpflichtige	ca. 1,1 Mio. Steuerpflichtige	180.000 Steuerpflichtige

Quelle: Bundesministerium für Finanzen, APA/Wiener Zeitung 2003

Wieso gibt es immer wieder welche, die durch das Steuernetz schlüpfen können?

Keiner reißt sich darum, Steuern zu zahlen. Und auch wenn Steuerhinterziehungen und Steuerflucht im großen Stil regelmäßig für Empörung sorgen, haben doch viele ein gewisses Verständnis für den kleinen, alltäglichen Steuerbetrug. Das lässt zumindest der große Anteil an Schwarzarbeit (nicht nur in Österreich) vermuten. Eine gewisse Rolle dabei spielt nicht zuletzt das schlechte Vorbild, das jene bieten, die es sich nach Ansicht von Otto Normalsteuerzahler „richten können" oder zumindest einen unsauberen Umgang in Fiskalangelegenheiten pflegen, darunter vor allem vermögende Privatpersonen und insbesondere große Unternehmen, aber immer wieder auch Politiker, und sogar die Säckelwarte der Nation selbst sind diesbezüglich schon ins Kreuzfeuer der Kritik gekommen (Beispiel: Hannes Androsch in den 80er-Jahren und Karl-Heinz Grasser im Jahr 2003). Tatsache ist jedenfalls: Je mehr steuerpflichtiges Geld im Spiel ist, desto ausgefeilter werden die Mittel und Wege, um dem Fiskus auszuweichen. Neben der eindeutig illegalen Steuer- und Abgabenhinterziehung, wie sie beim Pfusch anfällt, gibt es vor allem für größere Unternehmen und Multis durchaus legale Methoden, hohe Steuern zu umgehen. Durch die Ansiedelung von Tochterunternehmen in Ländern mit geringer Besteuerung können Gewinne so verteilt werden, dass Firmenniederlassungen in hoch besteuerten Ländern zumindest auf dem Papier nur wenig Ertrag abwerfen.

Oder – auch bei besonders vermögenden Privatpersonen beliebt – es werden Stiftungen gegründet, in denen Vermögenswerte steuerschonend geparkt werden können. Österreich weist hier ein besonders großzügiges Stiftungsrecht auf: Nach einem Eingangssteuersatz von 5 Prozent fallen nur noch 12,5 Prozent Kapitalertragsteuer an, während Sparbuch- und Wertpapiersparer 25 Prozent an das Finanzamt abführen müssen. Besonders den deutschen Finanzern und Bankern sind diese Einrichtungen ein Dorn im Auge, da viele Deutsche ihr Geld in österreichischen Stiftungen angelegt haben.

Eine weitere Möglichkeit, Ertragsteuern weitgehend zu umgehen, bieten die so genannten Steueroasen – Kleinstaaten, oft unabhängige Inseln wie die Bahamas, Bermudas oder Cayman-Inseln, die sich nicht den internationalen Standards zur Bekämpfung von Geldwäsche anpassen.

Wie soll die internationale Steuerflucht verhindert und eine gerechtere Besteuerung verwirklicht werden?

Auch innerhalb der geografischen Grenzen der Europäischen Union finden sich derartige Steueroasen (Kanalinseln, Isle of Man, Andorra, Monaco), manche liegen sogar in einem der EU-Mitgliedstaaten, wie etwa die Freihandelszone Triest oder die Insel Madeira; im Fall von Luxemburg handelt es sich sogar um einen ganzen Mitgliedstaat.

Um die Steuerflucht innerhalb der EU zu verhindern, gab es jahrelange Bemühungen, die Steuern auf Kapitalerträge zu harmonisieren. Erst im Juni 2003 einigten sich die Finanzminister der EU-Staaten auf ein Zinssteuerpaket, demzufolge die EU-Staaten ab 1. Jänner 2005 Informationen über Zinserträge von Bürgern anderer Staaten austauschen müssen. Österreich, Belgien und Luxemburg beteiligen sich nicht am Informationsaustausch; dafür müssen sie allerdings schrittweise eine Quellensteuer von 35 Prozent für ausländische Kapitalerträge einführen.

Daneben bemüht sich die EU um die Abschaffung von Steuervergünstigungen für gebietsfremde Unternehmen und Personen und vor allem für Unternehmen, die keine wirtschaftlichen Aktivitäten aufweisen und gewissermaßen nur als Zwischengesellschaft zur Steuerminderung gegründet werden.

Hier treffen sich die Bemühungen der EU mit den Anliegen der Globalisierungskritiker von attac, die einen einheitlichen Steuersatz auf Unternehmensgewinne und Doppelbesteuerungsabkommen mit den Steueroasen fordern. Nur so könne man nach Ansicht von attac-Pressesprecher Christian Felber erreichen, dass Multis so viel Steuern zahlen müssten wie der Greißler ums Eck. Um die Finanzierbarkeit des Sozialstaats zu sichern, müssten alle Einkommensformen, egal ob aus Arbeit oder Kapital, einheitlich besteuert werden. Damit löse sich auch der Widerspruch auf, dass in einer Gesellschaft, deren Wohlstand beständig zunehme, das tatsächliche Einkommen ganzer Bevölkerungsgruppen, wie etwa der Pensionisten, sinken würde.

In eine ähnliche Richtung geht der Vorschlag des Leiters des Instituts für Höhere Studien (IHS), Bernhard Felderer, der sich im März 2003 im Klub der Wirtschaftspublizisten dafür aussprach, dass Kapitaleinkommen gleich besteuert werden sollten wie die (derzeit deutlich benachteiligten) Einkommen aus Arbeit. So sollten beispielsweise Steuervorteile für Stiftungen, die teils steuerfreie Erträge bedeuten, gestrichen werden.

Was bringen die Steuerreformen 2004 und 2005?

Als wichtigster Einnahmeposten im Budget sind Steuern ein bedeutendes Instrument, um auf die Konjunktur Einfluss zu nehmen. Oft wird dabei antizyklisch – also genau entgegengesetzt dem wirtschaftlichen Trend – vorgegangen: Zeigen die Wirtschaftsdaten nach unten, werden die Steuern gesenkt, um der Bevölkerung mehr Geld zum Ausgeben in der Tasche zu lassen und die Investitionslust der Unternehmer zu fördern. Bei rosigen Konjunkturaussichten wird hingegen die Steuerschraube eher angedreht, um für magere Zeiten anzusparen oder ein bis dahin angehäuftes Budgetdefizit abzubauen.

Unter anderem aus diesem Grund – nämlich um die Konjunktur wieder anzukurbeln – wurden für 2004 und 2005 Steuerreformen geplant. Die erste Entlastung zielt auf kleinere Einkommensbezieher ab und soll ihnen 500 Mio. Euro mehr in der Haushaltskasse bringen. Die zweite, „große" Reform soll alle Steuerzahler betreffen und ein Entlastungsvolumen von 2,5 Mrd. Euro umfassen. Da das Budgetdefizit dadurch nicht wesentlich erhöht werden soll, muss der Finanzminister die zwei Steuerzuckerl auf andere Weise finanzieren. Geplant sind daher unter anderem Ausgabenreduzierungen bei der Verwaltung, durch Pensions- und Gesundheitsreform, aber auch durch neue bzw. höhere Abgaben, etwa der Mineralöl- und Energiesteuern.

Die Meinungen zur Sinnhaftigkeit und zum Zeitpunkt der Steuerentlastungen gingen allerdings schon kurz nach Bekanntwerden der Pläne im Frühjahr 2003 auseinander. Einerseits wurde kritisiert, dass die Steuerreformen nicht umfassend genug seien, um die Wirtschaft spürbar zu beleben. Andererseits würden sie nicht die vom Finanzminister versprochenen „1.000 Euro für jeden Österreicher" bringen, weil im Gegenzug andere Steuern erhöht und Selbstbehalte im Gesundheitswesen eingeführt würden. Außerdem plädierten viele Wirtschaftsvertreter für ein Vorziehen der großen Reform auf 2004. Der lahmen Wirtschaft müsse so rasch wie möglich auf die Beine geholfen werden, lautete im Sommer 2003 der Tenor von SPÖ, Grünen, Teilen der FPÖ, aber auch von Unternehmern und Wirtschaftsexperten, wie etwa dem Mitglied der Steuerreformkommission, Wirtschaftstreuhänder Karl E. Bruckner.

Die Regierung sprach sich allerdings vorerst vehement gegen ein Vorziehen wie etwa in Deutschland aus. Flankiert wurde diese Ansicht von den Wirtschaftsforschungsinstituten WIFO und IHS. Beide hielten ein Vorziehen für wenig zweckmäßig, um die schwache Konjunktur anzukurbeln. Die Bevölkerung würde das zusätzliche Einkommen eher sparen als ausgeben, und damit würde der gewünschte Entlastungseffekt verpuffen.

Wie steht Österreich im Abgabenvergleich mit anderen Ländern da?

Neben der Konjunkturbelebung wird mit den Steuerreformen noch ein weiteres Ziel verfolgt: die Abgabenquote in Österreich zu senken. Die Abgabenquote gibt an, welcher Anteil in Prozent des Bruttoinlandsprodukts für Steuern und Sozialversicherungsbeiträge aufgewendet wird. Und da muss ein Österreicher mehr als der EU-Durchschnittsbürger von seinem Einkommen abzweigen: Von 100 Euro fließen mehr als 44 Euro in die österreichischen Staats- und Sozialversicherungskassen, während es im EU-Schnitt nur 41 Euro sind. Die höhere Quote ist vor allem auf die höheren Sozialversicherungsbeiträge zurückzuführen.

Abgabenquote im EU-Vergleich
Steuern und Sozialversicherungsbeiträge in % des BIP, Prognose für 2003

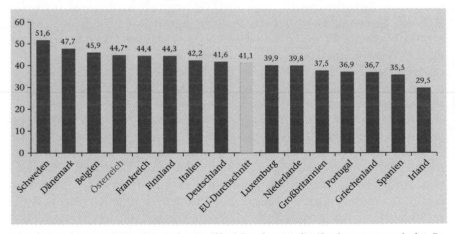

* Nach Angaben von Finanzstaatssekretär Alfred Finz beträgt die Abgabenquote nach den Berechnungen des Bundesministeriums für Finanzen für Österreich 44,4 %.
Quelle: EU-Kommission, OECD, OeNB, WKO, Stand: Juni 2003

In den nächsten Jahren soll die Abgabenquote kontinuierlich gesenkt werden: bis 2006 zunächst auf 43 Prozent, bis 2010 werden sogar 40 Prozent angepeilt. Als wichtigstes Argument dafür wird angeführt, dass Österreich sonst an Attraktivität für ausländische Direktinvestitionen verlieren würde. „Die Steuer- und Abgabenbelastung der österreichischen Unternehmen und Erwerbstätigen ist deutlich zu hoch. Gerade im Hinblick auf die EU-Erweiterung müssen wir die Abgabenquote senken, weil hohe Steuern zu Standortnachteilen führen", meint etwa Finanzstaatssekretär Alfred Finz. WIFO-Chef Helmut Kramer stellt jedoch das Standortargument in Frage. Denn Finnland und Schweden würden trotz einer sehr hohen Abgabenquote in den internationalen Ratings der Standortqualität durch Managerbefragungen nicht nur besser als Österreich, sondern überhaupt als führend in der Welt eingestuft.

Wirtschaftsblöcke weltweit

• Was ist der Europäische Wirtschaftsraum und wer gehört dazu?
• Welche großen Wirtschaftsblöcke gibt es weltweit?
• Welche anderen Formen der wirtschaftlichen Zusammenarbeit gibt es?
• Warum kann sich heute praktisch kein Land mehr einen wirtschaftlichen Alleingang leisten?

Was ist der Europäische Wirtschaftsraum und wer gehört dazu?

Seit 1994 bilden die 15 EU-Staaten gemeinsam mit den drei EFTA-Ländern Island, Norwegen und Liechtenstein den Europäischen Wirtschaftsraum (EWR). Die Schweiz als viertes EFTA-Land zählt nicht dazu, weil sich die Bevölkerung in einer Volksabstimmung dagegen aussprach. Allerdings gibt es zahlreiche bilaterale Abkommen (das heißt Vereinbarungen zwischen der EU und der Schweiz), die den gegenseitigen freien Handel ermöglichen.

Der EWR reicht also über die Länder der Europäischen Union hinaus und erfüllt somit auch neben der EU weiterhin seine Funktion. Im Gegensatz zur Union handelt es sich dabei aber nicht um eine Organisation mit eigenem Gesetzgebungs- und Verwaltungsapparat, sondern lediglich um einen wirtschaftlichen Zusammenschluss, der mittels Vertrag fixiert wurde.

Inhalt des EWR-Vertrags ist die Ausdehnung des EU-Binnenmarktes mit den vier Freiheiten des Waren-, Kapital-, Dienstleistungs- und Personenverkehrs auf die EFTA-Staaten, wenn auch zum Teil mit Übergangsfristen und Ausnahmeregelungen.

Der Unterschied zur EU liegt vor allem darin, dass der EWR-Vertrag weder eine Zollunion noch eine gemeinsame Agrarpolitik oder eine Steuerharmonisierung vorsieht. Deshalb müssen auch die Grenzkontrollen zwischen den EU- und den EFTA-Staaten grundsätzlich bestehen bleiben.

Mit rund 375 Millionen Menschen ist der Europäische Wirtschaftsraum der größte gemeinsame Markt der Welt. Die 18 beteiligten Staaten erwirtschaften zusammen 21 Prozent der Weltwirtschaftsleistung und rund 40 Prozent des Welthandelsvolumens.

Welche großen Wirtschaftsblöcke gibt es weltweit?

Neben dem in Europa dominierenden Europäischen Wirtschaftsraum gibt es auch auf allen anderen Kontinenten immer stärkere Bestrebungen zur Zusammenarbeit. In Nordamerika ist das die NAFTA, die bis 2006 in der Nord- und Südamerikanischen Freihandelszone (FTAA) aufgehen soll. In Asien wiederum soll in den nächsten Jahren die AFTA (jetzt noch ASEAN) ein Gegengewicht zu den USA und Europa bilden.

Vor allem die Staaten Schwarzafrikas können dem keinen vergleichbaren Block entgegensetzen. Deshalb befürchten Kritiker auch eine noch stärkere Diskriminierung dieser Länder. Denn bereits jetzt zeigt sich, dass sich die Welthandelsströme immer mehr auf den Regionalhandel innerhalb der Blöcke und zwischen den einzelnen Wirtschaftsblöcken konzentrieren.

Welche anderen Formen der wirtschaftlichen Zusammenarbeit gibt es?

Für eine engere wirtschaftliche Kooperation zwischen zwei oder mehreren Ländern ist nicht unbedingt die Bildung einer Wirtschaftsunion, wie sie die Europäische Union darstellt, notwendig. Die EU stellt aber derzeit die am weitesten fortgeschrittene wirtschaftliche Integration mehrerer Staaten dar.

Die Ökonomen unterscheiden folgende Stufen der Zusammenarbeit:

- **Wirtschaftliche Zusammenarbeit:**
  Die wirtschaftliche Entwicklung der Mitgliedstaaten wird gegenseitig gefördert. Beispiele: APEC, deren Mitglieder langfristig eine Freihandelszone einrichten wollen, und ASEAN, aus der in den nächsten Jahren die Asiatische Freihandelszone (AFTA) hervorgehen soll.
- **Freihandelszone:**
  Die Mitgliedstaaten vereinbaren untereinander Zollfreiheit; gegenüber Drittstaaten behält jedes Mitglied seine eigenen Zollregelungen bei. Beispiele: EFTA, NAFTA.
- **Zollunion:**
  Die Mitgliedstaaten vereinbaren untereinander Zollfreiheit; gegenüber Drittstaaten werden einheitliche Außenzölle erhoben. Beispiele: MERCOSUR, Neuseeland + Cook-Inseln.

- **Gemeinsamer Markt/Binnenmarkt:**
  Während in einer Zollunion nur völlig freier Handel mit Gütern und Dienstleistungen besteht, gibt es in einem Binnenmarkt auch freien Kapital- und Personenverkehr. Dazu werden gemeinsame Wettbewerbsregeln und eine gewisse Harmonisierung der Rechts- und Verwaltungsvorschriften sowie der Steuer- und Ausgabenpolitik vereinbart. Beispiel: die Europäische Gemeinschaft im Jahr 1993.
- **Wirtschaftsunion:**
  Gemeinsamer Markt mit harmonisierter Wirtschaftspolitik aller Mitgliedsländer. Nationales Recht wird von auf mehrstaatlicher Basis beschlossenem Recht abgelöst, und es werden eigene überstaatliche Institutionen mit speziellen Kompetenzen eingerichtet. Beispiel: Europäische Union.
- **Wirtschafts- und Währungsunion:**
  Zusätzlich zu den Rahmenbedingungen einer Wirtschaftsunion kommt eine einheitliche Währung. Beispiel: der Euroraum innerhalb der EU (= die zwölf Staaten, die den Euro eingeführt haben).

Wirschaftszusammenschlüsse weltweit

Bezeichnung	Teilnehmende Länder
Anden-Pakt	Bolivien, Ecuador, Kolumbien, Peru, Venezuela
APEC (Asian Pacific Economic Cooperation/ Asiatisch-Pazifische Wirtschaftsvereinigung)	Australien, Chile, China, Hongkong, Japan, Korea, Neuseeland, Papua-Neuguinea, Peru, Russland, Taiwan, Vietnam, + ASEAN- und NAFTA-Staaten ohne Kambodscha, Laos, Myanmar
ASEAN (Vereinigung Südosteuropäischer Staaten)	Brunei, Indonesien, Kambodscha, Laos, Malaysia, Myanmar, Philippinen, Singapur, Thailand, Vietnam
EWR (Europäischer Wirtschaftsraum)	15 EU-Staaten + 3 EFTA-Staaten (Norwegen, Island, Liechtenstein)
FTAA (Free Trade Area of Americas/Nord- und Südamerikanische Freihandelszone)	34 Staaten Nord- und Südamerikas (von Kanada bis Chile) sowie der Karibik wollen sich ab 2006 zur weltgrößten Freihandelszone zusammenschließen
MERCOSUR (Mercado del sur/ Gemeinsamer südamerikanischer Markt)	Argentinien, Bolivien, Brasilien, Chile, Paraguay, Uruguay
NAFTA (North American Free Trade Association/Nordamerikanische Freihandelszone)	USA, Kanada, Mexiko
OAU (Organisation für Afrikanische Einheit)	53 afrikanische Staaten
SAARC (Südostasiatische Gemeinschaft für Regionale Zusammenarbeit)	Bangladesch, Bhutan, Indien, Malediven, Nepal, Pakistan, Sri Lanka

Warum kann sich heute praktisch kein Land mehr einen wirtschaftlichen Alleingang leisten?

Kein Land kann sich heute mehr der wirtschaftlichen Zusammenarbeit verschließen. Dazu sind die Vorteile des gegenseitigen Außenhandels und die industrielle Arbeitsteilung mittlerweile zu groß. Und die Nachteile eines Alleingangs wären erheblich. Selbst die Schweiz als kleines, aber wirtschaftlich potentes Land, deren Bevölkerung sich gegen einen EU-Beitritt ausgesprochen hat und die nun als kleiner weißer Fleck inmitten des großen Europäischen Wirtschaftsraums liegt, konnte nicht umhin, zahlreiche Handelsabkommen mit der EU zu schließen, um nicht wirtschaftlich ins Hintertreffen zu geraten.

Schließlich ergeben sich durch die Vergrößerung eines Wirtschaftsraums

- ein größeres Warenangebot,
- eine bessere Arbeitsteilung,
- geringere Kosten durch die Produktion an kostengünstigeren Standorten,
- ein geringeres Preisniveau,
- mehr Arbeitsplätze.

Länder, die sich jeder wirtschaftlichen Zusammenarbeit mit anderen Staaten verschließen, müssen langfristig unter anderem mit folgenden Benachteiligungen rechnen:

- Rückgang des Außenhandels mit Ländern, die untereinander wirtschaftlich kooperieren – durch hohe Zölle, Kontingente oder andere Handelsschranken;
- kein freier Zugang zu einem vergrößerten Bildungs- und Arbeitsmarkt;
- keine Teilnahme an Forschungs- und Technologiekooperationen;
- Verminderung der Wettbewerbsfähigkeit;
- Gefahr wirtschaftlicher Stagnation.

Wirtschaftswachstum

- Warum ist Wirtschaftswachstum wichtig?
- Wie lässt sich das wirtschaftliche Wachstum bemessen?
- Wie hoch muss das Wachstum sein, um den derzeitigen Lebensstandard zu halten?
- Wie lauten die Argumente der Wachstumsbefürworter und -gegner?
- Wie lange ist weltweites Wachstum überhaupt noch möglich?
- Was gilt heute als Voraussetzung für wirtschaftliches Wachstum?

Warum ist Wirtschaftswachstum wichtig?

Wer fleißig spart, ist nicht nur brav und klug, sondern wird später auch reichlich dafür belohnt – so haben es die meisten von uns in der Schule und von den Eltern gelernt. Die Wirtschaft schätzt jedoch emsige Sparefrohs gar nicht so sehr: Werden die Sparschweine fest gefüttert, fließt das Geld nicht in den Konsum. Geschäfte, Gaststätten und Warenproduzenten nehmen weniger ein und müssen daher ihrerseits einsparen: sei es beim Personal, beim Ausbau ihrer Betriebe oder bei ihren eigenen Gehältern bzw. denen ihrer Angestellten.

Andererseits werden Ersparnisse heute nicht mehr in Sparstrümpfen oder alten Dosen gehortet, sondern in der Regel bei Banken, Versicherern und anderen Finanzdienstleistern zur Vermehrung hinterlegt. Die Kreditinstitute können damit ihrerseits Privaten, aber auch Unternehmen Darlehen zur Verfügung stellen, um Häuser und Firmengebäude zu bauen, Anlagen und Maschinen zu kaufen, also kurzum zu investieren. Selbst der Staat borgt sich regelmäßig Geld von seinen Bürgern aus. So hat das große Sparkapital der Kleinanleger etwa in den 70er-Jahren dazu geführt, dass die österreichische Regierung auf inländische Kapitalreserven zurückgreifen konnte und nicht weitaus teurere Kredite im Ausland aufnehmen musste. Sparen kann sich also auch für eine ganze Volkswirtschaft lohnen, und nicht nur für den Einzelnen.

Die optimale Form wäre somit, wenn die Menschen so viel verdienen, dass sie einerseits fleißig konsumieren können und dass ihnen andererseits noch etwas bleibt, das angespart werden kann. Doch dazu müssen die Einkommen möglichst aller wachsen, und dafür braucht es wiederum eine kräftig wachsende Wirtschaft. Denn nur wenn die Nachfrage steigt und die Kredite wegen des hohen Sparkapitals günstig sind, bauen die Unternehmen ihre Betriebe aus, kaufen mehr Geräte und Anlagen, nehmen mehr Leute auf, und die haben wiederum mehr Geld zum Ausgeben.

Immer wieder taucht die Frage auf, warum die Wirtschaft denn ständig wachsen müsse. Schließlich hätten die Industrieländer doch allesamt schon ein hohes Niveau erreicht. Warum reicht es also nicht einfach, das Niveau zumindest zu halten bzw. was ist dabei, wenn die Weltwirtschaft oder auch die Wirtschaft in Europa oder in Österreich einmal nur geringfügig wächst? Schließlich sei auch ein unterdurchschnittliches Wachstum von beispielsweise 1 Prozent noch immer ein Zuwachs.

WIFO-Chef Helmut Kramer erklärt die Gründe für den Druck zum Wachstum so: „Ein so geringes Wachstum bedeutet, dass eine Volkswirtschaft deutlich hinter ihren Produktionsmöglichkeiten zurückbleibt. Das bedeutet also sinkende Kapazitätsauslastung, sinkende Erträge, steigende Arbeitslosigkeit. Die möglichen Erträge und Einkommen sind dann nicht nur vorübergehend entgangen, sondern vielleicht dauerhaft, weil Investitionen, die längerfristig sinnvoll sind, zurückgestellt werden, weil Strukturveränderungen und Reformen, die die Effizienz der Volkswirtschaft längerfristig heben, schwerer fallen oder nicht durchzubringen sind."

Ohne Wachstum gibt es demnach keinen Fortschritt, und ohne Fortschritt gibt es keine Vermehrung des Reichtums. Um Armut zu bekämpfen und den Lebensstandard aller Menschen anzuheben, muss nach dieser Logik zwangsläufig auf Wachstum gesetzt werden.

Wie lässt sich das wirtschaftliche Wachstum bemessen?

Ob die Wirtschaft eines Landes von einem Jahr zum anderen tatsächlich gewachsen ist, wird anhand des Bruttoinlandsprodukts gemessen. Dabei wird jeweils die Steigerung des BIP von einem Jahr zum anderen verglichen. Ist das BIP gestiegen, kann das zwei Ursachen haben:

- Die Wirtschaft ist tatsächlich gewachsen (das heißt, es wurde zum Beispiel mehr produziert), oder
- die Preise sind gestiegen und haben so zu einem höheren BIP geführt.

Um diese Möglichkeit auszuschließen, muss die Veränderung des Verbraucherpreisindex berücksichtigt werden. Eine vorhandene Inflation muss also aus dem Wert für das Wirtschaftswachstum wieder herausgerechnet werden.

Das Bruttoinlandsprodukt ist der Gradmesser für die wirtschaftliche Entwicklung eines Landes. Es kann und sollte aber nicht der einzige Maßstab sein, denn über die tatsächliche Einkommensverteilung und über die allgemeine Wohlfahrt sagt es wenig aus, wie im Stichwort Bruttoinlandsprodukt näher ausgeführt ist.

Wie hoch muss das Wachstum sein, um den derzeitigen Lebensstandard zu halten?

Auch wenn der Kampf der einzelnen Länder um das höhere Wachstum manchmal wie ein eitles Wetteifern anmutet, geht es dabei nicht um den reinen Selbstzweck, sondern um handfeste Gründe. Einer davon heißt: Wachstum schafft Beschäftigung. Gibt es kein Wachstum, steigt die Arbeitslosigkeit. Denn im langfristigen Vergleich nimmt die Zahl der Erwerbstätigen in Österreich kontinuierlich zu: in den vergangenen Jahren um 10.000 bis 20.000 Menschen jährlich. Und auch wenn es im Jahr 2002 erstmals seit 1996 weniger Beschäftigte als im Jahr davor gab, ist damit zu rechnen, dass sich das mit Überwindung des internationalen Konjunkturtiefs rasch wieder ändern wird. Damit der Beschäftigtenstand dann annähernd gleich bleibt, also die Arbeitslosigkeit nicht steigt, sind ebenso viele neue Arbeitsplätze notwendig, und damit diese überhaupt geschaffen werden können, muss die Wirtschaft möglichst kräftig wachsen.

Der Internationale Währungsfonds (IWF) hat für 2003 ein weltweites Wirtschaftswachstum von 3,2 Prozent prognostiziert. Europa und die USA haben daran aber den geringeren Anteil, denn für die USA wird nur ein Wachstum von 2,2 Prozent erwartet, für die EU gar nur von 1,1 Prozent.

EU-Vergleich: Wirtschaftswachstum 1990–2002

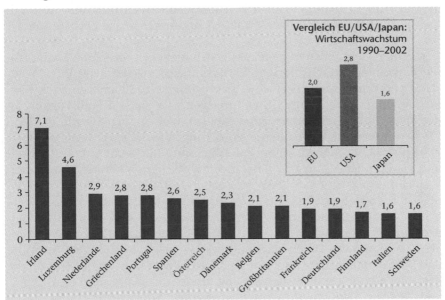

Quelle: WIFO, EU-Kommission, OECD

Laut der Investmentbank Morgan Stanley entfielen seit 1995 rund zwei Drittel des weltweiten Wirtschaftswachstums auf die USA. Heute liegen die Wachstumsmärkte aber am anderen Ende der Welt: Der IWF schreibt das höhere Wirtschaftswachstum vor allem den asiatischen Schwellenländern und den Transformationsländern in Mittel- und Osteuropa zu. So soll etwa die Wirtschaft in China – trotz Einbußen durch die Lungenkrankheit SARS – noch immer um 6 bis 7 Prozent zunehmen.

Für das Jahr 2003 mussten die Wachstumsprognosen jedenfalls durch die Bank nach unten korrigiert werden, sowohl für die USA als auch für die EU und auch für Österreich. Im Juni 2003 revidierte das Wirtschaftsforschungsinstitut (WIFO) die ursprüngliche Prognose für 2003 von 1,1 Prozent auf 0,7 Prozent, das Institut für Höhere Studien korrigierte von 1,5 auf 0,9 Prozent. Für das Jahr 2004 sieht WIFO-Chef Helmut Kramer mit 1,2 Prozent keine wesentliche Besserung, während IHS-Chef Bernhard Felderer immerhin 2,1 Prozent vorhersagt.

Wie lauten die Argumente der Wachstumsbefürworter und -gegner?

Kernpunkt vieler Wachstumsgegner ist das Argument, dass der zunehmende Wohlstand nicht zwangsläufig mit mehr Lebensqualität einhergeht. Der Schweizer Wirtschaftsprofessor Rolf Dubs (Universität St. Gallen) fasst die Kritikpunkte am wirtschaftlichen Wachstum und die Argumente der Befürworter folgendermaßen zusammen (siehe nächste Seite).

Der Schluss, der sich aus diesen zwei gegensätzlichen Ansichten ergibt, lautet Dubs zufolge: Wachstumsgegner, die auf einen weiter steigenden Wohlstand persönlich verzichten, sind glaubwürdige und damit ernst zu nehmende Leute. Wachstumsgegner hingegen, die laufend Forderungen an den Staat und an die Unternehmen stellen, bleiben unglaubwürdig, denn Wachstumsverzicht und laufende Forderungen vertragen sich nicht.

Die Ansicht, dass wir nicht auf ewig ohne Rücksicht auf die Umwelt und die Endlichkeit unserer Ressourcen wirtschaften können, findet sich aber keineswegs nur bei versponnenen Naturliebhabern. Auch auf den höchsten Ebenen der Entscheidungsfindung in Wirtschaft und Politik gewinnt Nachhaltigkeit immer mehr an Bedeutung – also umweltschonendes und sozialverträgliches Handeln mit Rücksicht auf die nachkommenden Generationen. Durch nachhaltiges Wirtschaften soll der überhöhte und ineffiziente Einsatz und Verbrauch von Rohstoffen verringert und die Verschwendung und Verschmutzung unserer Lebensgrundlagen „Luft" und „Wasser" zunehmend vermieden werden. Gleichzeitig sollen soziale Kriterien stärker berücksichtigt werden. Die EU-Umweltkommissarin Mar-

Argumente der Wachstumsgegner:

Folgelasten des Wachstums
Darunter versteht man alle Folgen, die aus dem Wachstum entstehen, ohne dass sich daraus für die Bevölkerung ein neuer Nutzen ergibt oder der Wohlstand steigt. Dazu zählen Folgelasten ...
* für die Natur: Überbeanspruchung der Natur
* für die Landwirtschaft: Verlust an Kultur- und Grünflächen, Entstehen von dicht besiedelten Gebieten
* für den Menschen: Zivilisationskrankheiten, Zeitverluste im Massenverkehr, Stress
* für den Staat: Überproportionale Aufwendungen für die Aufrechterhaltung des Lebens (Abwasserreinigung, Müllverbrennung, Verkehrssysteme usw.)

Abnehmender Zusatzertrag bei zusätzlichem Wachstum
Das heißt, ein wachsender Teil der zusätzlichen Produktion dient nicht mehr eigentlich zur Verbesserung der Wohlfahrt, sondern deckt nur noch die immer größer werdenden Folgelasten. Dazu zählen etwa ...
* zunehmende Kosten für den Gewässerschutz
* erhöhte Aufwendungen zur Bewältigung des Verkehrs
* steigende Kosten für die Aufrechterhaltung der Gesundheit
* Mehrausgaben für den Ersatz der verbrauchten Körper- und Seelenkräfte

Argumente der Wachstumsbefürworter:

Überwindung der Armut
Weiteres Wachstum ist nötig, weil es auf der ganzen Welt und insbesondere in den Entwicklungsländern noch viel Armut gibt. Ohne Wachstum lässt sich diese nicht überwinden.

Beseitigung der Umweltschäden
Das übermäßige Wachstum in den vergangenen Jahrzehnten hat die Umwelt geschädigt. Die Beseitigung dieser Schäden erfordert kostspielige Umwelttechnologien und -investitionen, die nur mit einem weiteren Wirtschaftswachstum finanziert werden können.

Gerechtere Einkommensverteilung
Bei größerem Wachstum der Wirtschaft werden die Verteilungskämpfe weniger hart, das heißt, bei einem weiteren Wachstum kommen alle Einkommensgruppen in den Genuss höherer Löhne. Andernfalls werden die Auseinandersetzungen um die Frage, wie ein kaum mehr wachsendes Volkseinkommen zu verteilen ist, immer schärfer.

Höherer Einkommensanteil für alle
Nur bei einem weiteren wirtschaftlichen Wachstum kann eine einkommensmäßige Schlechterstellung von Personengruppen durch staatliche Maßnahmen (wie Steuer- oder Sozialpolitik) vermieden werden. Es muss nicht einer Gruppe (zum Beispiel den Pensionisten) etwas genommen werden, um anderen (zum Beispiel Erwerbstätigen) etwas zu geben.

Chancen für junge Menschen
Nur ein weiteres Wachstum gibt der jungen Generation Beschäftigungs- und Aufstiegsmöglichkeiten.

Quelle: nach Dubs, Volkswirtschaftslehre, Verlag Haupt, 1998 got Wallström etwa fordert, dass der Grundsatz der nachhaltigen Entwicklung im neuen EU-Verfassungsvertrag verankert wird. Und die Bundesregierung hat 2002 die österreichische Nachhaltigkeitsstrategie beschlossen. Darin werden Ziele und Maßnahmen zur Vernetzung von Umwelt-, Wirtschafts-, Beschäftigungs- und Sozialpolitik beschrieben.

Damit es nicht nur bei frommen Wünschen bleibt, wird immer häufiger gefordert, dass Unternehmen neben ihren Geschäftsberichten, die sich auf rein wirtschaftliche Kriterien beschränken, auch so genannte Nachhaltigkeitsberichte vorlegen sollen. Sie sollen die Umweltverträglichkeit und soziale Verantwortung des Unternehmens widerspiegeln. Vorreiter in Österreich sind diesbezüglich unter anderem das größte Elektrizitätsunternehmen Österreichs, der Verbund, der als Beispiel für eine nachhaltige Investition den Bau der Hochspannungsleitung von Rotenturm im Südburgenland nach Graz nennt – dadurch sollen jährlich 20.000 Tonnen CO_2 eingespart werden –, aber auch die Telekom Austria, die im Juli 2003 ihren ersten Nachhaltigkeitsbericht vorlegte. Als ein Beispiel für nachhaltiges soziales Engagement führte Telekom-Austria-Chef Heinz Sundt die Abfertigung für ehemalige Mitarbeiter an, die „pro Kopf doppelt so hoch war wie bei Privatunternehmen".

Wie lange ist weltweites Wachstum überhaupt noch möglich?

Zumindest bei dem Argument, dass durch ständiges Wachstum doch irgendwann einmal der Plafond erreicht würde, weil schließlich kein Haushalt mehr als eine Waschmaschine, einen Kühlschrank, einen Swimmingpool, ein bis zwei Autos und – je nach Familiengröße – zwei bis drei Fernseher brauche, haben die Wachstumsbefürworter einen Trumpf in der Hand: nämlich die Erfahrungen aus der Vergangenheit. Denn wie sich allein im Laufe der letzten 100 Jahre gezeigt hat, lässt sich kaum vorhersehen, was in einigen Jahrzehnten oder gar in einem Jahrhundert allgemeiner Standard sein wird. Wer hätte vor 100 Jahren gedacht, dass die Felder einmal nicht mehr mühsam mit Ochsenkraft und Sense, sondern mit hochgerüsteten Traktoren und Erntemaschinen bewirtschaftet würden? Wer hätte vor 50 Jahren gedacht, dass sich heute praktisch jeder ein Telefon, eine Waschmaschine, ein Auto, eine Flugreise leisten kann? Und wer hätte vor nicht einmal 20 Jahren zu denken gewagt, dass einmal jeder dritte Haushalt in Österreich über einen Computer verfügen würde? Dass man Uhren einmal als modisches Accessoire tragen und daher je nach Anlass zwischen mehreren wechseln würde? Dass dem Quantensprung in der Textübertragung – dem Fax – nur einige Jahre des Triumphs beschert sein würden, weil schon wenige Jahre später fast ausschließlich gemailt wird?

Einerseits ist also völlig offen, welche Neuerungen oder heutigen Luxusgüter wir in ein paar Jahrzehnten als selbstverständlich erachten werden.

Andererseits bietet der Weltmarkt noch reichlich Absatzmöglichkeiten für das, was in den Haushalten und Betrieben der Industrieländer bereits zum Standard zählt. Die ost- und südosteuropäischen Länder, aber auch China mit einer Bevölkerung von 1,2 Milliarden Menschen befinden sich auf dem Weg zu modernen Wohlstandsgesellschaften. Sie stellen bereits jetzt wichtige Märkte für den österreichischen Außenhandel dar.

Und schließlich ändert sich auch die Qualität der bereits üblichen Waren beständig: Viele Geräte werden immer schneller, kleiner, leiser, effizienter. Das nützt auch der Umwelt, wenngleich die Menge der umgesetzten Waren zunimmt: Einerseits muss allein schon bei der Produktion zunehmend auf Umweltverträglichkeit geachtet werden, andererseits sind die Waren sparsamer im Energieverbrauch oder umweltschonender geworden (Beispiel Kühlschränke, die nun nur noch ein Drittel des Stroms verbrauchen, den ein Gerät aus den 70er-Jahren schluckte, und zudem ohne ozonschädigendes FCKW auskommen).

Was gilt heute als Voraussetzung für wirtschaftliches Wachstum?

Hier liegt nach Meinung der Ökonomen auch der Schlüssel für das Prosperieren moderner Volkswirtschaften: Ausschlaggebend ist nicht nur die rein mengenmäßige Steigerung der Produkte, wie das noch im Zuge der industriellen Revolutionen der Fall war. Was heute zählt, sind vielmehr qualitativ höherwertige Güter und Dienstleistungen mit besonders großer Wertschöpfung. Anders ausgedrückt: Die Länder und Unternehmen, die technologisch die Nase vorn haben, erzielen die größten Zuwächse und den höchsten Profit. Ihre Produkte und Dienstleistungen sind am gefragtesten,

■ weil sie in dieser Art neu auf dem Markt sind und quasi eine Monopolstellung genießen;

■ weil sie am billigsten bzw. rationellsten herstellbar sind, also mit dem geringstmöglichen Einsatz von Maschinen, Rohstoffen oder Arbeitskräften.

Erforderlich ist also eine Verlagerung von einfachen und technisch anspruchslosen Produkten (wie Grundstoffen, Massenwaren oder Grundnahrungsmitteln) hin zu technisch höherwertigen Gütern und Qualitätsprodukten (wie Investitions- und Konsumgütern des gehobenen Bedarfs). Dasselbe gilt für Dienstleistungsangebote, etwa im Fremdenverkehr. Das Gebot der Stunde lautet nicht mehr: so viele Gäste wie möglich, sondern möglichst hohe Einnahmen pro Gast. Sprich: weg vom Billigurlaub, der in Zeiten von Charterflug und All-inclusive von Mallorca bis zur Dominikanischen Republik konkurrenzlos günstig angeboten wird, hin zum Qualitätstourismus zwischen Bodensee und Neusiedlersee. Das muss nicht zwangsläufig ein 5-Stern-Hotel sein, hohe Qualität kann auch in einfachen Quartieren angeboten werden.

Damit die Verlagerung von der Quantität zur Qualität überhaupt möglich wird, erfordert es entsprechendes „Humankapital", wie die Ökonomen das durch Ausbildung und Berufserfahrung erworbene Wissen und Können der Arbeitskräfte etwas trocken bezeichnen. Gleichzeitig sind Investitionen in Forschung und Entwicklung unerlässlich. Nicht umsonst hat die Europäische Union und entsprechend auch die österreichische Regierung F&E (Forschung und Entwicklung) zu einer der wichtigsten Säulen für das wirtschaftliche Wachstum Europas in den kommenden Jahren erklärt.

Zinsen

• Wer bestimmt die Höhe von Kredit- und Sparzinsen?
• Warum sind die Kreditzinsen so viel höher als die Sparzinsen?
• Was versteht man unter Wucherzinsen?

Wer bestimmt die Höhe von Kredit- und Sparzinsen?

Zinsen sind gewissermaßen so etwas wie eine Leihgebühr für die Überlassung von Geld. Wer heute schon Geld ausgeben will, das er eigentlich noch nicht hat, muss dafür einen Preis zahlen. Die Höhe dieses Preises richtet sich im Prinzip nach Angebot und Nachfrage: Wer sich Geld ausborgen muss, wird möglichst darauf achten, dass er dafür so wenig Zinsen wie möglich zahlen muss. Er wird also, wenn er einigermaßen vernünftig ist, nach dem günstigsten Geldgeber suchen. Und wer Geld herleiht, wird darauf achten, dass er möglichst viel Zins herausschlägt. Verlangt er zu viel, dann werden sich interessierte Kreditnehmer an andere, günstigere Geldgeber wenden. Daher muss sich auch der Geldgeber – in der Regel Banken und Sparkassen – nach der Nachfrage auf dem Markt richten. Das gilt natürlich ebenso für den Sparer, der letzten Endes nichts anderes tut, als den Kreditinstituten seinerseits Geld zu leihen. Er kann natürlich sämtliche Geldinstitute abklappern und hoffen, dass er doch noch eines findet, das ihm deutlich mehr Guthabenzinsen für sein Geld bietet. In der Regel bewegen sich aber sowohl die Habenzinsen für Einlagen wie auch die Sollzinsen für Darlehen in einem relativ engen Rahmen.

Das hängt mit dem Leitzinssatz zusammen, der von der Europäischen

Zentralbank für den gesamten Euro-Währungsraum vorgegeben wird. Dieser Zinssatz, den die Geschäftsbanken zahlen müssen, wenn sie sich selbst Geld von der Nationalbank ausleihen, wird je nach der Marktlage festgelegt.

- Niedrige Zinsen sollen Unternehmen und Private zur Aufnahme von Krediten bewegen und die Konjunktur ankurbeln. Denn je niedriger der Zinssatz, desto größer die Bereitschaft zu investieren, weil das dazu nötige Geld billiger ist. Niedrige Zinsen führen zu einem Anwachsen der Geldmenge, denn wenn sich Sparen nicht so richtig lohnt, wird das vorhandene Geld lieber sofort für Güter und Dienstleistungen ausgegeben.
- Hohe Zinsen sollen ein zu starkes Wachstum der Geldmenge drosseln, weil sonst eine Inflation droht. Je höher die Zinsen, desto stärker werden die aktuell zur Verfügung stehenden Geldmittel genutzt. Man konsumiert also mehr, als man investiert, weil die Kredite zu teuer sind.

Die den Sparern und Kreditnehmern verrechneten Zinsen orientieren sich am Leitzinssatz. Es steht aber jeder Bank frei, die exakte Höhe nach eigenem Gutdünken festzulegen. Vergleichen lohnt sich also, auch wenn die Bandbreite zwischen den einzelnen Instituten üblicherweise nicht sehr groß ist.

Warum sind die Kreditzinsen so viel höher als die Sparzinsen?
Auch wenn man Zinsen als Leihgebühr betrachtet, erklärt das noch nicht die hohen Zinsspannen der Banken – also das, was sie an Habenzinsen für Einlagen zahlen und was sie an Sollzinsen für Kredite verlangen. Die Rechtfertigung dafür: Wer Geld bei einer Bank oder Sparkasse einlegt, möchte die Möglichkeit behalten, sein Geld zu einem bestimmten Zeitpunkt zurückzubekommen. Er kann eine tägliche Kündigung vereinbaren oder auch eine halbjährliche oder jährliche. Je länger die Bank über das Geld verfügen kann, desto besser kann sie damit wirtschaften. Deshalb zahlt sie für längerfristige Spareinlagen auch höhere Zinsen.

Für die Banken wäre das Geldherleihen und -anlegen relativ einfach, wenn die Sparer es genauso lange liegen ließen, wie es die Kreditnehmer brauchen. Aber das ist bekanntlich nicht der Fall. Kaum ein Sparbuchsparer wird sein Geld auf 15 Jahre binden. Andererseits könnten viele Häuslbauer gar nicht erst mit dem Bauen beginnen, wenn die Bank die Rückzahlung des Darlehens nicht auf 15 Jahre erstrecken würde. Aber auch aus kurzfristigen Krediten, die vielleicht nur auf sechs Monate abgeschlossen wurden, werden oft ungewollt sehr langfristige Bankschulden.

Aufgabe der Bank ist es nun, aus all den kurzfristigen (Spar- und Konto-)Einlagen langfristige Kredite zu machen. Um das zu bewerkstelligen und sicherzustellen, dass jeder Sparer sein Geld – unter Umständen auch vor Ablauf seiner Sparfrist – jederzeit wieder in bar beheben kann, ist ein komplizierter Apparat an Menschen und Einrichtungen notwendig, und der kostet Geld. In der Nutzenspanne der Bank stecken also diese Verwaltungs- oder, wie man auch sagen könnte: Umwandlungskosten.

Außerdem steckt darin das Risiko, das die Bank bei jeder Kreditgewährung eingeht. Obwohl die Kreditinstitute bei der Forderung von Sicherheiten (wie Gehalt, Bürgschaften, Hypotheken oder Ähnlichem) nicht schüchtern sind, passiert es doch immer wieder, dass Kredite „faul", also uneintreibbar werden. Wer sein Geld zu einer guten Bank gebracht hat, kann aber mit Recht beanspruchen, dass er selbst kein Risiko tragen will. Wenn er das Risiko der Bank aufladen will, muss er in Kauf nehmen, für sein Geld weniger Zinsen zu erhalten als die Bank.

Was versteht man unter Wucherzinsen?

Neben Banken und Sparkassen werden Darlehen oft auch von privaten Kreditvermittlern oder von Unternehmen in Form von Ratenzahlungen für eine Ware angeboten. So wie den Banken steht es auch ihnen frei, die Höhe der Kreditzinsen selbst festzulegen. Allerdings hat der Gesetzgeber dem bestimmte Grenzen gesetzt. So darf sich niemand auf Kosten anderer einen unverhältnismäßig großen Vermögensvorteil verschaffen. Das wäre etwa dann der Fall, wenn jemand den Leichtsinn, die Zwangslage, mangelndes Urteilsvermögen, Unerfahrenheit oder auch einen krankheits- oder medikamentenbedingten Gemütszustand eines anderen ausnützt und eine Gegenleistung (sprich: völlig überhöhte Zinsen) fordert, die in keinem Verhältnis zu seiner Leistung steht.

Ab welchem Prozentsatz tatsächlich von Wucherzinsen gesprochen werden kann, lässt der Gesetzgeber offen. In früheren Zeiten waren das Kreditkosten, die das Doppelte des marktüblichen Zinssatzes überschritten. Heute werden auch die Umstände des Einzelfalls beachtet. So kann in Zeiten hoher Zinsen schon eine geringere Überschreitung genügen, während in Zeiten niedriger Zinsen auch höhere Überschreitungen noch als sittengemäß gelten können.

Ein Wuchervertrag ist jedenfalls nichtig. Außerdem kann Wucher mit Geldstrafe und mit Freiheitsstrafe bis zu drei Jahren bestraft werden; handelt es sich um gewerbsmäßiges Vorgehen, sogar mit Freiheitsstrafen bis zu zehn Jahren.

Zinsen – tabu für Gläubige

Nach dem islamischen Recht ist es verboten, Zins zu zahlen oder zu nehmen, weil er nicht mit einer Arbeitsleistung verbunden ist. Das bedeutet aber nicht, dass die Bevölkerung in Ländern mit islamischer Staatsreligion oder muslimische Gläubige deshalb ihr Geld weder ansparen noch in Wertpapiere stecken können. Zinszahlungen, mit denen kein Risiko verbunden ist (wie etwa bei Sparbüchern), sind zwar nicht möglich. Erlaubt ist aber die Teilhabe am Risiko und am Entgelt dafür. Und wo ein Wille zu Geschäften ist, da findet sich auch ein Weg zur Durchführung. So erhält ein Einleger in diesem Fall etwa anstelle einer Guthabenverzinsung eine Beteiligung am Gewinn der Bank, also eine Art Dividende. Auch Hypotheken oder Leasing sind inzwischen neben anderen Finanzierungsformen üblich. Und wer Lust auf Nervenkitzel hat, darf sein Geld durchaus in riskante Aktien investieren: Spekulationsgewinne gelten nicht als Zinsen, sondern als Erlös aus einem Handel und sind somit mit den Prinzipien des Islam vereinbar.

Weniger bekannt ist, dass auch im kanonischen Recht der katholischen Kirche ein Zinsverbot für Darlehen festgelegt ist. So war etwa der heilige Ambrosius, dessen Auffassung um das Jahr 1140 in das Kirchenrecht einging, der Ansicht, dass alles, was über die Rückzahlung eines Darlehens hinaus gefordert werde, Wucher sei. Die Vorbehalte christlicher Theologen basierten (und basieren zum Teil bis heute) darauf, dass Wucher eine Sünde gegen die Nächstenliebe und die Brüderlichkeit sei. Diese Auffassungen begannen sich erst vor zirka 200 Jahren stark zu wandeln. Vor allem wird heute streng unterschieden zwischen Zins und Wucher (siehe weiter oben).

Abkürzungsverzeichnis

ATX	Austrian Traded Index
BIP	Bruttoinlandsprodukt
BIZ	Bank für Internationalen Zahlungsausgleich
Ecofin-Rat	Rat der Wirtschafts- und Finanzminister
EFTA	European Free Trade Association
EIB	Europäische Investitionsbank
ESZB	Europäisches System der Zentralbanken
EU	Europäische Union
EWR	Europäischer Wirtschaftsraum
EZB	Europäische Zentralbank
F&E	Forschung und Entwicklung
GATS	General Agreement on Trade in Services
GATT	General Agreement on Tariffs and Trade
HDI	Human Development Index
HVPI	Harmonisierter Verbraucherpreisindex
IHS	Institut für Höhere Studien
IWF	Internationaler Währungsfonds
KMU	Klein- und Mittelunternehmen
MOEL	Mittel- und osteuropäische Länder
OECD	Organization for Economic Cooperation and Development
OPEC	Organisation Erdöl exportierender Länder
OeNB	Oesterreichische Nationalbank
UNCTAD	United Nations Conference on Trade and Development
VPI	Verbraucherpreisindex
WFA	Wirtschafts- und Finanzausschuss
WIFO	Wirtschaftsforschungsinstitut
WTO	World Trade Organization
WWU	Wirtschafts- und Währungsunion

Quellenverzeichnis

Abele/Nowotny/Schleicher/Winckler (Hrsg.): Handbuch der österreichischen Wirtschaftspolitik, Manz 1989

AMS info 37: Die österreichische Berufs- und Qualifikationslandschaft 2005, Juni 2001

AMS info 38: Lehrlinge und FacharbeiterInnen – Prognosen bis zum Jahr 2014/2016, Juli 2001

AMS info 51: Arbeitsmarkt & Bildung – Jahreswerte 2001, März 2002

AMS info 52: Arbeitsplätze: Gewinner und Verlierer nach Branchen, März 2002

Androsch Hannes, Staat Steuern Gesellschaft, Verlag Orac 1978

A.T. Kearney/Foreign Policy Magazine: Measuring Globalization, 2003

Bartz Dietmar: Wirtschaft von A bis Z, Eichborn 2002

Backes/Robert: Das Schweigen des Geldes, Pendo Verlag 2003

BM für soziale Sicherheit und Generationen: Bericht über die soziale Lage 2001–2002

BM für Wirtschaft und Arbeit: Außenwirtschaftsjahrbuch 2001/2002, 2002/2003

BM für Wirtschaft und Arbeit: Bericht über die Situation der kleinen und mittleren Unternehmungen der gewerblichen Wirtschaft 2000/2001

BM für Wirtschaft und Arbeit: Wirtschaftsbericht Österreich 2002

BM für Wirtschaft und Arbeit: Wirtschaftsspiegel 15–19, 2002/2003

Centre for European Reform: Does enlargement matter for the EU economy? March 2003

Dubs Rolf: Volkswirtschaftslehre, Verlag Paul Haupt 1998

Feichtinger/Spörker: ÖMV – OMV, Die Geschichte eines österreichischen Unternehmens, Druckerei Berger

Fourcans André: Die Welt der Wirtschaft, Campus Verlag 1999

Gabler Kompakt-Lexikon Wirtschaft, Verlag Dr. Th. Gabler 2001

Heilbroner/Thurow: Wirtschaft – Das sollte man wissen, Campus Verlag 2002

Hohlstein/Pflugmann/Sperber/Sprink: Lexikon der Volkswirtschaft, dtv 2003

Jungblut Michael (Hrsg.): WISO Wirtschaftswissen, Wirtschaftsverlag Carl Ueberreuter 1999

Kausel Anton: Ein halbes Jahrhundert des Erfolgs, Finanznachrichten Sondernummer 2002

Klocke Peter A.: Wirtschaftsnachrichten lesen und verstehen, Haufe 2001

KMU Forschung Austria: Konjunkturbeobachtung Gewerbe und Handwerk, Jahresbericht 2002/2003

Kok Wim: Die Erweiterung der Europäischen Union, Bericht an die Europäische Kommission 2002

Knapp Horst: Angebot sucht Nachfrage, Signum Verlag 1984

Kramer Helmut: Österreichs Wirtschaft – Betrachtungen zur Jahreswende 2002/2003

Lehmann Frank: Wirtschaft – Worauf es ankommt, Hoffmann und Campe 2002

Merrill Lynch/Cap Gemini Ernst & Young: World Wealth Report 2003

Meyer: Wie funktioniert das? Wirtschaft heute, Meyers Lexikonverlag 1999

Neck/Nowotny/Winckler (Hrsg.): Grundzüge der Wirtschaftspolitik Österreichs, Manz 2001

Nordhaus/Samuelson: Volkswirtschaftslehre, Wirtschaftsverlag Carl Ueberreuter 1998

Österreichische Gesellschaft für Politikberatung und Politikentwicklung: Privatisierung und Liberalisierung öffentlicher Dienstleistungen in der EU, April 2003

Oesterreichische Nationalbank: Finanzmarktstabilitätsbericht 4/2002

Oesterreichische Nationalbank: Finanzmarktstabilitätsbericht 5/2003

Oesterreichische Nationalbank: Focus on Austria I/2003

Oesterreichische Nationalbank: Geld und Währung, September 2001

Oesterreichische Nationalbank/Financial Markets Austria Services: The Austrian Financial Markets, Revised Edition 2002

Österreichisches Gesellschafts- und Wirtschaftsmuseum: Das Bundesbudget 2002

Österreichisches Gesellschafts- und Wirtschaftsmuseum: Außenhandel

Österreichisches Institut für Gewerbe- und Handelsforschung: Konjunkturbeobachtung Einzelhandel, Jahresbericht 2002

Österreichisches Statistisches Zentralamt: Republik Österreich 1945–1995

Reiners Ludwig: Die Sache mit der Wirtschaft, Paul List Verlag 1956

Rittershofer Werner: Wirtschafts-Lexikon, dtv 2002

Schreiber Uwe: Das Wirtschaftslexikon, Wilhelm Heyne Verlag 2000

Sieder/Steinert/Tálos (Hrsg.): Österreich 1945–1995, Verlag für Gesellschaftskritik 1996

Statistik Austria: Statistische Nachrichten, Jänner bis Juli 2003

Stiefel Dieter: Die große Krise in einem kleinen Land, Böhlau Verlag 1988

United Nations Conference on Trade and Development: World Investment Report 2002

Wirtschaftskammern Österreichs: Wirtschaftsgrafik 2002

Wirtschaftsstudio des Österreichischen Gesellschafts- und Wirtschaftsmuseums: Österreichs Wirtschaft im Überblick 2000/2001, 2001/2002, 2002/2003, Verlag Orac

World Economic Forum: Global Competitiveness Report 2003

Stichwortverzeichnis